Débuter en Micro

C'est simple

2e édition

D1404629

Visuel

MAURICE SOUCY
JUIN 2001

IDG BOOKS

First Interactive

***maran*Graphics**™

Débuter en Micro C'est simple, Édition Gold, 2ᵉ édition

Publié par
IDG Books Worldwide, Inc.
Une société de International Data Group
919 E. Hillsdale Blvd., Suite 400
Foster City, CA 94404

Copyright ©   2001 par maranGraphics Inc.
5775 Coopers Avenue
Mississauga, Ontario, Canada
L4Z IR9

Edition française publiée en accord avec IDG Books Worldwide par :

© **Éditions First Interactive**
33, avenue de la République
75011 PARIS – France
Tél. 01 40 21 46 46
Fax 01 40 21 46 20
Minitel : 3615 AC3* F1RST
E-mail : firstinfo@efirst.com
Internet : www.efirst.com

ISBN : 2-84427-904-X
Dépôt légal : 1ᵉʳ trimestre 2001

Illustrations 3-D
copyright maranGraphics, Inc.

Chaque ouvrage maranGraphics est le fruit de l'extraordinaire travail d'équipe d'une famille unique en son genre : la famille Maran, à Toronto, au Canada.

Chez maranGraphics, nous pensons réaliser de grands et beaux livres d'informatique, en les concevant avec soin l'un après l'autre.

Les principes de communication que nous avons développés depuis vingt-cinq ans sont à la base de chaque livre maranGraphics : les reproductions d'écran, les textes et les illustrations sont là pour vous faciliter l'assimilation des nouveaux concepts et des tâches à accomplir.

Nos dessins suivent pas à pas le texte pour illustrer visuellement les informations qui y sont contenues. Chacun est un véritable travail d'amour, la réalisation de certains dessins représentant près d'une semaine de travail !

Nous examinons longuement le meilleur moyen d'exécuter chaque tâche, afin que vous n'ayez pas à le faire. Ensuite, nos captures d'écran ainsi que les instructions qui les accompagnent étape par étape vous donnent toutes les indications utiles du début jusqu'à la fin.

Nous vous remercions de votre confiance, persuadés que vous avez fait le meilleur choix en achetant nos livres. Enfin, nous espérons que vous aurez autant de plaisir à utiliser nos livres que nous en avons pris à les créer !

La famille maranGraphics

Vue d'ensemble

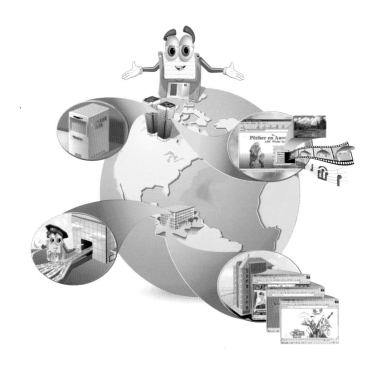

Table des matières

PARTIE 1 : La micro

CHAPITRE 4

SUPPORTS DE STOCKAGE

CHAPITRE 5

LOGICIELS D'APPLICATION

CHAPITRE 6

SYSTÈMES D'EXPLOITATION

CHAPITRE 7

ORDINATEURS PORTABLES

Table des matières

PARTIE 2 : Windows Me

CHAPITRE 8

WINDOWS ME : LES BASES

CHAPITRE 9

VISUALISER DES FICHIERS

Table des matières

PARTIE 3 : Word

CHAPITRE 13

DÉMARRER AVEC WORD

CHAPITRE 14

METTRE EN FORME DU TEXTE

CHAPITRE 15

UTILISER LES TABLEAUX

PARTIE 4 : Excel

CHAPITRE 16

DÉMARRER AVEC EXCEL

CHAPITRE 17

MODIFIER DES FEUILLES DE CALCUL

Table des matières

PARTIE 5 : Internet

CHAPITRE *18*

DÉCOUVRIR L'INTERNET

CHAPITRE *19*

NAVIGUER SUR LE WEB

CHAPITRE *20*

ÉCHANGER DU COURRIER ÉLECTRONIQUE

CHAPITRE 1

PRÉSENTATION DES ORDINATEURS

Vous voulez mieux comprendre le fonctionnement de votre ordinateur ? Ce chapitre vous aidera à bien commencer.

MATÉRIEL ET LOGICIELS

Les éléments matériels et les logiciels sont les deux types de composants d'un ordinateur.

MATÉRIEL

On désigne par « matériel » toutes les parties physiques de l'ordinateur, c'est-à-dire celles que vous pouvez voir et toucher.

Périphériques

Les appareils externes connectés à l'ordinateur (par exemple une imprimante) sont appelés « périphériques ».

LOGICIELS

Un programme, ou « logiciel », est un ensemble d'instructions qui donnent des directives précises à l'ordinateur. Vous ne pouvez ni voir ni toucher ces programmes, vous n'en voyez que l'emballage ou le support.

Applications

Les applications sont des programmes permettant d'effectuer un type de travail précis, comme un traitement de texte. Parmi les applications connues, vous trouvez Word et Excel de Microsoft.

Système d'exploitation

Le système d'exploitation est le programme qui contrôle le fonctionnement global de l'ordinateur. La plupart des ordinateurs récents fonctionnent avec Windows 98 ou Windows Millennium.

OBTENIR DE L'AIDE

> Il y a plusieurs moyens d'obtenir de l'aide lors de l'installation de nouveaux programmes ou périphériques.

MANUELS D'UTILISATION

En général, les programmes et les périphériques sont livrés avec une documentation qui vous indique comment les installer et les utiliser. De plus, la plupart des logiciels disposent d'un programme d'aide intégré. Vous pouvez aussi trouver des ouvrages détaillés dans les librairies informatiques.

APPELER UN SPÉCIALISTE

Si vous avez besoin d'informations supplémentaires pour installer et utiliser un programme ou un nouveau périphérique, vous pouvez appeler le magasin où vous l'avez acheté.

COURS

Des clubs, des cours d'informatique, ou même tout simplement des magasins d'informatique, vous permettront d'échanger des idées et de trouver réponse à vos questions.

FONCTIONNEMENT DE L'ORDINATEUR

> Un ordinateur reçoit, traite, stocke et sort des informations.

ENTRÉE

Les périphériques d'entrée vous permettent de communiquer avec l'ordinateur pour lui envoyer des informations et des commandes. Il s'agit principalement du clavier, de la souris et des manettes de jeu *(joystick)*.

TRAITEMENT

Le processeur (ou CPU pour *Central Processing Unit*) est le composant électronique principal d'un ordinateur. Il exécute les instructions, effectue les calculs et gère les flux de données traitées par l'ordinateur. Pour accomplir sa tâche, le processeur communique avec les périphériques d'entrée, de sortie, et de stockage.

STOCKAGE

Un périphérique de stockage sert de support pour enregistrer et conserver des informations auxquelles l'ordinateur aura recours pour exécuter ses tâches. Disque dur, lecteur de disquettes, lecteur et graveur de CD-ROM, lecteur de bandes magnétiques en sont les exemples les plus courants.

SORTIE

Les périphériques de sortie permettent à l'ordinateur de communiquer des informations à l'utilisateur : l'écran affiche des informations, l'imprimante sort des documents papier, les haut-parleurs diffusent des sons.

OCTETS

Les octets servent à mesurer la quantité d'informations qu'un périphérique peut stocker.

BIBLIOTHÈQUE

Octet

Un octet représente un caractère, c'est-à-dire une lettre, un chiffre, ou un symbole.

Chaque octet est composé de 8 bits. Un bit, ou chiffre binaire, désigne l'unité élémentaire d'information qu'un ordinateur peut traiter. Elle peut prendre deux valeurs : 0 ou 1.

Kilo-octet

Un Kilo-octet (Ko) est composé de 1 024 octets, ce qui correspond environ à une page de texte en double interligne.

Mégaoctet

Il faut 1 048 576 octets pour obtenir un 1 Mégaoctet (Mo). Cela représente approximativement un livre complet.

Gigaoctet

Un Gigaoctet (Go) contient 1 073 741 824 octets, ce qui équivaut à une étagère de bibliothèque.

Téraoctet

Un Téraoctet (To) représente 1 099 511 627 776 octets. Cela correspond environ à une bibliothèque entière.

DIFFÉRENTES CATÉGORIES D'ORDINATEUR

Il existe plusieurs systèmes d'ordinateur

PC

Le PC *(Personal Computer)* est un ordinateur conçu pour effectuer les travaux d'une seule personne. On désigne ainsi les ordinateurs compatibles IBM – que l'on trouve aussi bien dans le domaine professionnel que dans un environnement domestique.

MACINTOSH

Ces ordinateurs sont assez répandus en tant qu'ordinateur domestique. Le Macintosh fut le premier ordinateur familial qui offre une interface graphique. Mais les Macintosh sont surtout très employés dans le secteur de la presse, l'édition professionnelle, pour des travaux de PAO, le graphisme, le multimédia.

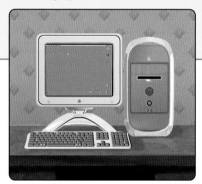

MAINFRAME (GRAND SYSTEME CENTRAL)

On désigne sous le nom de *mainframe* des ordinateurs qui peuvent traiter et enregistrer de grandes quantités d'informations. En général, ils sont utilisés simultané-ment par plusieurs personnes, qui se servent d'un terminal pour communiquer avec eux. Un terminal est un système constitué uniquement d'un écran et d'un clavier.

DÉCODEUR

Un décodeur est un périphérique connecté à votre télévision et à votre ligne téléphonique (ou au réseau câblé). Ces « boîtes » permettent de naviguer sur Internet, d'envoyer et de recevoir du courrier électronique.

L'ORDINATEUR TYPE

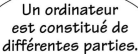

Un ordinateur est constitué de différentes parties.

Écran (ou moniteur)

Un écran est un dispositif qui affiche les images et le texte générés par l'ordinateur.

Imprimante

Ce périphérique sert à imprimer sur papier des documents créés sur l'ordinateur.

Boîtier

C'est dans le boîtier que se trouvent la plupart des composants de l'ordinateur.

Haut-parleurs

Ces périphériques diffusent les sons générés par un ordinateur.

Modem

Il s'agit d'un périphérique qui permet à l'ordinateur de communiquer avec d'autres ordinateurs par l'intermédiaire du réseau téléphonique. Il existe des modems internes à l'ordinateur, ou bien externes.

Clavier

C'est un périphérique qui sert à entrer des informations dans l'ordinateur et à lui donner des instructions.

Souris

Une souris est un dispositif manuel qui permet de sélectionner et de déplacer des éléments (comme des icônes, des fichiers, des données) affichés à l'écran.

Bloc alimentation

Ce dispositif sert à convertir le courant du réseau électrique en courant continu, nécessaire au fonctionnement de l'ordinateur.

Disque dur

C'est le périphérique principal de stockage des informations dont se sert l'ordinateur.

Ports

Un port est un connecteur dans lequel vous pouvez brancher un périphérique externe, par exemple une imprimante.

Cartes d'extension

Ces cartes électroniques ont pour but d'ajouter des capacités à l'ordinateur ou d'en modifier les caractéristiques. Par exemple, installer une carte son permet de jouer et d'enregistrer de la musique.

Connecteurs d'extension

Situés sur la carte mère, ces connecteurs sont utilisés pour brancher les cartes d'extension.

Carte mère

Il s'agit de la carte électronique principale de l'ordinateur. Tous les composants électroniques se connectent sur cette carte.

intel

pentium·III

Tous les ordinateurs contiennent les mêmes éléments principaux.

Lecteur CD-ROM ou DVD

Les disques compacts (CD-ROM) et les DVD *(Digital Versatile Disc)* sont lus grâce à cet appareil.

Lecteur de disquettes

Ce périphérique sert à enregistrer et lire des données sur des disquettes.

Emplacement pour lecteurs

Cet espace est réservé aux lecteurs de disquettes, disques durs supplémentaires, lecteurs de CD-ROM ou de DVD.

Processeur

Il s'agit du composant électronique principal de l'ordinateur. Il exécute les instructions, effectue les calculs et gère les flux d'informations qui passent par l'ordinateur.

RAM

La RAM (ou mémoire vive) sert à enregistrer les informations utilisées par l'ordinateur lorsque celui-ci est en marche.

TYPES DE BOÎTIER

Le boîtier de l'ordinateur contient la plupart des éléments importants.

Boîtier horizontal (bureau)

Ce type de boîtier est en général placé sur le bureau et sous l'écran.

Boîtier vertical (tour)

On place généralement ces boîtiers à même le sol, ce qui libère de la place sur le bureau, mais ce qui est moins confortable pour manipuler les disquettes et les CD-ROM. Les tours sont de dimension variable.

PORTABLE

Un portable est un ordinateur petit et léger, pour qu'il soit aisé à transporter – comme son nom l'indique. Ce type d'ordinateur dispose d'un clavier et d'un écran intégrés.

BOÎTIER MONOBLOC

L'écran, le lecteur de disquettes, le lecteur de CD-ROM et les haut-parleurs sont intégrés dans ce type de boîtier.

ALIMENTATION

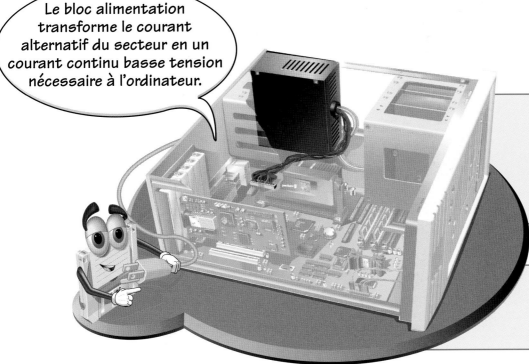

Le bloc alimentation transforme le courant alternatif du secteur en un courant continu basse tension nécessaire à l'ordinateur.

La puissance d'une alimentation se mesure en watts. Un ordinateur moyen consomme au maximum 200 watts (une ampoule électrique, environ 60 watts).

Le ventilateur situé à l'intérieur de l'alimentation évite aux composants de l'ordinateur de chauffer.

PROTÉGER VOTRE ÉQUIPEMENT

Les fluctuations dans l'alimentation électrique peuvent endommager votre matériel.

Régulateurs

Lors d'un orage, le courant peut devenir irrégulier. Un régulateur de tension permet de limiter ces fluctuations afin de protéger votre ordinateur.

Onduleurs

Ces appareils sont utilisés en cas de coupure de courant. Ils possèdent une batterie interne qui emmagasine de l'électricité. Cette batterie fournit une autonomie de quelques minutes à l'ordinateur en cas de coupure de courant, ce qui permet de sauvegarder vos données.

Un port désigne un connecteur, situé à l'arrière de l'ordinateur, utilisé pour le branchement des périphériques externes, comme une imprimante ou un modem. Ces connexions servent à faire transiter les instructions et informations entre l'ordinateur et ces périphériques.

Port parallèle

Ce type de port, appelé aussi connecteur femelle, possède 25 broches. Il sert d'interface aux imprimantes et aux lecteurs de bandes. Tous les ports parallèles d'un ordinateur s'appellent LPT. Le premier port parallèle est désigné par le nom LPT1, le second par LPT2, *etc.*

Port moniteur

Ce port effectue la liaison entre l'écran et la carte vidéo de l'ordinateur.

Port souris

Ce port permet de connecter une souris.

Port clavier

Ce port sert à brancher un clavier. Il en existe deux tailles différentes.

Port série

Ce port utilise un connecteur mâle de 9 ou 25 broches. Il sert à brancher une souris ou un modem. Tous les ports série sont désignés par les lettres COM. Le premier port série est appelé COM1, le second COM2, *etc.*

Port jeu

On utilise ce port pour brancher les manettes de jeu (ou *joystick*).

Port réseau

Situé sur une carte d'extension réseau, ce port sert à connecter l'ordinateur à un réseau.

Port USB

L'USB (*Universal Serial Bus,* ou bus série universel) permet de connecter jusqu'à 127 périphériques simultanément sur un seul port. Vous pouvez par exemple utiliser un port USB pour brancher une imprimante, un modem, une manette de jeu et un scanner. La plupart des ordinateurs récents possèdent deux connecteurs plats USB.

CARTES D'EXTENSION

> Une carte d'extension est un circuit électronique qui permet d'ajouter de nouvelles caractéristiques à votre ordinateur.

Les cartes d'extension sont parfois appelées aussi cartes électroniques.

CONNECTEURS D'EXTENSION

Ces composants servent à connecter les cartes d'extension sur la carte mère. Le nombre de connecteurs d'extension détermine directement le nombre de cartes que vous pouvez ajouter à l'ordinateur. Avant d'acheter un ordinateur, il est nécessaire de vérifier qu'il possède suffisamment de connecteurs d'extension, en fonction de vos besoins.

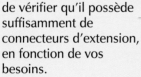

COMMENT BRANCHER LES APPAREILS

Certaines cartes d'extension sont accessibles à l'arrière de l'ordinateur. C'est à cet endroit qu'il faut connecter les appareils reliés aux cartes. Par exemple, vous pouvez brancher les haut-parleurs sur une carte son, afin d'entendre la musique synthétisée par l'ordinateur.

En général,
un ordinateur possède
une ou plusieurs cartes
d'extension.

TYPES DE CARTE D'EXTENSION

Vidéo

Une carte vidéo affiche à l'écran les
images créées par l'ordinateur.

Modem

Une carte modem permet à l'ordinateur d'échanger
des informations en utilisant une ligne téléphonique.

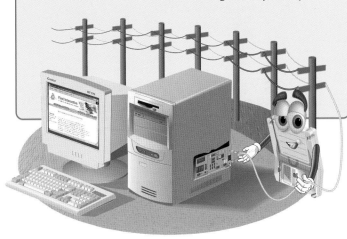

Son

Pour diffuser et enregistrer de la musique avec une très
bonne qualité, un ordinateur a besoin d'une carte son.

Réseau

Il vous est possible de partager des informations et des
périphériques entre plusieurs ordinateurs grâce à une
carte réseau.

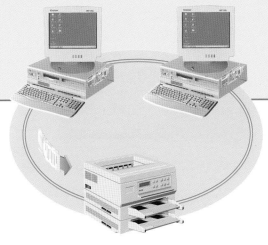

Il faut prendre en compte plusieurs critères pour acheter un ordinateur.

Il est conseillé d'acheter votre ordinateur chez un revendeur ayant une bonne réputation sur le marché de l'informatique et qui exerce son activité commerciale depuis plusieurs années.

CONSIDÉRATIONS GÉNÉRALES

Prix

Le prix d'un ordinateur dépend directement de vos besoins. Vous pouvez trouver un ordinateur d'entrée de gamme pour moins de 5 000 FF. Si, en revanche, vous voulez utiliser des applications plus complexes, comme des programmes multimédias, vous devez envisager un budget plus important.

Dans la plupart des cas, l'écran n'est pas compris dans le prix de l'ordinateur.

Ordinateurs de marque et clones

Lorsque vous achetez un nouvel ordinateur, vous avez le choix entre un ordinateur de marque et un clone. Il existe plusieurs grandes marques d'ordinateurs, comme IBM ou Apple. Les clones sont assemblés par des petits constructeurs, mais les ordinateurs de marque et les clones fonctionnent exactement de la même manière. En général, les clones sont moins chers.

Service après-vente

Assurez-vous que l'ordinateur que vous désirez acheter bénéficie d'un service après-vente. Ce service devrait comprendre une garantie de deux ans pièces et main d'œuvre, ainsi qu'une assistance téléphonique.

METTRE À NIVEAU SON ORDINATEUR

Vous pouvez très bien modifier votre ordinateur pour augmenter ses performances. Il vous faudra probablement demander l'aide d'une personne expérimentée.

Pour renforcer les capacités d'un ordinateur, il faut généralement retirer les anciens composants et les remplacer par de nouveaux. Vous pouvez aussi ajouter de nouveaux périphériques, comme un lecteur de bandes ou un lecteur de CD-ROM, afin d'ajouter de nouvelles fonctions.

CONSIDÉRATIONS GÉNÉRALES

Prix

Il faut bien analyser le coût d'un remplacement de matériel avant de l'effectuer. Si vous envisagez de changer les pièces principales, comme la carte mère et le microprocesseur, acheter un nouvel ordinateur peut se révéler moins cher.

Mise à niveau rentable

L'un des meilleurs moyens d'augmenter les performances d'un ordinateur est de lui ajouter de la mémoire. Le fait de doubler la mémoire permet d'obtenir des gains en rapidité tout à fait significatifs.

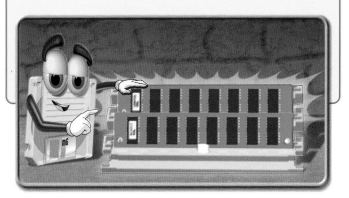

CHAPITRE 2

PÉRIPHÉRIQUES

Qu'est-ce qu'une connexion Internet à haut débit et à quoi sert-elle ? Quel type d'imprimante choisir ? Ce chapitre fournit les réponses à ces questions et à bien d'autres encore.

SOURIS

Une souris est un périphérique que vous manipulez pour sélectionner et déplacer des éléments à l'écran, comme des icônes ou des fichiers.

Il existe des souris de différentes tailles, couleurs et formes.

COMMENT UTILISER LA SOURIS

Si vous avez une souris classique à deux boutons, posez votre main sur la souris, et utilisez votre pouce et les deux doigts les plus à droite pour la déplacer. L'index et le majeur servent à appuyer sur les boutons.

Lorsque vous déplacez la souris sur votre bureau, le pointeur à l'écran suit le même mouvement. Ce pointeur peut prendre différentes formes, comme ▷ ou I, en fonction de sa position à l'écran et du programme utilisé.

TAPIS DE SOURIS

Un tapis de souris offre aux déplacements de souris une surface lisse. De plus, il réduit la quantité de poussière qui pourrait y pénétrer. Vous trouverez dans la plupart des magasins d'informatique des tapis de souris représentant des images attrayantes. Certains tapis possèdent un coussinet comme repose-poignet.

FONCTIONS DE LA SOURIS

Cliquer

Pour sélectionner un objet à l'écran, placez le pointeur sur cet élément, appuyez sur le bouton gauche et relâchez-le.

Double-cliquer

On utilise le double clic pour ouvrir un document ou pour lancer un programme. Pour double-cliquer, il faut rapidement appuyer deux fois de suite sur le bouton et le relâcher.

Cliquer avec le bouton droit

Le bouton droit a pour fonction, le plus souvent, d'afficher une liste de commandes à l'écran. Pour cela, appuyez une fois sur le bouton droit et relâchez-le.

Glisser-Déposer

Cette action permet de déplacer facilement des objets à l'écran. Positionnez le pointeur sur l'objet à déplacer, appuyez sur le bouton gauche et maintenez-le enfoncé. Faites glisser ensuite la souris en gardant toujours le doigt sur le bouton. Une fois que vous avez déplacé l'objet à l'endroit souhaité, relâchez le bouton de la souris.

POUR LES GAUCHERS

Si vous êtes gaucher, il est possible d'inverser les fonctions du bouton droit et du bouton gauche. Ainsi, pour sélectionner un objet, vous appuierez sur le bouton droit de la souris au lieu du bouton gauche.

NETTOYER LA SOURIS

Vous devez régulièrement ouvrir la souris pour nettoyer la boule. Il faut aussi retirer la poussière et les saletés qui auraient pu se glisser à l'intérieur de la souris, pour éviter toute entrave aux mouvements de la boule.

Il existe plusieurs types de souris haut de gamme qui offrent des fonctionnalités supplémentaires.

TYPES DE SOURIS HAUT DE GAMME

Souris munies d'une roulette

Certaines souris possèdent une roulette entre les deux boutons, qui permet de faire défiler les informations à l'écran ou de modifier la taille des objets affichés. La souris IntelliMouse de Microsoft en est un exemple assez répandu.

Souris sans fil

Ces souris sont alimentées par des piles, ce qui leur permet de fonctionner sans fil, et ainsi de supprimer la gêne d'un fil supplémentaire sur votre bureau. Lorsqu'on déplace ce type de souris, elle envoie des signaux à l'ordinateur, exactement comme une télécommande.

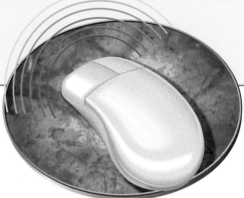

Souris programmable

Ce type de souris comporte des boutons que vous pouvez programmer pour accomplir certaines tâches spécifiques, par exemple double-cliquer un élément. Une souris à trois boutons est un exemple de souris programmable.

Souris à senseur optique

À la différence d'autres souris qui utilisent une boule interne, ce type de souris détecte les mouvements grâce à un senseur optique. La souris à senseur optique ne contient aucune partie mobile susceptible de s'user ou de se coincer. Vous n'avez plus besoin d'un tapis de souris pour vous servir d'une souris à senseur optique.

AUTRES PÉRIPHÉRIQUES DE POINTAGE

Touchpad (tablette sensitive)

Il s'agit d'une surface qui est sensible à la pression et aux mouvements. En déplaçant votre doigt sur cette surface, vous constatez que le pointeur à l'écran se déplace dans la même direction.

Trackball (boule de commande)

Ce périphérique de pointage ressemble à une souris mise à l'envers mais qu'on ne déplace pas. En roulant la boule avec les doigts ou la paume, vous déplacez le pointeur à l'écran. Un trackball remplace avantageusement la souris si vous disposez de très peu de place sur votre bureau.

Pointing stick (manette de pointage)

Une manette de pointage ressemble à la petite gomme d'un crayon. Le pointeur de la souris se déplace dans la direction vers laquelle vous poussez la manette de pointage. Ce type de périphérique de pointage comporte également des boutons, similaires aux boutons de souris classiques, sur lesquels vous appuyez pour accomplir une action, par exemple cliquer.

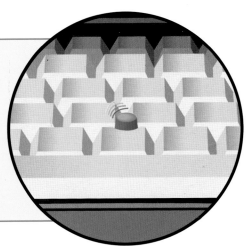

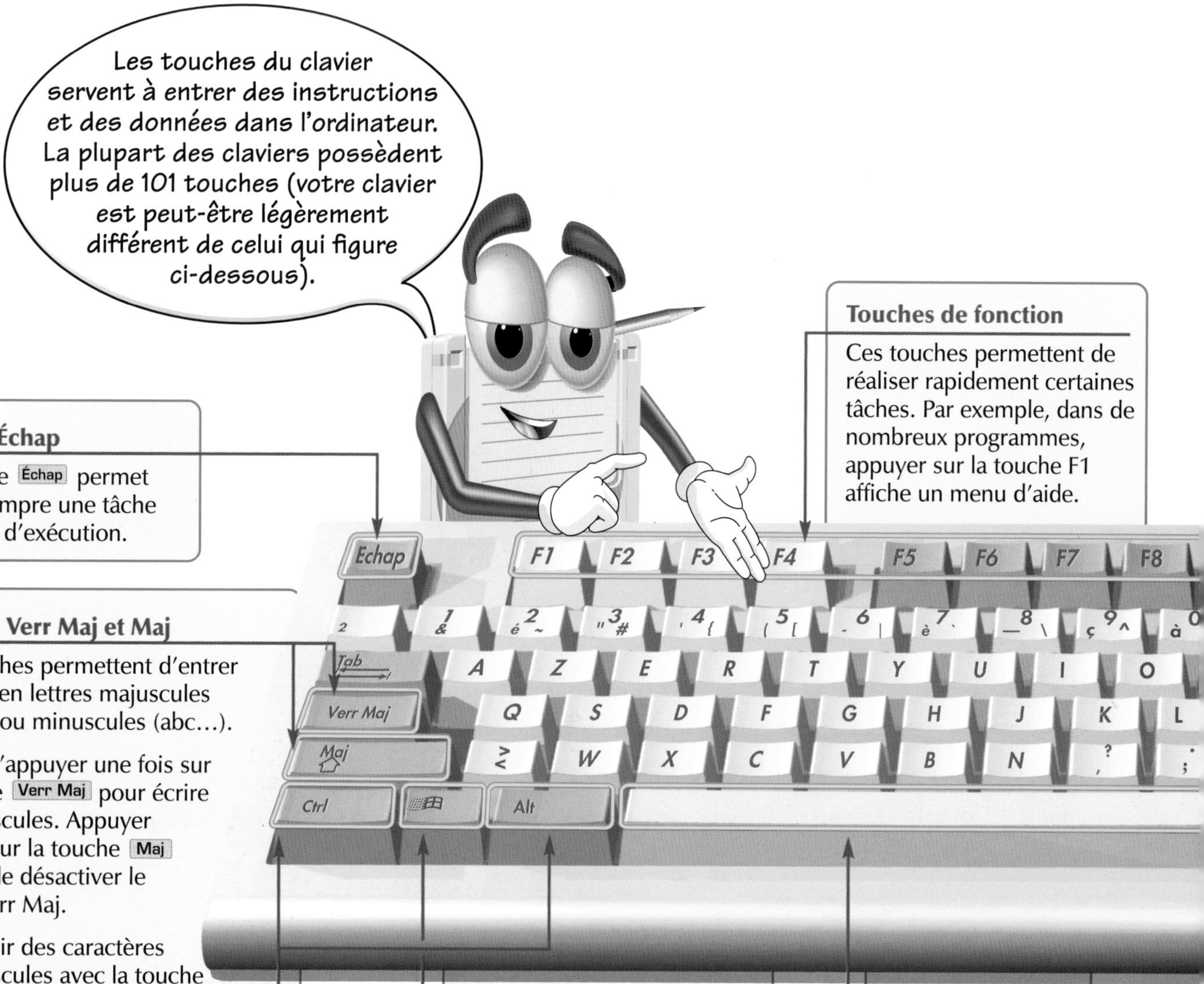

Les touches du clavier servent à entrer des instructions et des données dans l'ordinateur. La plupart des claviers possèdent plus de 101 touches (votre clavier est peut-être légèrement différent de celui qui figure ci-dessous).
Echap
F1
F2
F3
F4
F5
F6
F7
F8
Tab
Verr Maj
Maj
Ctrl
Alt
A Z E R T Y U I O
Q S D F G H J K L
W X C V B N

Touches de fonction

Ces touches permettent de réaliser rapidement certaines tâches. Par exemple, dans de nombreux programmes, appuyer sur la touche F1 affiche un menu d'aide.

Touche Échap

La touche Échap permet d'interrompre une tâche en cours d'exécution.

Touches Verr Maj et Maj

Ces touches permettent d'entrer du texte en lettres majuscules (ABC...) ou minuscules (abc...).

Il suffit d'appuyer une fois sur la touche Verr Maj pour écrire en majuscules. Appuyer ensuite sur la touche Maj permet de désactiver le mode Verr Maj.

Pour saisir des caractères en majuscules avec la touche Maj, maintenez-la enfoncée pendant que vous tapez sur les touches de caractères destinées à entrer votre texte.

Touches Ctrl et Alt

Vous utilisez Ctrl et Alt conjointement avec d'autres touches pour accomplir des actions précises. Ainsi, dans de nombreux programmes, en maintenant enfoncée la touche Ctrl et en appuyant sur S vous enregistrez le travail en cours.

Windows

La touche Windows permet d'afficher rapidement le menu Démarrer dans toutes les versions récentes de Windows, comme Windows Me ou 2000.

Barre d'espace

Cette touche permet d'insérer un espace.

Retour arrière

Appuyer sur la touche +Retour Arr permet d'effacer le caractère immédiatement à gauche du curseur clignotant.

Suppr

Appuyer sur la touche Suppr permet d'effacer le caractère immédiatement à droite du curseur clignotant.

Témoins lumineux

Ces voyants indiquent si les touches Verr Num et Verr Maj sont activées ou non.

Application

La touche Application permet de dérouler le menu raccourci d'un élément sélectionné à l'écran.

Entrée

En appuyant sur la touche Entrée vous commandez à l'ordinateur d'effectuer une tâche. Dans un programme de traitement de texte, elle sert à débuter un nouveau paragraphe.

Touches fléchées

Ces touches déplacent le curseur sur l'écran.

Pavé numérique

Lorsque le témoin Ver Num est allumé, vous pouvez utiliser les touches marquées d'un chiffre (0 à 9) pour entrer des nombres. Lorsqu'il est éteint, ce sont les touches fléchées qui sont actives. Pour passer d'un mode à l'autre, il suffit d'appuyer sur Ver Num.

IMPRIMANTE

Une imprimante fournit une copie sur papier de ce qui est affiché à l'écran.

Il existe des imprimantes qui ne produisent que des documents en noir et blanc, alors que d'autres peuvent aussi imprimer en couleurs.

Les imprimantes servent à produire toutes sortes de documents comme des lettres, des factures, des bulletins d'informations, des transparents, des étiquettes, des emballages.

CHOISIR UNE IMPRIMANTE

Plusieurs facteurs doivent être pris en considération pour l'achat d'une imprimante.

■ Assurez-vous que l'imprimante fonctionnera correctement avec votre ordinateur et vos logiciels.

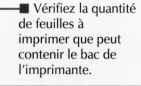

■ Vérifiez la quantité de feuilles à imprimer que peut contenir le bac de l'imprimante.

■ Vérifiez la taille et le type du papier accepté par l'imprimante. Certaines acceptent des feuilles de papier grand format.

■ Renseignez-vous sur le prix du papier et des cartouches d'encre exigés par le modèle d'imprimante.

■ Vérifiez que l'imprimante peut imprimer des enveloppes, si vous pensez avoir besoin de cette fonctionnalité.

VITESSE DES IMPRIMANTES

Le temps nécessaire à l'impression des pages sélectionnées dépend de la vitesse d'une imprimante, évaluée en pages par minute (ppm). Une plus grande vitesse se traduit par une sortie plus rapide des documents.

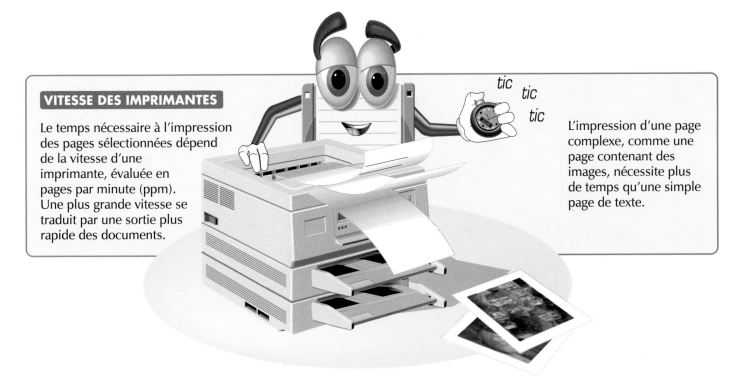

tic tic tic

L'impression d'une page complexe, comme une page contenant des images, nécessite plus de temps qu'une simple page de texte.

RÉSOLUTION DES IMPRIMANTES

La qualité de l'image imprimée dépend de la résolution de l'imprimante. Plus la résolution est élevée, plus l'impression de l'image est fine et détaillée.

La résolution d'une imprimante se mesure en points par pouce (ppp, ou dpi). En général, une résolution de 600 ppp est excellente pour la plupart des documents. Une imprimante à 1 200 ppp permet d'obtenir encore de meilleures images.

600 dpi

1200 dpi

Cette résolution peut également être exprimée par deux nombres (par exemple, 600 x 600 dpi). Ces chiffres précisent le nombre de points qu'une imprimante peut produire en hauteur et en largeur sur un carré de 2,5 cm de côté (qui correspond à la mesure anglaise d'un pouce au carré).

IMPRIMANTE À JET D'ENCRE

Une imprimante à jet d'encre fournit des documents de très bonne qualité à faible coût. Ce type d'imprimante est idéal pour les documents personnels et les documents courants.

Une imprimante à jet d'encre est équipée d'une tête qui projette de l'encre sur la page de papier à travers de petits orifices.

Vitesse

La plupart des imprimantes à jet d'encre sortent des documents à la vitesse de 2 à 10 pages par minute (ppm).

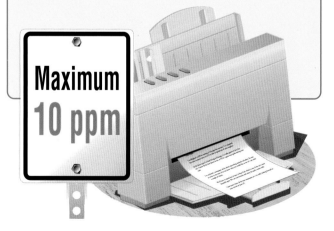

Maximum
10 ppm

Résolution

La qualité, c'est-à-dire la résolution des images d'une imprimante à jet d'encre peut aller de 360 à 2 400 ppp.

360 ppp

2400 ppp

Encre

Les imprimantes à jet d'encre utilisent de l'encre contenue dans des cartouches, qu'il suffit de changer quand il n'y a plus d'encre. Vous pouvez également recharger vous-même certains types de cartouches d'encre. Utilisez toujours les cartouches ou l'encre recommandées par le fabricant de votre imprimante.

La plupart des cartouches d'encre possèdent une date de péremption. Avant d'acheter une nouvelle cartouche, il convient de vérifier que cette date n'est pas dépassée.

Papier

Les imprimantes à jet d'encre acceptent du papier A4 standard (21 x 29,7 cm), et certaines peuvent imprimer sur des feuilles plus grandes. Elles impriment aussi des enveloppes, des étiquettes, et des transparents. Vérifiez bien que tous les articles que vous achetez sont destinés aux imprimantes à jet d'encre.

Les imprimantes à jet d'encre peuvent utiliser du papier ordinaire. Vous obtiendrez toutefois une meilleure qualité d'impression en utilisant un papier plus épais, donc plus cher. Certaines marques d'imprimantes à jet d'encre permettent l'utilisation d'un papier glacé, plus brillant, pour obtenir des images de qualité photographique.

Imprimante couleur

Les imprimantes à jet d'encre couleur sont très répandues parce qu'elles sont moins chères que les imprimantes laser couleur, et qu'elles impriment néanmoins de très bonnes images. Une imprimante à jet d'encre couleur projette de l'encre noire, jaune, magenta et cyan pour reproduire les autres couleurs du spectre sur une page de papier.

IMPRIMANTE LASER

LASER PRINTER

Une imprimante laser est une imprimante à grande vitesse d'impression parfaitement adaptée aux documents et aux images à usage professionnel.

Une imprimante laser fonctionne comme une photocopieuse pour produire sur papier des documents de haute qualité.

Vitesse

La plupart des imprimantes laser impriment de 4 à 16 pages par minute (ppm).

Toutes les imprimantes laser possèdent un microprocesseur qui exécute des instructions et gère le flux d'informations parvenant à l'imprimante. La vitesse de ce processeur est un facteur déterminant pour la vitesse d'impression. Plus il est rapide, plus l'imprimante fonctionne vite.

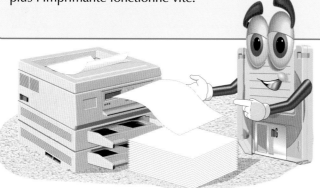

Résolution

La qualité des images d'une imprimante laser, mesurée par la résolution de l'impression, varie de 600 à 2 400 ppp.

Mémoire

Les imprimantes laser commencent par mémoriser les pages avant de les imprimer. En général, elles disposent de 2 à 8 Mo de mémoire.

La mémoire est un facteur important pour les imprimantes laser qui doivent afficher des images à haute résolution, par exemple en 2 400 ppp. Ce facteur intervient aussi pour les pages de grand format et pour des travaux d'impression complexes.

Encre

Comme les photocopieuses, les imprimantes laser utilisent de l'encre en poudre, appelée toner, qui est présentée en cartouches. Lorsqu'une imprimante manque de toner, il suffit de remplacer la cartouche. Consultez la documentation fournie avec votre imprimante pour savoir quel type de cartouche utiliser.

Papier

Toutes les imprimantes laser utilisent du papier A4 standard (21 x 29,7 cm), des enveloppes, des étiquettes et des transparents. Afin d'obtenir une meilleure qualité d'impression, consultez la documentation fournie avec votre imprimante pour connaître la taille, la composition et le poids du papier adapté à votre matériel.

Couleur

Il est possible d'acheter des imprimantes laser qui impriment des images en couleur. Une imprimante laser couleur est plus chère qu'une jet d'encre, mais sa qualité est supérieure.

AUTRES TYPES D'IMPRIMANTE

Imprimante matricielle

Ces imprimantes sont les moins chères et elles produisent des images de faible qualité. Dans la tête d'impression d'une imprimante matricielle, de petites aiguilles viennent frapper un ruban encré. Ces imprimantes sont bien adaptées pour du papier carbone, qui doit être pressé pour que l'impression se fasse sur toutes les feuilles en même temps.

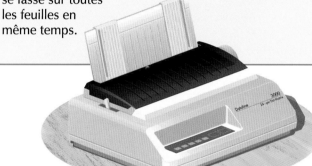

Imprimante LED

Les imprimante LED (de l'anglais *Light Emitting Diode*) sont similaires aux imprimantes laser mais elles utilisent plusieurs petites lumières pour produire des images. La qualité des images obtenues est comparable à celle des imprimantes laser, même si les imprimantes LED sont moins chères à l'achat.

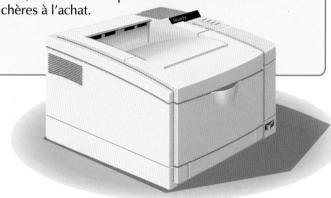

Imprimante photo couleur

Une imprimante photo couleur est conçue pour produire des images de qualité photographique. Généralement, ces imprimantes n'acceptent qu'un type spécial de papier et que des tailles correspondant aux photos standard, par exemple 4 x 6.

Imprimante multi-fonctions

Les imprimantes « tout-en-un » peuvent combiner les fonctions de plusieurs machines, par exemple fax, scanner, photocopieuse et imprimante. Certaines permettent aussi d'imprimer en couleurs.

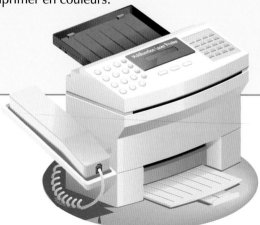

MÉMOIRE TAMPON ET GESTION DE L'IMPRESSION

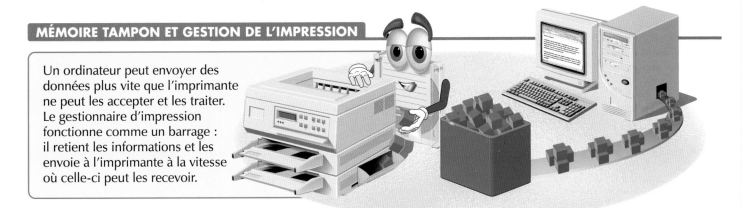

Un ordinateur peut envoyer des données plus vite que l'imprimante ne peut les accepter et les traiter. Le gestionnaire d'impression fonctionne comme un barrage : il retient les informations et les envoie à l'imprimante à la vitesse où celle-ci peut les recevoir.

Tampon d'impression

Il s'agit d'une partie de la mémoire de l'imprimante qui stocke les informations qui doivent être imprimées. Lorsque ce tampon est plein, l'ordinateur doit attendre avant d'envoyer de nouvelles informations à l'imprimante.

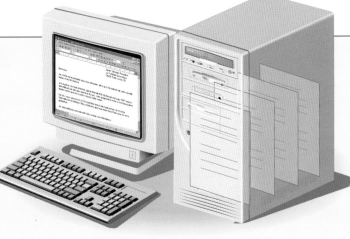

Gestionnaire d'impression

Le gestionnaire d'impression (appelé aussi spooler ou spouleur) est un programme de l'ordinateur qui stocke les données que vous envoyez à l'imprimante pour impression.

Il peut emmagasiner plus d'informations que le tampon d'impression, et il permet de continuer à utiliser l'ordinateur, sans avoir à attendre la fin de l'impression du document en cours. La plupart des systèmes d'exploitation activent un gestionnaire d'impression pour chaque imprimante connectée à l'ordinateur.

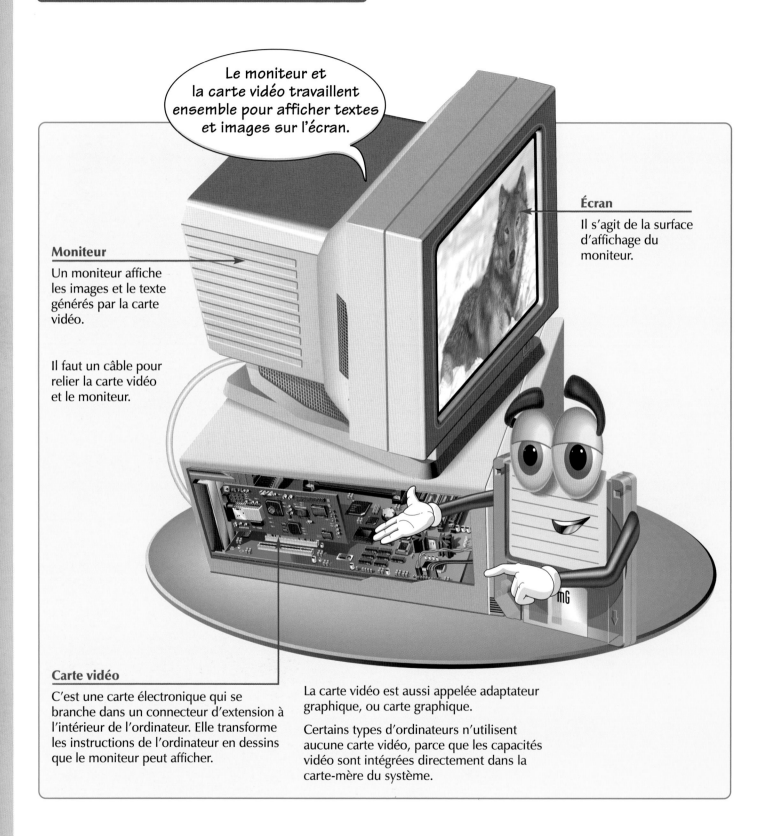

Le moniteur et la carte vidéo travaillent ensemble pour afficher textes et images sur l'écran.

Écran

Il s'agit de la surface d'affichage du moniteur.

Moniteur

Un moniteur affiche les images et le texte générés par la carte vidéo.

Il faut un câble pour relier la carte vidéo et le moniteur.

Carte vidéo

C'est une carte électronique qui se branche dans un connecteur d'extension à l'intérieur de l'ordinateur. Elle transforme les instructions de l'ordinateur en dessins que le moniteur peut afficher.

La carte vidéo est aussi appelée adaptateur graphique, ou carte graphique.

Certains types d'ordinateurs n'utilisent aucune carte vidéo, parce que les capacités vidéo sont intégrées directement dans la carte-mère du système.

CHOISIR UN MONITEUR

Taille

La taille d'un moniteur se mesure d'après la diagonale de l'écran. Les tailles les plus fréquentes sont 14, 15, 17, et 21 pouces. Les moniteurs de grande taille sont plus chers mais parfaitement adaptés à l'édition graphique et au travail sur de grandes images ou de grandes feuilles de calculs.

En général, les fabricants indiquent la longueur de la diagonale du tube, situé à l'intérieur du moniteur. En effet, la taille de ce tube est supérieure à la taille visible à l'écran. Il convient alors de vérifier que la taille de votre écran correspond bien à la taille indiquée par le fabricant.

Écrans plats

Ce sont des écrans à cristaux liquides (LCD) construits sur le même principe que ceux utilisés par la plupart des montres à affichage digital. Dans le passé, ces écrans étaient uniquement utilisés pour les ordinateurs portables, mais il en existe maintenant de grande taille pour les ordinateurs de bureau.

Les écrans plats sont plus coûteux que les moniteurs classiques, mais ils sont plus légers, utilisent moins d'électricité et sont moins encombrants.

Pas de masque

Le pas de masque d'un moniteur (ou *pitch*), désigne la distance séparant deux pixels contigus à l'écran. La finesse d'affichage dépend directement de la valeur de cette mesure (exprimée en millimètres).

Plus cette valeur est faible, meilleure sera la qualité de l'image. Il vaut mieux choisir un moniteur dont le pas de masque est inférieur ou égal à 0,28 mm.

CHOISIR UN MONITEUR (SUITE)

Fréquence de balayage

La vitesse à laquelle le moniteur redessine et actualise les images est appelée fréquence de balayage (ou de rafraîchissement). Plus cette vitesse est élevée, moins l'écran scintille, ce qui réduit la fatigue visuelle.

Cette vitesse, mesurée en Hertz (Hz), indique combien de fois par seconde l'image est affichée à l'écran. Un bon moniteur possède une fréquence de balayage d'au moins 72 Hz.

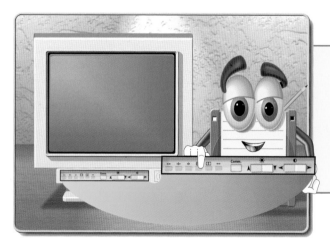

Boutons de réglage

Les moniteurs possèdent en général des boutons qui permettent d'ajuster la luminosité, le contraste, et d'autres caractéristiques de l'image affichée. Ces commandes peuvent se trouver sur le moniteur ou à l'écran.

Socles pivotants

On utilise ce genre de socle afin d'orienter le moniteur dans toutes les directions possibles. Cela permet notamment de réduire les reflets sur l'écran et de bénéficier d'un plus grand confort visuel.

Radiations électromagnétiques

Tous les appareils qui utilisent de l'électricité produisent des radiations électromagnétiques. Il est préférable de se protéger de leurs éventuels effets néfastes en s'éloignant de ces appareils. Choisissez de préférence un moniteur qui répond à la norme MPR II ; cette norme garantit un faible taux d'émissions électromagnétiques.

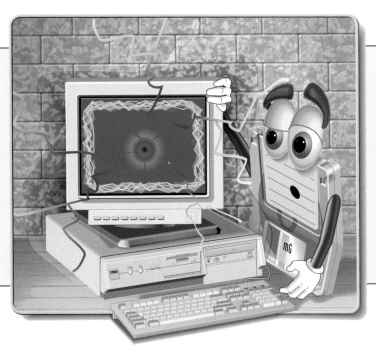

La documentation fournie avec votre moniteur indique probablement le taux d'émission de radiations électromagnétiques. Vous y trouverez également des conseils pour vous protéger des effets néfastes de ces radiations.

Energy Star

Une norme d'économie d'énergie a été définie aux États-Unis par l'Agence pour la protection de l'environnement, destinée à réduire la consommation d'énergie et la pollution qui en découle.

Lorsque vous possédez un moniteur Energy Star et que vous ne vous en servez pas pendant un certain temps, celui-ci passe en mode veille et consomme moins d'énergie. Pour le ramener à son activité normale, il suffit de déplacer la souris ou de presser une touche du clavier (de préférence une touche de combinaison, la touche par exemple).

QUELQUES CONSEILS POUR LE MONITEUR

Économiseur d'écran

Ce programme affiche une image ou un motif qui se déplace à l'écran lorsque l'ordinateur n'est pas utilisé pendant un certain laps de temps.

En effet, auparavant sur les anciens écrans, lorsqu'une image était affichée longtemps au même endroit, cela endommageait les moniteurs.

On utilise encore des économiseurs d'écran avec les moniteurs actuels, mais c'est surtout en raison de leur aspect ludique.

Windows possède plusieurs économiseurs d'écran, mais il est possible de s'en procurer d'autres, plus élaborés, dans la plupart des magasins d'informatique.

Il existe aussi un procédé, appelé WebCasting, qui permet d'afficher les informations de votre choix, qui sont mises à jour régulièrement et transférées par Internet.

Filtres anti-reflets

Certains filtres ont été conçus afin de réduire les reflets sur l'écran, et permettent donc de diminuer la fatigue visuelle.

La plupart de ces filtres contribuent aussi à supprimer les radiations électromagnétiques émises par le moniteur. Certains filtres rendent difficile la lecture sur l'écran lorsqu'on le regarde de côté, votre travail reste ainsi à l'abri des regards indiscrets.

MÉMOIRE DE LA CARTE VIDÉO

Une carte vidéo possède des circuits intégrés (ou puces) qui ont une fonction de mémoire, et sont chargés de mémoriser les informations représentant une image avant de l'envoyer au moniteur.

La plupart des ordinateurs nécessitent au moins 2 Mo de mémoire vidéo.

AGP

Les cartes vidéo peuvent utiliser un bus AGP *(Accelerated Graphics Port)* pour communiquer directement avec la mémoire principale de l'ordinateur, ce qui permet d'afficher rapidement des images complexes à l'écran.

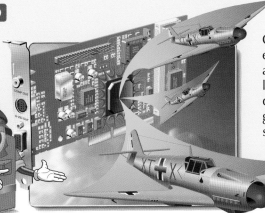

La norme AGP a été spécialement conçue pour afficher des images 3D.

CARTE GRAPHIQUE ACCÉLÉRATRICE 3D

Une carte graphique accélératrice 3D contient une puce spécialisée, appelée GPU *(Graphics Processing Unit),* qui est optimisée pour produire des graphiques en 3D. Cette puce GPU permet d'afficher des informations à l'écran sans avoir recours au processeur de votre ordinateur.

Ce type de carte vidéo est nécessaire pour afficher correctement les images de jeux qui présentent des graphismes 3D sophistiqués.

RÉSOLUTION DU MONITEUR

La résolution est mesurée en nombre de points horizontaux et verticaux, appelés pixels. Un pixel (picture element, ou plus simplement point) est le plus petit élément affichable par un moniteur.

> La résolution définit la quantité de données que le moniteur peut afficher.

La plupart des moniteurs détectent la résolution et la fréquence de rafraîchissement de votre carte vidéo et adoptent automatiquement les paramètres qui conviennent.

Vous pouvez aussi modifier la résolution du moniteur selon vos besoins. Toutefois, vous ne pouvez la modifier que si la carte vidéo accepte la même résolution.

640 x 480	800 x 600	1 024 x 768	1 280 x 1 024	1 600 x 1 280

Les basses résolutions affichent des images de grande taille sur toute la surface de l'écran, pour que vous puissiez distinguer plus de détails.

Les hautes résolutions permettent d'afficher un plus grand nombre d'images de petite taille sur un seul écran.

NOMBRE DE COULEURS D'AFFICHAGE

La carte vidéo détermine le nombre de couleurs que votre moniteur peut afficher. Plus le nombre de couleurs utilisées est important, plus l'image est réaliste.

16 couleurs (4 bits)

Images de mauvaise qualité.

256 couleurs (8 bits)

Idéal pour la plupart des applications personnelles, professionnelles, et pour les jeux.

65 536 couleurs (16 bits)

Parfaitement adapté pour les utilisations vidéo et PAO. Sauf si vous êtes un professionnel dans ces domaines, il est difficile de faire la différence entre des images 16 bits et des images 24 bits.

16 777 216 couleurs (24 bits)

Les images 24 bits sont adaptées aux retouches photographiques. Ce paramètre est également appelé Couleurs vraies (ou *TrueColor*) parce qu'il affiche plus de couleurs que l'œil humain ne peut en distinguer.

16 777 216 couleurs (32 bits)

Ce paramètre est particulièrement adapté aux jeux 3D qui affichent des images en mouvement sophistiquées. Ce nombre de couleurs fonctionne mieux et plus rapidement qu'en 24 bits.

Un modem permet à un ordinateur d'échanger des informations par l'intermédiaire d'une ligne téléphonique.

Le modem transforme les informations provenant d'un ordinateur en signaux qui peuvent passer par une ligne de téléphone.

Le modem traduit les informations reçues en un format compréhensible par l'ordinateur.

LIGNE TÉLÉPHONIQUE

Il n'est pas nécessaire d'avoir une ligne spéciale pour utiliser un modem – que vous pouvez brancher sur votre ligne habituelle. Néanmoins, vous ne pourrez pas téléphoner et vous servir du modem en même temps. Si vous utilisez la même ligne pour le téléphone et le modem, il vaut mieux désactiver le signal d'appel pendant que vous utilisez le modem, car cela risque de déconnecter ce dernier.

ÉCHANGER DES INFORMATIONS

Un modem permet de se connecter à l'Internet pour accéder à un très grand nombre d'informations et rencontrer des personnes ayant les mêmes centres d'intérêt que vous.

Lorsque vous êtes en déplacement professionnel ou à votre domicile, le modem permet de vous connecter au réseau interne de votre entreprise pour consulter des fichiers de travail, envoyer ou recevoir du courrier électronique (e-mail).

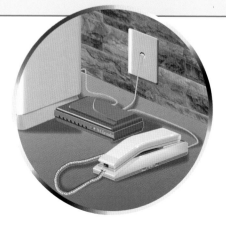

ENVOYER ET RECEVOIR DES FAX

La plupart des modems permettent de recevoir et d'envoyer des fax. Grâce à un modem-fax, il est possible de rédiger un document sur son ordinateur, et de l'envoyer ensuite à un autre ordinateur ou à un fax.

MESSAGES VOCAUX

Certains modems permettent d'envoyer et de recevoir des appels téléphoniques. Vous pouvez les utiliser comme un téléphone « mains libres » ou comme répondeur téléphonique pour des messages vocaux.

TYPES DE MODEM

Modem interne

Un modem interne est une carte électronique qui se branche dans un port d'extension à l'intérieur d'un ordinateur. Ce type de modem est en général moins cher que les modems externes, mais il est plus difficile à configurer.

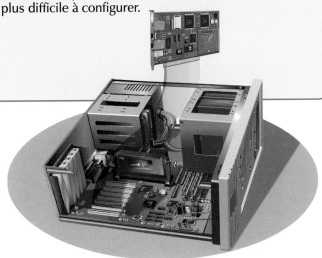

Modem externe

Un modem externe est un boîtier qui se connecte à l'arrière de l'ordinateur. Ce type de modem occupe de la place sur un bureau mais peut être débranché et utilisé sur un autre ordinateur.

MODEM

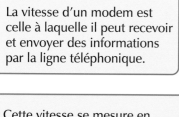

La vitesse d'un modem est celle à laquelle il peut recevoir et envoyer des informations par la ligne téléphonique.

Cette vitesse se mesure en bits par seconde (bps). Une vitesse d'au moins 56 000 bps est recommandée.

On mesure aussi la vitesse d'un modem en kilobits par seconde (Kbps). Par exemple, une vitesse de 56 000 bps équivaut à 56 Kbps.

Comme les modems rapides transfèrent les informations plus vite, il est recommandé d'acheter le modem le plus rapide possible. Cela vous fera gagner du temps et réduira votre facture téléphonique.

Qualité de la ligne

La vitesse de transmission des informations dépend de la qualité de la ligne téléphonique. Par exemple, un modem de 56 Kbps ne pourra pas atteindre cette vitesse si la ligne est de mauvaise qualité.

Standards de modem

Ces standards permettent à des modems conçus par différents fabricants de communiquer entre eux. Le standard actuel des modems 56 Kbps est appelé V.90, mais un nouveau standard V.92 vient d'être proposé. La norme V.90 permet de recevoir des informations à 56 Kbps mais ne peut en envoyer qu'à la vitesse de 33,6 Kbps.

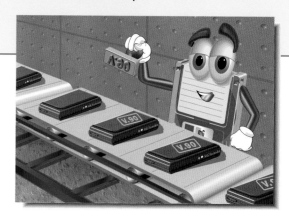

MODE DE FONCTIONNEMENT DES MODEMS

Programme de communication

Un modem nécessite un programme de communication spécial, afin de gérer le transfert d'informations vers un autre modem. Ce programme est en général livré avec le modem.

Contrôle de transmission

Avant d'échanger des informations, les deux modems se mettent d'accord sur le mode de communication à adopter. On appelle cela une poignée de mains (comme deux personnes qui se serrent la main pour se saluer). Pendant cette procédure de connexion, vous entendez des bruits bizarres correspondant aux signaux échangés entre les deux modems.

Connexion et déconnexion

Lorsque votre modem est en communication avec un autre modem, on dit que vous êtes *online*, ou connecté. Cela signifie que les deux modems sont prêts et qu'ils peuvent transmettre des informations. Dans le cas contraire, on dit que vous êtes *offline*, ou déconnecté.

COMPRESSION DE DONNÉES

Un modem peut compresser les données avant de les envoyer, afin de réduire leur taille et d'accélérer leur transfert. La compression est plus ou moins efficace selon le type de données à compresser. Par exemple, la compression d'un fichier texte est plus importante que celle d'un fichier contenant une image.

Lorsque des informations compressées arrivent à destination, le modem qui les reçoit doit les décompresser.

Les modems utilisent des codes de contrôle d'erreur afin de s'assurer que la transmission s'est bien déroulée.

CONNEXIONS INTERNET À HAUT DÉBIT

Vous pouvez utiliser plusieurs types de connexions à haut débit pour vous connecter à l'Internet.

Les connexions à haut débit sont parfois appelées connexions à haute bande passante.

AVANTAGES DES CONNEXIONS À HAUT DÉBIT

Libérer la ligne de téléphone

À la différence des modems V.90, une connexion à haut débit ne mobilise pas votre ligne téléphonique pendant que vous surfez sur l'Internet. Vous pouvez donc téléphoner ou vous servir de votre fax tout en restant connecté à l'Internet.

Connexion permanente

Avec une connexion à haut débit, vous pouvez rester connecté à l'Internet 24 heures sur 24. Vous n'êtes plus obligé de recomposer le numéro de téléphone de votre fournisseur de services Internet à chaque fois que vous voulez naviguer sur l'Internet. Cela est particulièrement utile quand vous voulez suivre en direct l'évolution d'informations changeantes, comme les cours de la bourse par exemple.

Accès rapide

Une connexion à haut débit vous donne un accès rapide aux informations qui vous intéressent sur l'Internet. Par exemple, vous pouvez télécharger plus rapidement des images vidéo et du son sur votre ordinateur et regarder des émissions de Web TV en direct avec un meilleur confort visuel.

DIFFÉRENTS TYPES DE CONNEXIONS À HAUT DÉBIT

Réseau RNIS

France Télécom, et bientôt d'autres opérateurs de téléphonie, propose un abonnement pour une ligne de téléphone spécialisée, appelée RNIS (Réseau Numérique à Intégration de Services). Cette ligne RNIS permet de transférer des informations à des vitesses allant de 56 à 128 Kbps.

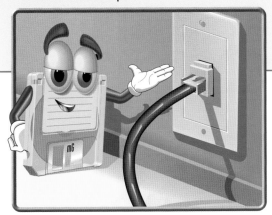

Modem câble

Un modem câble utilise le même câble que votre téléviseur, si vous êtes abonné à un opérateur de réseau câblé. Avec un modem câble, vous pouvez transférer des informations sur l'Internet à une vitesse d'environ 4 000 Kbps.

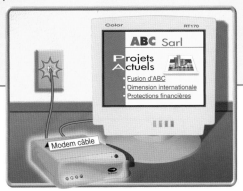

ADSL

Une ligne ADSL *(Asymetric Digital Subscriber Line)* est une ligne de téléphone numérique à haut débit à laquelle vous pouvez vous abonner dans la plupart des grandes villes. Sur cette ligne spécialisée, les informations sont transférées à des vitesses variant entre 1 000 et 6 000 Kbps.

Technologies de pointe

Plusieurs entreprises spécialisées explorent d'autres solutions technologiques pour transférer davantage d'informations sur l'Internet à de plus grandes vitesses. Certaines de ces technologies de pointe utilisent des satellites et les lignes d'électricité classiques pour se connecter à l'Internet et transférer des informations.

CARTE SON

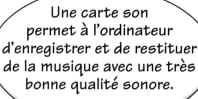

Une carte son permet à l'ordinateur d'enregistrer et de restituer de la musique avec une très bonne qualité sonore.

Une carte son est un circuit électronique qui se branche à un port d'extension interne à l'ordinateur. Certains ordinateurs intègrent directement des capacités son dans la carte-mère du système et n'ont donc pas besoin d'une carte son.

On appelle aussi une carte son, carte audio.

Haut-parleurs

Il est nécessaire d'avoir des haut-parleurs pour entendre le son généré par la carte son. La plupart des ordinateurs sont fournis avec des haut-parleurs de qualité médiocre.

Il est donc recommandé d'acheter des haut-parleurs haut de gamme, si vous utilisez votre ordinateur pour jouer à des jeux vidéo ou écouter de la musique.

UTILISATIONS DES CARTES SON

Jeux et applications multimédias

Grâce à une carte son, il est possible d'entendre de la musique, des paroles, et des effets sonores contenus dans les jeux vidéo et les présentations multimédias.

Enregistrer des sons

Les cartes son permettent aussi d'enregistrer des sons, de la musique et des paroles, qu'il est ensuite possible d'incorporer dans des documents et des présentations. Vous pouvez également composer de la musique grâce à une carte son.

Vous apercevrez la tranche de la carte son à l'arrière de l'ordinateur. Les cartes son possèdent un port et plusieurs prises rondes (jack), pour brancher des appareils externes.

CONNEXIONS SUR UNE CARTE SON

L'arrière de votre carte son a peut-être un aspect différent de celui représenté ici.

Prise jeux (Gameport)

Ce port permet de connecter une manette de jeux ou un périphérique MIDI, par exemple un clavier de piano électronique.

Prise haut-parleurs (Spk Out)

Cette prise permet de connecter des haut-parleurs ou un casque pour entendre les sons générés par la carte son.

GAMEPORT · SPK OUT · LINE OUT · MIC IN · LINE IN

Prise Line Out

Il est possible de brancher à cette prise l'entrée d'un amplificateur de chaîne stéréo.

Prise microphone (Mic In)

Cette prise est destinée à un microphone externe, pour enregistrer des sons.

Prise Line In

Cette prise sert au branchement d'un lecteur de CD ou de cassettes.

CARTE SON

> Plusieurs facteurs doivent être pris en compte pour choisir une carte son.

CHOISIR UNE CARTE SON

Fréquence d'échantillonnage et résolution

Ces deux facteurs déterminent la qualité des sons produits.

Pour obtenir une bonne qualité sonore, choisissez une carte son dont la fréquence d'échantillonnage est de 44,1 kHz et la résolution, de 16 bits.

Dans la mesure du possible, il vaut mieux écouter le son produit par différentes cartes son avant d'en acheter une.

Full duplex

Une carte full duplex permet d'enregistrer et de lire des sons en même temps. Lors de l'utilisation de programmes de discussion par Internet, cette carte permet de parler et d'écouter simultanément. Avec une carte en semi-duplex, les utilisateurs doivent parler à tour de rôle.

Son 3D

Une carte son 3D donne l'impression que les sons proviennent de plusieurs directions. Ce type de carte son est souvent utilisé pour améliorer la qualité des sons générés par des jeux vidéo.

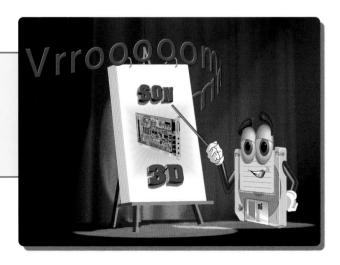

MIDI

La norme MIDI *(Musical Instrument Digital Interface)* est composée d'un ensemble d'instructions qui permettent aux ordinateurs et aux appareils musicaux d'échanger des données. Il est ainsi possible de jouer, d'enregistrer et de modifier sa propre musique. Un grand nombre de musiciens utilisent des appareils MIDI pour composer de la musique sur ordinateur.

Une carte son compatible MIDI garantit que l'ordinateur peut restituer les sons ou la musique contenus dans des jeux, des présentations et des CD-ROM.

> Une carte son peut produire un son MIDI de deux manières différentes.

Synthèse par table d'échantillons

Cette méthode utilise de vrais enregistrements de sons (instruments de musique et paroles). Le résultat donne des sons riches et très réalistes. Ce type de synthèse se trouve sur les cartes haut de gamme.

Synthèse par modulation de fréquence

Cette synthèse, qui reproduit les sons des instruments de musique et de la voix, produit des sons de qualité moyenne. On trouve cette synthèse sonore sur les cartes bas et moyen de gamme.

53

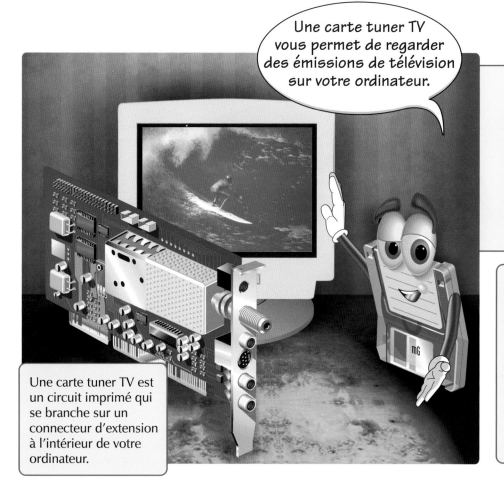

Une carte tuner TV vous permet de regarder des émissions de télévision sur votre ordinateur.

Les cartes tuner TV combinent les technologies de l'informatique et de la télévision. Cette convergence technologique permet l'apparition d'une nouvelle forme de divertissement et de communication.

Carte vidéo

Vous devez posséder une carte vidéo pour qu'une carte tuner TV puisse fonctionner. Certaines cartes tuner TV se branchent sur la carte vidéo de votre ordinateur, mais la plupart d'entre elles ont une carte vidéo intégrée.

Une carte tuner TV est un circuit imprimé qui se branche sur un connecteur d'extension à l'intérieur de votre ordinateur.

CARACTÉRISTIQUES DES CARTES TUNER TV

Redimensionner les images TV

Une carte tuner TV peut afficher un programme de télévision sur toute la surface de votre moniteur ou simplement dans une fenêtre que vous pouvez redimensionner en fonction de vos besoins. Cela est particulièrement utile si vous voulez suivre une émission de télévision tout en continuant votre travail sur l'ordinateur.

Télétexte en circuit fermé

La plupart des cartes tuner TV peuvent vous aider à trouver des émissions de télévision qui vous intéressent plus particulièrement. Pour cela, la carte tuner TV analyse les sous-titres d'un système de télétexte. Dès que le mot-clé de votre recherche est reconnu dans le télétexte, elle affiche l'émission sur votre moniteur. Pour bénéficier d'un tel service, vous devez au préalable souscrire un abonnement auprès d'une chaîne de télévision qui fournit ce sous-titrage actualisé. Vous pouvez même enregistrer le texte des sous-titres d'un programme de télévision dans un fichier sur votre disque dur.

Technologie Intercast

Certains opérateurs de télévision par câble exploitent la technologie Intercast pour afficher des informations complémentaires pendant la diffusion de leurs programmes. Vous pouvez donc regarder une émission de télévision et voir en même temps du texte et des images qui la commentent.

Par exemple, si vous regardez une course automobile, des informations s'affichent régulièrement sur votre écran, comme la vitesse moyenne d'un pilote.

Captures vidéo

La plupart des cartes tuner TV permettent de capturer des images fixes ou des extraits vidéo d'une émission de télévision et de les enregistrer dans un fichier sur votre disque dur. Vous pouvez ensuite utiliser ces photos et ces extraits vidéo dans des documents, des messages e-mail ou des présentations.

SCANNER

> Un scanner est un périphérique qui lit du texte et des images, pour les transférer sur un ordinateur.

SCANNER DES GRAPHISMES

Un scanner permet de numériser des graphismes, comme des photographies, des tableaux, ou des logos, pour les enregistrer sur un ordinateur. Ces images sont alors utilisables dans des documents tels que des rapports ou des lettres.

La plupart des scanners sont livrés avec des programmes de retouche d'images, afin que l'apparence des graphismes scannés puisse être modifiée.

SCANNER DU TEXTE

Les scanners sont très pratiques pour entrer des documents dans un ordinateur – ce qui permet, par exemple, de scanner des documents intéressants et de les envoyer par messagerie électronique à des collègues ou des amis. Il est également possible de scanner des documents professionnels pour les enregistrer sur son propre ordinateur.

On trouve généralement avec les scanners des logiciels de reconnaissance optique de caractères (OCR). Ces programmes analysent les caractères du texte et fournissent un document que l'on peut lire et éventuellement modifier grâce à un traitement de texte.

TYPES DE SCANNER

Scanner à plat

Un scanner à plat peut scanner des feuilles de papier individuelles ou les pages d'un livre. Généralement, les scanners à plat ont une surface de scannage de 22 x 29 cm. Certains d'entre eux peuvent scanner des documents plus grands.

Scanner à défilement

Ils peuvent scanner uniquement des feuilles de papier détachées ; ce qui signifie que, si vous voulez scanner une page tirée d'un livre, il faut découper cette page. Ces scanners sont moins chers et plus compacts que les scanners à plat, mais la qualité des images obtenues est moins bonne.

Scanner à main

Ce sont les moins chers. Leur largeur est approximativement de 10 cm, et ils sont bien adaptés à la numérisation de petites images, comme des logos, des signatures ou des petites photographies.

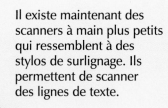

Il existe maintenant des scanners à main plus petits qui ressemblent à des stylos de surlignage. Ils permettent de scanner des lignes de texte.

SCANNER

CODAGE DES COULEURS

Le codage des couleurs d'un scanner se mesure en bits. Il indique le nombre de couleurs que le scanner peut détecter. Plus ce nombre de couleurs est élevé, plus la qualité de l'image scannée est bonne. Les scanners ont généralement un codage de couleurs de 36 bits.

CHOISIR LE MODE DU SCANNER

Avant de scanner une image, il faut choisir le mode du scanner. Ce mode détermine la qualité du scannage et la taille du fichier de l'image scannée sur votre ordinateur.

Mode trait

Les images scannées sont uniquement en noir et blanc. La taille du fichier est réduite.

Niveaux de gris

Ce mode permet d'obtenir des images utilisant des dégradés de gris. Le fichier obtenu est plus volumineux qu'en mode trait.

Couleurs

Les images en couleurs sont obtenues grâce à des dégradés de rouge, de vert et de bleu. Le fichier du scan est de très grande taille par rapport aux deux modes précédents.

RÉSOLUTION DES SCANNERS

La résolution d'un scanner détermine la qualité des détails que le scanner peut distinguer.

Elle se mesure en points par pouce (ppp ou dpi). La résolution des scanners actuels varie entre 600 et 2 400 ppp.

Cette résolution peut également être exprimée par deux nombres (par exemple, 600 x 1 200 dpi). Ces chiffres précisent le nombre de points qu'un scanner peut détecter en largeur et en hauteur sur un carré de 2,5 cm de côté (qui correspond à la mesure anglaise d'un pouce au carré).

Choisir une résolution

Plus la résolution est élevée, plus l'image sera nette, mais scanner l'image prend plus de temps et plus de mémoire.

En général, il n'est pas nécessaire de scanner des images à une résolution supérieure à celle de l'écran ou de l'imprimante.

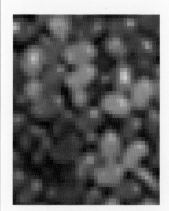

20 ppp

72 ppp

300 ppp

Pour imprimer une image sur une imprimante à 300 ppp, il n'est pas nécessaire de scanner avec une résolution supérieure à 300 ppp. La résolution maximale sur un moniteur ou sur l'Internet est de 72 ppp, donc si l'image à scanner doit être affichée sur l'Internet ou sur un écran, une résolution de 72 ppp est suffisante.

APPAREIL PHOTO NUMÉRIQUE

Un appareil photographique numérique permet de prendre des clichés et de les utiliser sur un ordinateur.

La plupart des appareils photo numériques sont fournis avec un logiciel d'édition qui vous permet de visualiser et de retoucher vos photos.

TRAVAILLER AVEC DES PHOTOS NUMÉRIQUES

Vous pouvez transférer ces photographies numériques sur votre ordinateur et les utiliser dans des documents, sur le Web, ou dans un courrier électronique pour les partager avec ses amis.

Si vous voulez faire un tirage papier de vos clichés, vous pouvez les faire développer dans une boutique photo. Vous pouvez aussi acheter une imprimante photo couleur pour les imprimer vous-même sur un papier approprié.

CARACTÉRISTIQUES

En général, ces appareils possèdent un écran à cristaux liquides, qui fonctionne comme celui des ordinateurs portables. Ces écrans servent à visualiser une image avant de l'enregistrer.

Un appareil photo numérique peut aussi disposer d'un flash et d'un zoom incorporés. Dans certains cas, il est également possible de le connecter à une télévision, pour voir les images directement à l'écran.

RÉSOLUTION DES APPAREILS PHOTO NUMÉRIQUES

La résolution d'un appareil photo numérique est déterminante pour la qualité des images prises par l'appareil. Plus la résolution est grande, plus les images seront détaillées et nettes. Cette résolution se mesure en mégapixels (c'est-à-dire 1 000 x 1 000 pixels). À l'heure actuelle, les résolutions des appareils numériques disponibles sur le marché sont de un, deux ou trois mégapixels.

MÉMOIRE DES APPAREILS NUMÉRIQUES

Les appareils photo numériques stockent les images en mémoire avant de les transférer sur ordinateur. Il existe deux types de mémoire.

Mémoire externe

La plupart des appareils qui stockent les photos sur un support amovible les enregistrent sur des cartes miniatures. Certains appareils fonctionnent avec des disquettes standard (3,5 pouces). Ces cartes et disquettes sont pratiques, car elles peuvent être remplacées lorsqu'elles sont pleines.

Mémoire intégrée

Dans la plupart des cas, une mémoire intégrée peut contenir jusqu'à 20 clichés. Une fois que la mémoire est pleine, il faut envoyer ces images vers un ordinateur.

CAMÉRA VIDÉO NUMÉRIQUE

Une caméra vidéo numérique permet d'enregistrer des séquences vidéo dans un format de fichier compatible avec votre ordinateur.

RÉSOLUTION

Pour capturer des séquences vidéo, une caméra vidéo numérique utilise un périphérique appelé CCD *(Charged Coupling Device)*. La qualité des images vidéo obtenues dépend du niveau de détails que le CCD peut détecter. Ce niveau de détails, également appelé résolution, se mesure en pixels. Plus le nombre de pixels est élevé, plus les images vidéo seront détaillées et contrastées. La résolution des caméras vidéo numériques actuelles se situe entre 250 000 et 700 000 pixels.

LES LOGICIELS DE MONTAGE VIDÉO

Ces programmes de montage permettent d'éditer les séquences vidéo que vous avez enregistrées sur votre ordinateur. Certains systèmes d'exploitation proposent un logiciel de montage. Windows Millennium inclut, par exemple, le programme Movie Maker. Vous trouverez également d'autres logiciels de montage vidéo dans des magasins d'informatique.

CAMÉRA WEB

Une caméra Web (appelée couramment WebCam) est un périphérique avec lequel vous pouvez envoyer de la vidéo en direct sur l'Internet.

Vous pouvez également utiliser une caméra Web pour enregistrer des séquences vidéo et les stocker sur votre ordinateur.

VIDÉOCONFÉRENCE

Les caméras Web sont souvent utilisées pour relier visuellement plusieurs interlocuteurs qui participent à des vidéoconférences sur l'Internet ou sur d'autres types de réseau. Dans ces vidéoconférences, vous pouvez discuter en direct grâce à un microphone et voir en même temps vos interlocuteurs.

RÉSOLUTION ET VITESSE

La résolution et la vitesse d'une caméra Web déterminent la qualité des images vidéo obtenues. La plupart des caméras Web offrent un choix de plusieurs résolutions et de plusieurs vitesses. Les résolutions les plus hautes donnent des images très contrastées et riches en détails, mais réduisent la vitesse de transfert de la vidéo. Une vitesse trop lente produit des images saccadées.

Généralement, la vitesse de transfert de la vidéo est de 15 images par seconde pour une résolution de 640 x 480 pixels ou de 30 images par seconde avec une résolution de 352 x 288 pixels.

15 images/s
640 x 480

30 images/s
352 x 288

MP3 est un format de fichiers son qui permet de transférer de la musique de qualité CD sur l'Internet. Le sigle MP3 vient de l'anglais *Motion Picture Experts Group Audio Layer 3*. Le format MP3 compresse les fichiers son pour réduire l'espace qu'ils occupent sur votre disque dur.

Un lecteur MP3 portable est un périphérique qui stocke des fichiers de musique MP3. Vous pouvez les écouter où vous voulez, sans utiliser votre ordinateur.

Parmi les lecteurs MP3 portables les plus connus, on trouve Rio fabriqué par S3 et Nomad Jukebox de Creative Labs.

La plupart des lecteurs MP3 portables n'ont pas de parties mobiles. Vous pouvez donc écouter de la musique même en courant ou en vous exerçant à un autre sport, sans perdre aucune note.

Vous pouvez également connecter un lecteur MP3 portable à votre ordinateur pour transférer des fichiers MP3 de l'un à l'autre, selon vos besoins. Une fois le transfert terminé, vous pouvez déconnecter le lecteur MP3 de votre ordinateur.

MÉMOIRE

Les lecteurs MP3 portables utilisent généralement une mémoire flash, c'est-à-dire une mémoire qui peut être facilement effacée et sur laquelle vous pouvez réenregistrer d'autres morceaux de musique. La capacité de stockage de cette mémoire flash est habituellement de 64 Mo, ce qui correspond à une heure pour une musique de qualité CD.

Certains lecteurs MP3 portables possèdent des disques durs intégrés qui disposent d'une plus grande capacité de stockage. Par exemple, Nomad Jukebox de Creative Labs a un disque dur de 6 Go qui permet de stocker jusqu'à 100 heures de musique.

TÉLÉCHARGEMENT DE FICHIERS MP3

Vous trouverez sur l'Internet les sites de plusieurs sociétés, telles que Emusic.com et MP3.com, sur lesquels vous pouvez télécharger, ou copier, des chansons individuelles ou des CD complets au format MP3 pour les stocker sur votre ordinateur. Certaines sociétés vous le proposent gratuitement, d'autres vous feront payer le téléchargement.

Vous pouvez également vous procurer un programme de codage MP3, comme le logiciel MusicMatch Jukebox, pour convertir les chansons d'un CD au format MP3.

Les ports USB et FireWire sont des ports à haut débit qui permettent de transférer rapidement des données entre un ordinateur et un périphérique externe.

PORT USB

Un port USB *(Universal Serial Bus)* est un connecteur sur lequel vous pouvez brancher jusqu'à 127 périphériques, comme une imprimante, une souris ou un modem externe. La plupart des ordinateurs récents ont deux ports USB. Si votre ordinateur ne possède aucun port de ce type, vous pouvez acheter une carte d'extension USB pour ajouter un port USB à votre machine.

Vitesse

La version USB actuelle permet des transferts de données à une vitesse de 12 Mo par seconde (Mops). Une version plus récente, appelée USB 2.0 ou USB2, est en cours de fabrication. Elle permettra d'atteindre des vitesses de transfert de l'ordre de 480 Mops.

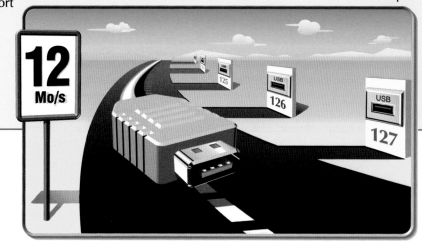

PORT FIREWIRE

Un port FireWire est un connecteur sur lequel vous pouvez brancher jusqu'à 63 périphériques. Certains ordinateurs récents possèdent deux ports FireWire ou plus. Si votre ordinateur ne possède aucun port de ce type, vous pouvez acheter une carte d'extension FireWire. Le port FireWire est également appelé IEEE 1394 ou i.LINK.

Vitesse

Un port FireWire permet de transférer des données à une vitesse de 400 Mops. Ce port convient donc bien pour connecter des périphériques à haut débit, tels que des caméras vidéo numériques et des disques durs externes.

CONNECTER DES PÉRIPHÉRIQUES

Les ports USB et FireWire permettent de connecter facilement des périphériques à votre ordinateur. Lorsque vous branchez un périphérique sur l'un de ces ports, votre ordinateur le détecte et l'installe automatiquement.

Le choix du port que vous utiliserez dépend du périphérique que vous voulez connecter. Pour brancher un périphérique sur un port FireWire, il doit être compatible FireWire. De la même façon, seuls les périphériques compatibles USB peuvent être connectés à un port USB. Pour vous assurer de la compatibilité d'un périphérique avec l'un ou l'autre de ces ports, consultez la documentation fournie avec ce périphérique.

CHAPITRE 3

TRAITEMENT DES DONNÉES

**Comment un ordinateur fonctionne-t-il ?
Comment traite-t-il les informations ?
C'est ce que vous découvrirez dans ce
chapitre.**

MÉMOIRE

La mémoire, aussi appelée RAM (Random Access Memory) enregistre les informations de manière temporaire dans un ordinateur.

La mémoire fonctionne comme une ardoise sur laquelle de nouvelles informations seraient sans cesse écrites. Les anciennes informations sont alors effacées au fur et à mesure. De plus, le contenu de cette mémoire disparaît lorsque l'ordinateur est éteint.

TAILLE DE LA MÉMOIRE

Le nombre de programmes que l'ordinateur peut exécuter simultanément est directement proportionnel à la quantité de mémoire dont il dispose. En outre, elle influe aussi sur la vitesse d'exécution de ces programmes.

On mesure la taille de la mémoire en mégaoctets (Mo). Un ordinateur doit en général être équipé d'au moins 64 Mo.

Il est tout à fait possible d'améliorer les performances d'un ordinateur en lui ajoutant de la mémoire. La taille de la mémoire que vous pouvez ajouter dépend des capacités de votre carte mère.

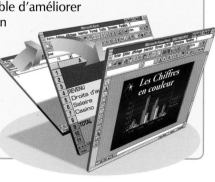

VITESSE D'ACCÈS

La vitesse à laquelle des informations sont stockées et accédées en mémoire est appelée vitesse d'accès. Cette vitesse est mesurée en mégahertz (MHz). Quand vous ajoutez des barrettes de mémoire à votre ordinateur, assurez-vous que la vitesse d'accès de la mémoire est compatible avec la vitesse de la carte mère. La plupart des cartes mère actuelles supportent des vitesses d'accès en mémoire de 100 MHz.

Vitesse d'accès
100 MHz

PUCES DE MÉMOIRE

La plupart des ordinateurs fonctionnent avec un type de mémoire appelée mémoire dynamique (DRAM, ou *Dynamic RAM*).

La SDRAM *(Synchronous DRAM)* est le type de mémoire le plus rapide, c'est celle que l'on trouve dans les ordinateurs les plus récents. Ces ordinateurs peuvent utiliser indifféremment de la SDRAM ou de la DRAM.

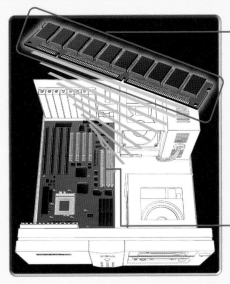

Barrettes de mémoire

Une barrette de mémoire est un circuit électronique qui contient plusieurs puces de mémoire. Les barrettes *SIMM (Single In-line Memory Module)* possèdent jusqu'à 9 puces de mémoire. Les ordinateurs récents fonctionnent aussi avec des barrettes DIMM *(Dual In-line Memory Module),* qui contiennent au maximum 18 puces de mémoire. Pour ajouter de la mémoire à un ordinateur, il suffit d'y ajouter des barrettes de mémoire.

Connecteurs de mémoire

Ces connecteurs sont situés sur la carte mère, et permettent de brancher les barrettes de mémoire.

MÉMOIRE VIRTUELLE

Un ordinateur possédant peu de mémoire, ou utilisant plusieurs programmes simultanément, peut se servir d'une partie du disque dur pour simuler de la mémoire supplémentaire.

Ce type de mémoire est appelé mémoire virtuelle, et il permet à l'ordinateur de continuer à fonctionner, même si le recours au disque dur ralentit énormément l'exécution de ses tâches.

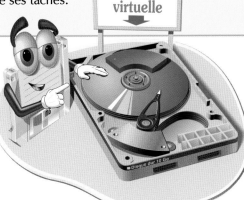

ROM

Contrairement à la RAM, la ROM est un type de mémoire qui ne peut pas être modifiée. Elle contient des instructions qui permettront à l'ordinateur de s'allumer correctement, à chaque démarrage.

Le processeur est le composant principal d'un ordinateur.

L'unité centrale de traitement, ou CPU, appelée le plus souvent (micro)processeur, exécute les instructions, effectue les calculs, et gère le flux d'informations dans toutes les parties de l'ordinateur. Il exécute plusieurs millions d'instructions par seconde.

TECHNOLOGIE

La complexité d'un processeur se rapproche de celle d'une carte des États-Unis imprimée sur un ongle. Les éléments d'un processeur ne mesurent parfois pas plus de 0,18 microns. En comparaison, la largeur d'un cheveu humain mesure environ 100 microns.

La fabrication des processeurs nécessite des salles beaucoup plus propres que les chambres d'un hôpital. Des systèmes d'aération et de filtrage très perfectionnés sont utilisés, afin de retirer au maximum les poussières qui peuvent endommager les processeurs.

Les performances
d'un processeur
dépendent de plusieurs
paramètres.

CHOISIR UN PROCESSEUR

Fabricants

La plupart des processeurs sont
conçus par Intel, mais il existe
des sociétés comme AMD ou
Cyrix qui fabriquent leurs
propres processeurs.

Générations de processeurs

Chaque nouvelle génération de
processeur est plus puissante que la
précédente. Les processeurs récents
peuvent exécuter plus d'instructions
simultanément.

De nos jours, il est conseillé d'acheter un
ordinateur de type Pentium 4, car il est
encore plus puissant que le Pentium III.

Vitesse

Les processeurs d'une génération sont
disponibles dans des vitesses différentes.
La vitesse d'un processeur est un facteur
déterminant pour la vitesse globale d'un
ordinateur. Plus elle est élevée, plus
l'ordinateur fonctionne vite.

La vitesse d'un processeur se mesure en
mégahertz (MHz), ou million de cycles par
seconde. La vitesse des processeurs plus
récents, beaucoup plus rapides, est mesurée
en gigahertz (GHz), ou milliard de cycles par
seconde.

TYPES DE PROCESSEURS

Intel Pentium

Ce processeur conçu par Intel est parfaitement adapté
à l'utilisation de Windows 3.1, 95, 98, NT, 2000 et Me.
Il existe plusieurs générations de processeurs Intel :
Pentium, Pentium II, Pentium III et Pentium 4. Le
processeur Pentium 4 est le plus récent et sa vitesse
atteint 1GHz.

On trouve encore des processeurs Pentium III sur
un grand nombre d'ordinateurs récents, alors que les
générations Pentium et Pentium II ne sont pratiquement
plus utilisées. La vitesse des processeurs Pentium III
s'échelonne de 450 MHz à 1,13 GHz.

Intel Celeron

Ce processeur, fabriqué par Intel, est à la
fois rapide et bon marché. Il est fondé sur
l'architecture du Pentium II, mais il
possède moins de mémoire que ce
dernier. Il est destiné aux ordinateurs
domestiques et peut atteindre les
performances du Pentium II pour un prix
inférieur. Il existe en plusieurs vitesses :
de 500 à 700 MHz.

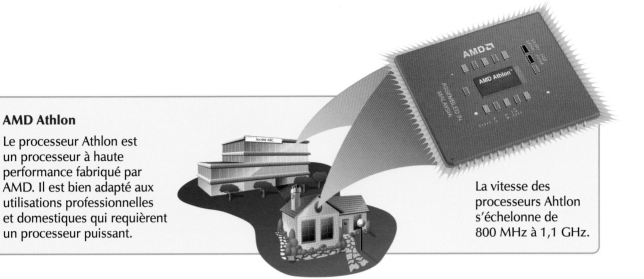

AMD Athlon

Le processeur Athlon est un processeur à haute performance fabriqué par AMD. Il est bien adapté aux utilisations professionnelles et domestiques qui requièrent un processeur puissant.

La vitesse des processeurs Ahtlon s'échelonne de 800 MHz à 1,1 GHz.

AMD Duron

AMD fabrique aussi le processeur Duron qui est destiné aux ordinateurs domestiques. Ce processeur offre des vitesses relativement élevées à un prix modéré.

Il existe en plusieurs vitesses : 650, 700 et 750 MHz.

VIA Cyrix

Le processeur Cyrix est fabriqué par VIA Technologies. Il existe en deux générations : VIA Cyrix MII et VIA Cyrix III. Ce processeur est bien adapté aux utilisateurs d'ordinateurs professionnels ou domestiques qui veulent un processeur peu coûteux avec des capacités de traitement de bonne qualité.

Les vitesses du processeur VIA Cyrix MII s'échelonnent entre 300 et 433 MHz, celles du VIA Cyrix III entre 500 et 600 MHz.

MÉMOIRE CACHE

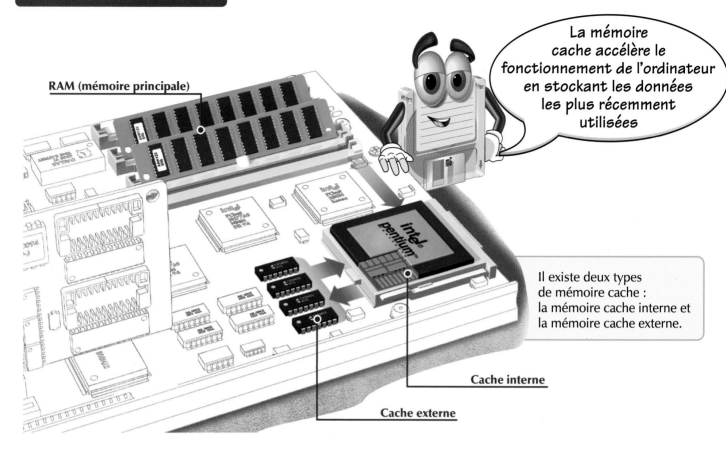

RAM (mémoire principale)

La mémoire cache accélère le fonctionnement de l'ordinateur en stockant les données les plus récemment utilisées

Il existe deux types de mémoire cache : la mémoire cache interne et la mémoire cache externe.

Cache interne

Cache externe

CACHE INTERNE

Lorsque l'ordinateur cherche une donnée, il commence par regarder dans la mémoire cache interne. Cette mémoire se trouve à l'intérieur du processeur, et c'est la mémoire la plus rapide de tout l'ordinateur. Elle est aussi appelée mémoire cache de niveau un, ou encore cache primaire.

CACHE EXTERNE

Si l'ordinateur n'a pas trouvé la donnée recherchée dans la mémoire cache interne, il regarde dans la mémoire cache externe. De manière générale, la mémoire cache externe est constituée de mémoire statique (SRAM), et elle se trouve sur la carte mère.

Un accès à la mémoire cache externe est plus lent qu'un accès à la mémoire cache interne, mais reste plus rapide qu'un accès à la mémoire principale. Dans certains ordinateurs, la mémoire cache externe est intégrée au proesseur, l'accès au cache est donc beaucoup plus rapide.

MÉMOIRE PRINCIPALE

Si l'ordinateur n'a trouvé la donnée recherchée ni dans la mémoire cache interne ni dans la mémoire cache externe, il regarde dans la mémoire principale, plus lente, appelée RAM.

Dès qu'une donnée est lue dans la RAM, elle est recopiée dans la mémoire cache. Ce procédé met constamment à jour le contenu de la cache avec les données qui ont été les plus récemment utilisées.

UTILISER LA MÉMOIRE CACHE

Le fonctionnement de l'ordinateur avec ces différents niveaux de mémoire peut être comparé à la façon dont vous agissez quand vous êtes à la recherche d'un papier quand vous travaillez au bureau : les données sont recherchées dans un ordre spécifique, et chaque étape de la recherche prend plus de temps.

❶ Recherche des documents sur le bureau (cache interne)

❷ Recherche des documents dans les tiroirs du bureau (cache externe)

❸ Recherche des documents dans les classeurs de rangement (mémoire principale)

Travailler sans mémoire cache reviendrait à utiliser les classeurs de rangement à chaque fois qu'une information est recherchée.

BUS

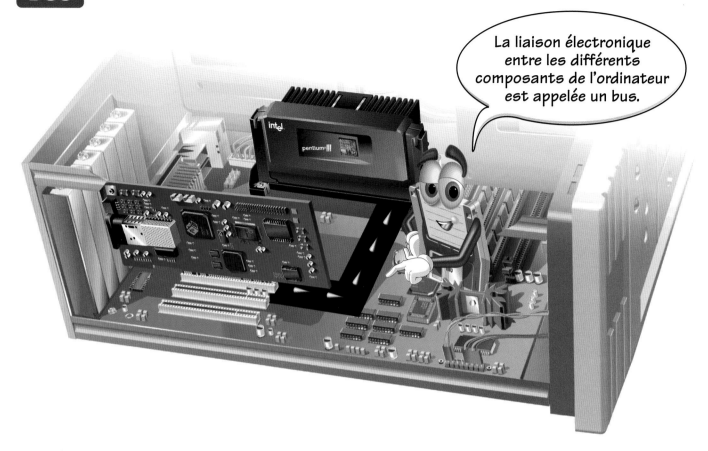

La liaison électronique entre les différents composants de l'ordinateur est appelée un bus.

LARGEUR DU BUS

La largeur d'un bus équivaut au nombre de voies d'une autoroute. Plus la largeur est grande, plus le nombre d'informations qui circulent en même temps sur le bus est élevé. La largeur d'un bus se mesure en bits. Huit bits représentent un caractère.

VITESSE DU BUS

La vitesse d'un bus correspond à la limitation de vitesse sur une autoroute. Plus cette vitesse est élevée, plus les informations circulent rapidement sur ce bus. La vitesse d'un bus se mesure en MégaHertz (MHz), ou million de cycles par seconde.

TYPES DE BUS

Bus ISA

Le bus ISA *(Industry Standard Architecture)* est le bus le plus ancien et le plus lent. Il est toujours utilisé pour transférer des informations avec un périphérique lent, comme un modem. La largeur de ce bus est de 16 bits, et sa vitesse est de 8 MHz.

Ce bus se trouve dans les ordinateurs de génération Pentium II, Pentium III et Pentium 4.

Bus PCI

Le bus PCI *(Peripheral Component Interconnect)* est un bus relativement complexe, que l'on retrouve dans les ordinateurs récents. Il permet de communiquer à haute vitesse avec plusieurs périphériques. Il possède une largeur de 32 ou de 64 bits, et sa vitesse est le plus souvent de 66 MHz.

Ce type de bus est compatible avec la norme Plug and Play, qui permet d'ajouter de manière très simple de nouvelles cartes à un ordinateur.

Le bus PCI se trouve dans les ordinateurs de génération Pentium II, Pentium III et Pentium 4.

Bus AGP

Le bus AGP *(Accelerated Graphics Port)* a été conçu pour échanger des données rapidement entre la mémoire principale et une carte vidéo AGP. La largeur de ce bus est de 32 bits, pour une vitesse de 66 MHz.

Seuls les ordinateurs de génération Pentium II, Pentium III et Pentium 4 possèdent un bus AGP.

CHAPITRE 4

SUPPORTS DE STOCKAGE

Qu'est-ce qu'un disque dur ? À quoi sert un lecteur CD-RW ? Ce chapitre vous en apprend beaucoup sur les unités de stockage.

DISQUE DUR

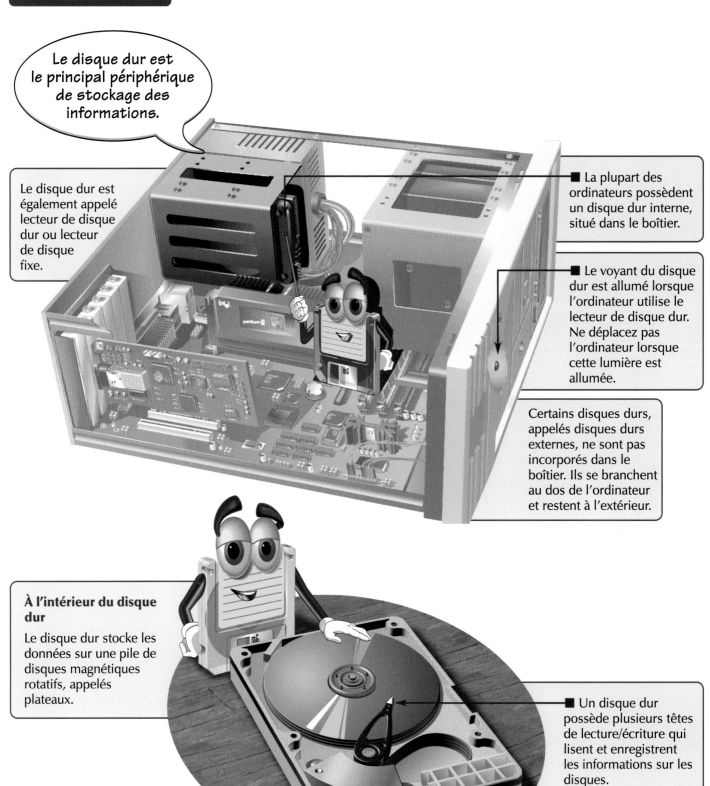

Le disque dur est le principal périphérique de stockage des informations.

Le disque dur est également appelé lecteur de disque dur ou lecteur de disque fixe.

■ La plupart des ordinateurs possèdent un disque dur interne, situé dans le boîtier.

■ Le voyant du disque dur est allumé lorsque l'ordinateur utilise le lecteur de disque dur. Ne déplacez pas l'ordinateur lorsque cette lumière est allumée.

Certains disques durs, appelés disques durs externes, ne sont pas incorporés dans le boîtier. Ils se branchent au dos de l'ordinateur et restent à l'extérieur.

À l'intérieur du disque dur

Le disque dur stocke les données sur une pile de disques magnétiques rotatifs, appelés plateaux.

■ Un disque dur possède plusieurs têtes de lecture/écriture qui lisent et enregistrent les informations sur les disques.

Disque dur 10 Go

CONTENU DU DISQUE DUR

Fichiers de programme

Le disque dur stocke votre système d'exploitation et vos programmes. Lorsque vous achetez un nouveau logiciel, vous devez l'installer et le copier sur votre disque dur avant de l'utiliser. Les programmes sont fournis sur CD-ROM, DVD-ROM ou sur une série de disquettes.

Fichiers de données

Le disque dur stocke vos fichiers de données tels que documents, feuilles de calcul, graphiques.

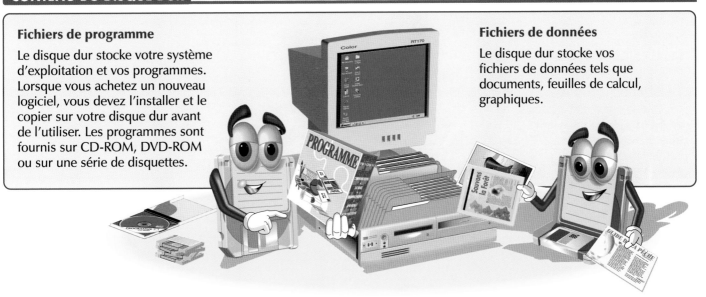

STOCKER LES FICHIERS

Enregistrer les fichiers

Lorsque vous créez un document, l'ordinateur l'enregistre dans une mémoire temporaire. Si vous souhaitez stocker un document pour une utilisation ultérieure, vous devez l'enregistrer sur le disque dur. Sinon, le document sera perdu en cas de coupure de courant ou lorsque vous aurez arrêté l'ordinateur.

Système de fichiers

Comme dans une armoire à classeurs, le disque dur utilise des dossiers ou des répertoires pour organiser les informations. Le système de fichiers utilisé par votre ordinateur dépend du système d'exploitation installé et de sa configuration. Les systèmes de fichiers les plus courants sont FAT, FAT 32 et NTFS.

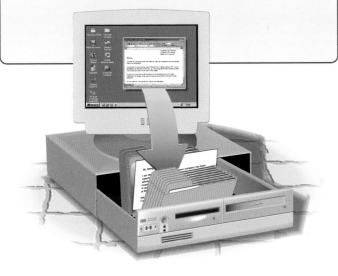

DISQUE DUR

Capacité

La quantité d'informations pouvant être stockées sur un disque se mesure en octets.

Un disque dur d'une capacité de 5 à 10 Go répond à la majorité des besoins domestiques ou professionnels.

Achetez un disque dur possédant la plus grande capacité que vous pouvez vous permettre. Les programmes récents, qui sont gourmands en mémoire, ainsi que les fichiers de données, le rempliront rapidement. Par exemple, Microsoft Office nécessite 250 Mo d'espace disque. Windows Millennium, quant à lui, demande en moyenne 300 Mo.

Vitesse

La vitesse à laquelle tournent les disques, appelés plateaux, se mesure en nombre de rotations par minute (RPM). Lorsque le RPM est élevé, le disque dur trouve et enregistre plus rapidement les données sur les plateaux.

La vitesse à laquelle le disque dur trouve les données fait référence à un temps d'accès moyen, mesuré en millisecondes (ms). Une milliseconde équivaut à 1/1 000 de seconde. La plupart des disques offrent une vitesse moyenne située en 8 et 15 ms. Plus ce temps moyen est faible, plus le disque est rapide.

TYPES DE CONNEXION

E-IDE

L'interface de connexion E-IDE *(Enhanced Integrated Drive Eletronics)* constitue un moyen rapide de connecter un disque dur (ou d'autres périphériques) à un ordinateur. Tous les nouveaux ordinateurs possèdent une connexion E-IDE (souvent appelée IDE).

Le standard E-IDE peut accepter jusqu'à quatre périphériques : lecteurs de disques durs, de CD-ROM, de DVD-ROM et de bandes.

L'UDMA *(Ultra Direct Memory Access)* accroît les performances de l'interface E-IDE et permet d'augmenter la vitesse de transfert des données à travers une connexion E-IDE.

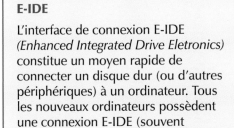

SCSI

L'interface SCSI *(Small Computer System Interface)* est le moyen le plus rapide, le plus souple, mais aussi le plus cher, de connecter un disque dur ou d'autres périphériques à un ordinateur.

Le type le plus courant de SCSI permet la connexion en chaîne de un à sept périphériques sur un même connecteur, par exemple des disques amovibles, des lecteurs de CD-ROM ou de DVD et des scanners. Il existe également d'autres types de SCSI qui permettent un transfert plus rapide des informations et le branchement d'un plus grand nombre de périphériques.

CACHE DISQUE

La mémoire cache du disque accélère le travail de l'ordinateur en stockant les données les plus récemment utilisées.

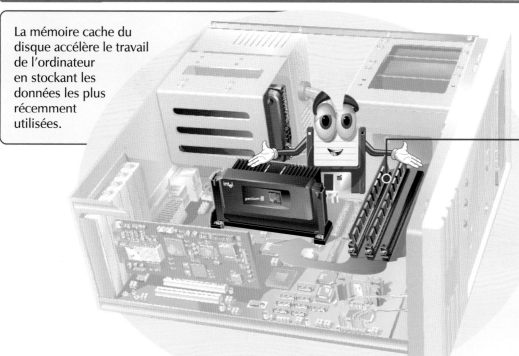

■ Le cache disque est un emplacement mémoire où l'ordinateur stocke les données qu'il a récemment utilisées.

Lorsque l'ordinateur a besoin de données, il commence par les rechercher dans le cache, qui peut fournir les données des milliers de fois plus vite que le disque dur !

Si l'ordinateur ne trouve pas les données souhaitées dans le cache, il les cherche sur le disque dur.

DISQUE DUR

CACHE DISQUE

Chaque fois que l'ordinateur récupère des données sur le disque dur, il en place une copie dans le cache disque. Ce processus met constamment à jour cet espace mémoire afin qu'il contienne en permanence les données les plus récentes.

PROTÉGER LE DISQUE DUR

Virus

Un virus est un programme qui empêche le fonctionnement normal d'un ordinateur. Il peut engendrer différents types de problèmes, par exemple l'apparition de messages gênants ou la destruction des données du disque dur.

Les fichiers que vous recevez sur disquette ou par Internet peuvent contenir des virus. Vous devez régulièrement utiliser un programme antivirus pour contrôler votre ordinateur.

Sauvegarder les données

Vous devez copier les fichiers, enregistrés dans votre ordinateur, sur des disques amovibles ou sur des bandes. Vous aurez ainsi des copies de secours pour le cas où vos fichiers originaux seraient volés ou endommagés du fait d'un virus ou d'une panne de l'ordinateur.

Vous avez besoin de ne sauvegarder que votre propre travail. Cette tâche n'est pas nécessaire pour les programmes enregistrés sur l'ordinateur, puisque vous disposez des disquettes ou CD-ROM d'origine pour éventuellement les réinstaller.

OPTIMISER LE DISQUE DUR

Défragmenter le disque dur

Un disque dur fragmenté a pour effet de stocker les parties d'un fichier en plusieurs emplacements. Pour récupérer le fichier, l'ordinateur doit donc accéder à plusieurs zones du disque – ce qui ralentit son activité.

Vous pouvez utiliser un programme de défragmentation pour replacer tous les éléments d'un fichier au même endroit – ce qui réduira le temps de recherche sur le disque dur. Défragmenter le disque dur une fois par mois améliore les performances de votre ordinateur.

La plupart des systèmes d'exploitation incluent un programme de défragmentation.

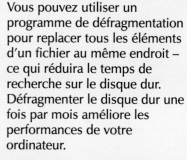

Réparer un disque

Vous pouvez améliorer les performances d'un ordinateur en utilisant un programme de réparation qui cherche et répare les erreurs sur le disque. Il est conseillé d'effectuer un tel contrôle au moins une fois par mois.

Windows 95, 98, NT, 2 000 et Me contiennent tous un programme de réparation, appelé Scandisk.

DISQUE DUR

AUGMENTER L'ESPACE DISQUE

Archiver des données

Stockez les fichiers anciens ou rarement utilisés sur une bande ou sur un disque amovible. Vous pourrez alors les supprimer de votre disque dur pour récupérer un plus grand espace d'enregistrement.

Nettoyage du disque dur

Vous pouvez utiliser un programme de nettoyage de disque pour localiser et supprimer les fichiers dont vous n'avez plus besoin sur votre ordinateur, les fichiers temporaires par exemple. Vous libérerez ainsi de l'espace sur votre disque dur.

La plupart des systèmes d'exploitation proposent un programme de nettoyage de disque.

Compresser les données

Vous pouvez compresser les fichiers stockés sur votre disque dur. Ceci double la capacité de stockage de votre disque.

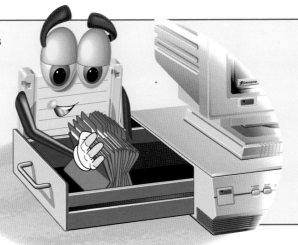

Vous ne devez compresser un disque dur que si vous manquez d'espace pour stocker de nouvelles données et après avoir essayé tous les autres moyens permettant d'augmenter l'espace de stockage.

Windows 95, 98, 2 000 et Me contiennent un programme de compression de disque, appelé Agent de compression.

LECTEUR DE DISQUETTES

Un lecteur de disquettes enregistre et lit les informations sur des disquettes.

Tous les ordinateurs possèdent un lecteur de disquettes désigné par la lettre A.

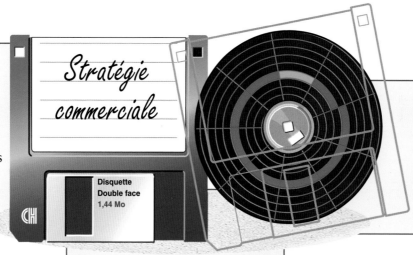

DISQUETTES

Le lecteur de disquettes enregistre les informations sur des disquettes, qui sont des périphériques magnétiques amovibles stockant des données.

Stratégie commerciale

Disquette
Double face
1,44 Mo

Les disquettes sont couramment utilisées pour transférer des informations d'un ordinateur à l'autre. Elles vous permettent d'échanger des fichiers avec vos amis ou collègues.

Les lecteurs de disquettes utilisent des disquettes de 3,5 pouces. À l'intérieur, un disque en plastique fin enregistre les données selon un procédé magnétique.

INSÉRER UNE DISQUETTE

Poussez doucement la disquette dans le lecteur, l'étiquette vers le haut. La plupart des lecteurs produisent un « clic » dès que la disquette est complètement introduite.

■ Le voyant lumineux s'allume lorsque l'ordinateur utilise la disquette. Ne la reprenez que lorsque cette lumière est éteinte.

■ Pour retirer la disquette, appuyez sur ce bouton.

PROTÉGER UNE DISQUETTE

Pour éviter l'effacement et l'enregistrement d'informations sur une disquette contenant des données, faites glisser la languette dans la position protection en écriture.

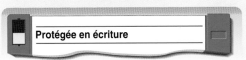

Protégée en écriture

Vous **ne pouvez** ni effacer, ni enregistrer des informations.

Non protégée en écriture

Vous **pouvez effacer** ou enregistrer des informations.

Assurez-vous de conserver les disquettes éloignées d'appareils intégrant des aimants qui peuvent endommager les informations qu'elles contiennent. Veillez également à ne pas stocker les disquettes dans un lieu trop chaud ou trop froid, et évitez de renverser dessus des liquides, par exemple du café ou des boissons gazeuses.

LECTEUR DE CD-ROM

Le lecteur de CD-ROM est un périphérique qui lit les informations stockées sur un disque compact.

La plupart des lecteurs de CD-ROM se trouvent à l'intérieur de l'ordinateur. Sont également disponibles des lecteurs externes, connectés à l'ordinateur par un câble.

CD-ROM

Les CD-ROM sont du même type que les disques audio que vous achetez chez un disquaire.

Un seul CD-ROM permet de stocker plus de 650 Mo de données : c'est l'équivalent d'une collection encyclopédique complète ou de plus de 400 disquettes. La grande capacité des CD-ROM permet le stockage d'images, d'animations et de vidéos, qui exigent beaucoup de place.

CD-ROM est l'abréviation de *Compact Disc-Read-Only Memory*. « *Read-Only* » (lecture seule) signifie que vous ne pouvez pas modifier les informations stockées sur le disque.

UTILISATION DES DISQUES COMPACTS

Installer des programmes

La grande capacité de stockage des CD-ROM simplifie l'installation de nouveaux programmes sur votre ordinateur. Un programme nécessitant une vingtaine de disquettes tient sur un seul CD-ROM.

Lire des CD-ROM multimédias

Un CD-ROM peut stocker des titres multimédias. Ce terme désigne la combinaison de plusieurs médias : texte, image, son, animation et vidéo. Le multimédia est un puissant moyen de communication.

Il existe des milliers de CD-ROM multimédias pour s'informer et se distraire. Vous pouvez les acheter dans la plupart des magasins d'informatique.

Écouter de la musique

Vous pouvez écouter des CD audio avec un lecteur de CD-ROM pendant que vous travaillez.

LECTEUR DE CD-ROM

VITESSE D'UN LECTEUR DE CD-ROM

La vitesse d'un lecteur de CD-ROM dépend de la vitesse de rotation du disque. Plus cette vitesse est élevée, plus le transfert d'information entre le disque et l'ordinateur est rapide, ce qui donne donc de meilleures performances.

Le facteur vitesse est très important pour les vidéos et les animations que l'on trouve dans les jeux et les encyclopédies. Une vitesse faible entraîne de piètres performances.

La vitesse d'un lecteur de CD-ROM induit la mesure du débit ou du transfert des données, et s'exprime en Kilo-octet par seconde (Ko/s).

La colonne de gauche indique les vitesses les plus courantes. Il est conseillé d'acheter un lecteur de CD-ROM d'au moins 24X.

VITESSE DU LECTEUR DE CD-ROM	DÉBIT MAXIMAL DE TRANSFERT DES DONNÉES
Huit (8X)	1 200 Ko/s
Dix (10X)	1 600 Ko/s
Douze (12X)	1 800 Ko/s
Seize (16X)	2 400 Ko/s
Vingt-quatre (24X)	3 600 Ko/s
Trente-deux (32X)	4 800 Ko/s
Quarante (40X)	6 000 Ko/s
Quarante-huit (48X)	7 200 Ko/s
Soixante (60X)	9 000 Ko/s

UTILISER LE LECTEUR DE CD-ROM

Insérer un disque

■ Pour insérer ou retirer un disque, appuyez sur ce bouton.

■ Un tiroir coulissant s'ouvre. Placez le disque, étiquette vers le haut, sur le tiroir. Pour le fermer, appuyez de nouveau sur ce bouton.

Cette lumière s'allume lorsque le lecteur accède aux informations stockées sur le disque.

Certains lecteurs de CD-ROM ne possèdent pas de tiroir coulissant. Vous introduisez simplement le disque, étiquette vers le haut, dans une fente.

Casque

Vous pouvez utiliser un casque pour écouter les sons diffusés par un CD. C'est pratique dans un environnement bruyant ou lorsque vous souhaitez écouter de la musique sans déranger personne.

Manipuler un disque

Lorsque vous saisissez un CD-ROM, tenez-le par les bords.

Prendre soin des disques

Lorsque vous avez terminé d'utiliser un disque, assurez-vous de le replacer dans son boîtier en plastique. N'empilez pas les disques les uns sur les autres.

Les lecteurs CD-R et CD-RW sont des périphériques conçus pour l'enregistrement d'informations sur un CD. Ces lecteurs peuvent également lire des CD-ROM et des CD audio.

LECTEUR CD-R

Un lecteur CD-R *(CD-Recordable),* CD enregistrable, vous permet de stocker des données sur un disque CD-R. Il n'est pas possible d'effacer les CD-R : les données qui y sont gravées sont permanentes et ne peuvent être modifiées.

LECTEUR CD-RW

Un lecteur CD-RW *(CD-Rewritable),* CD réinscriptible, est semblable à un lecteur CD-R, mais il permet de modifier plusieurs fois les données enregistrées. Un lecteur CD-RW peut également lire et enregistrer des données sur des CD-R, mais il ne peut les enregistrer qu'une seule fois.

VITESSE DES LECTEURS

Les lecteurs CD-R et CD-RW fonctionnent avec trois vitesses différentes. La vitesse d'écriture fait référence à l'enregistrement des données. La vitesse de réinscription concerne uniquement les lecteurs CD-RW. La vitesse de lecture fait référence, quant à elle, au transfert des données entre le disque et l'ordinateur.

Vitesses courantes des lecteurs

	CD-R	CD-RW
Écriture	12X	12X
Réinscription	N/A	10X
Lecture	24X	32X

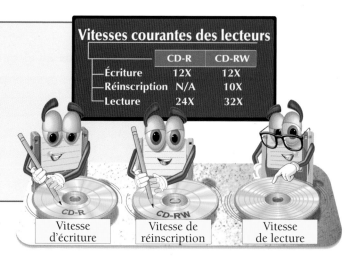

| Vitesse d'écriture | Vitesse de réinscription | Vitesse de lecture |

LOGICIEL DE GRAVURE

Les lecteurs CD-R et CD-RW nécessitent un logiciel spécifique pour l'enregistrement des données. La majorité des lecteurs sont livrés avec un logiciel spécialement conçu pour le modèle. Vous pouvez également acheter un programme possédant davantage de fonctions, tel que des utilitaires améliorant la qualité du son enregistré.

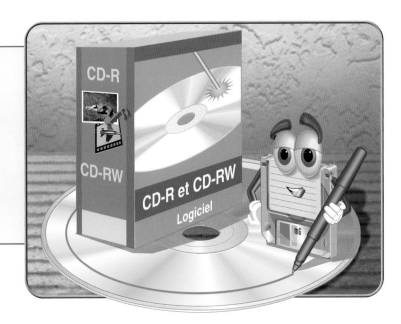

UTILISATION DES LECTEURS CD-R ET CD-RW

Stocker et transférer des données

Vous utiliserez un CD-R ou un CD-RW pour stocker plus de 650 Mo de données sur un seul disque. Ce procédé vous permet de transférer facilement d'un ordinateur à l'autre des données en quantité importante, tels des programmes ou des présentations multimédias.

Enregistrer de la musique

Les lecteurs CD-R et CD-RW permettent d'enregistrer des CD audio. Vous pouvez trouver de la musique sur l'Internet ou connecter un lecteur de CD ou une chaîne hi-fi à votre ordinateur. Un CD-R ou un CD-RW permet d'enregistrer jusqu'à 74 minutes de musique ou de son. Les disques enregistrés sur les lecteurs CD-RW peuvent ne pas fonctionner avec certains lecteurs de CD-R, de CD-ROM ou de CD audio.

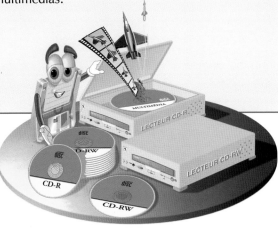

LECTEUR DE DVD

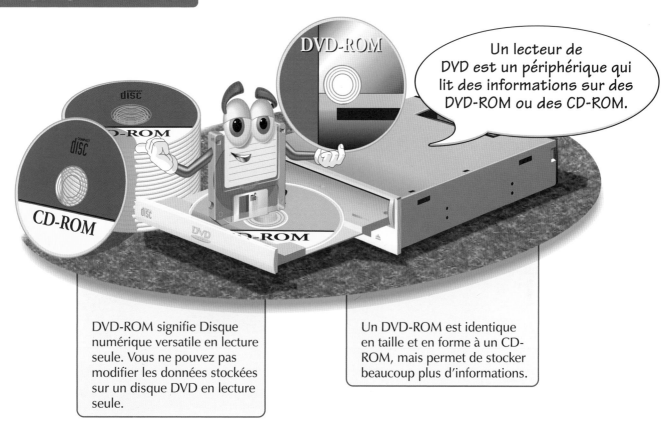

Un lecteur de DVD est un périphérique qui lit des informations sur des DVD-ROM ou des CD-ROM.

DVD-ROM signifie Disque numérique versatile en lecture seule. Vous ne pouvez pas modifier les données stockées sur un disque DVD en lecture seule.

Un DVD-ROM est identique en taille et en forme à un CD-ROM, mais permet de stocker beaucoup plus d'informations.

UTILISATION DES DVD-ROM

Multimédia

Vous pouvez utiliser un lecteur de DVD pour lire des DVD-ROM multimédia, des CD-ROM et CD audio. La plupart des lecteurs de DVD-ROM peuvent également lire des disques enregistrés sur des lecteurs CD-R et CD-RW.

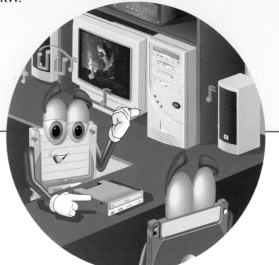

DVD-vidéo

Les lecteurs de DVD peuvent lire des disques DVD-vidéo. Ces derniers contiennent des films complets, qui sont lus en affichage plein écran avec une meilleure qualité que les cassettes VHS. De nombreux disques DVD-vidéo permettent d'intervenir sur la manière de lire un film, par exemple en choisissant l'affichage du sous-titrage.

Un matériel spécifique, tel qu'un décodeur vidéo MPEG-2, peut être nécessaire pour une meilleure restitution des DVD-vidéo.

CARACTÉRISTIQUES DES DVD

Capacité de stockage

Un DVD peut stocker jusqu'à 4,7 Go de données, ce qui équivaut à plus de 7 CD-ROM.

Contrairement à un CD-ROM, un DVD peut être simple ou double face. Chacune contient une ou deux couches de données.

Disque DVD	1 face/ 1 couche	1 face/ 2 couches	2 faces/ 1 couche	2 faces/ 2 couches
Stockage	4,7 Go	8,5 Go	9,4 Go	17 Go

Vitesse d'un lecteur de DVD

La vitesse de ce périphérique détermine la vitesse de transfert des données entre le disque et l'ordinateur. La vitesse courante des lecteurs de DVD est de 6X.

LECTEUR DE DVD ENREGISTRABLE

Un lecteur de DVD enregistrable permet l'enregistrement de données sur les DVD. La plupart des DVD sont réinscriptibles, ce qui permet de modifier les données enregistrées sur les disques. Les lecteurs de DVD enregistrables, également appelés lecteurs DVD-RAM, peuvent lire aussi les disques CD-ROM, CD-R, CD-RW et audio.

LECTEUR DE BANDES

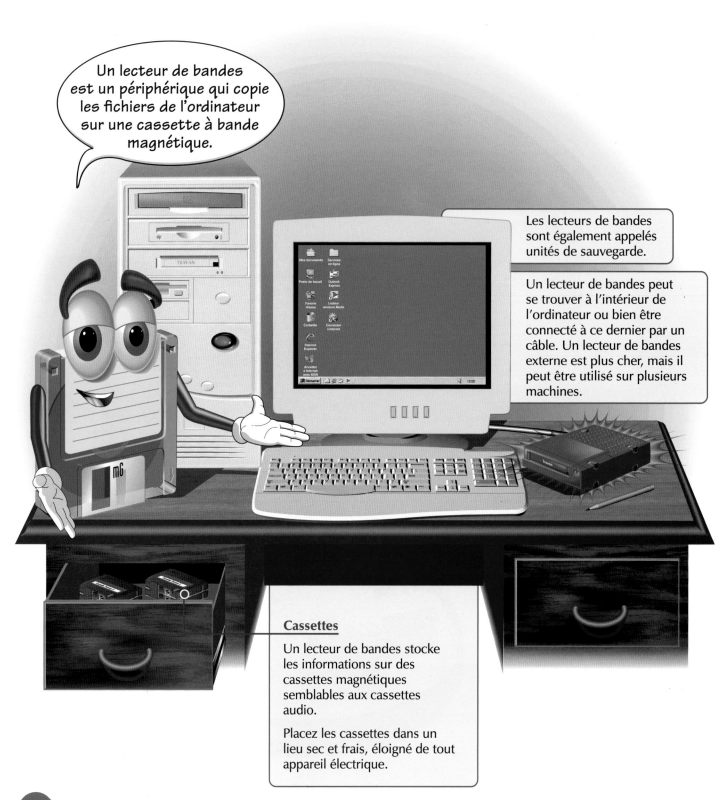

Un lecteur de bandes est un périphérique qui copie les fichiers de l'ordinateur sur une cassette à bande magnétique.

Les lecteurs de bandes sont également appelés unités de sauvegarde.

Un lecteur de bandes peut se trouver à l'intérieur de l'ordinateur ou bien être connecté à ce dernier par un câble. Un lecteur de bandes externe est plus cher, mais il peut être utilisé sur plusieurs machines.

Cassettes

Un lecteur de bandes stocke les informations sur des cassettes magnétiques semblables aux cassettes audio.

Placez les cassettes dans un lieu sec et frais, éloigné de tout appareil électrique.

UTILISATION DES LECTEURS DE BANDES

Sauvegarde des données

La plupart des utilisateurs font appel aux lecteurs de bandes pour réaliser des copies de sauvegarde des fichiers stockés sur l'ordinateur – ce qui fournit une copie supplémentaire pour le cas où le fichier original serait volé ou endommagé du fait d'un virus ou d'une panne de l'ordinateur. La plupart des utilisateurs effectuent leur sauvegarde quotidiennement.

Archiver les données

Vous pouvez copier les fichiers anciens, ou ceux que vous utilisez rarement, sur une cassette. Vous supprimerez ensuite ces fichiers de votre ordinateur pour obtenir plus d'espace de stockage.

Transférer des données

Vous pouvez utiliser les lecteurs de bandes pour transférer de grandes quantités d'information entre ordinateurs. Assurez-vous que la personne à qui vous envoyez la bande utilise le même type de lecteur de bandes.

LECTEUR DE BANDES

> Un programme de sauvegarde permet de copier les fichiers de l'ordinateur sur une cassette.

Les plupart des lecteurs de bandes sont fournis avec un programme de sauvegarde spécialement conçu pour ce lecteur. La plupart des systèmes d'exploitation contiennent également un programme de sauvegarde.

Planifier les sauvegardes

Vous pouvez configurer un programme de sauvegarde pour qu'il s'exécute automatiquement. Ce procédé vous permet de planifier une sauvegarde la nuit par exemple, lorsque vous n'utilisez pas votre ordinateur.

Types de sauvegardes

Une sauvegarde complète sauvegarde tous les fichiers. Une sauvegarde incrémentielle sauvegarde uniquement les fichiers modifiés depuis la dernière sauvegarde complète : elle permet de gagner du temps lorsque vous devez sauvegarder une grande quantité d'informations.

Compresser des données

Un programme de sauvegarde peut aussi compresser les données à sauvegarder, ce qui peut permettre de doubler la quantité de données pouvant être stockées sur une bande.

Avant d'acheter un lecteur de bandes, choisissez-en un avec une capacité de stockage suffisante pour enregistrer tout le contenu de votre disque dur sur une seule cassette. Une sauvegarde complète sera ainsi plus facile à réaliser.

CHOISIR UN LECTEUR DE BANDES

Lecteurs Travan

Les lecteurs Travan sont les plus courants. Il existe différents niveaux de lecteurs et de cassettes Travan : TR-1, TR-2, TR-3, TR-4et TR-5. Plus le niveau est élevé, plus la cassette peut contenir de données. Les lecteurs Travan acceptent différents niveaux de cassette. Un lecteur Travan haut de gamme peut stocker jusqu'à 10 Go de données sur une seule cassette.

Lecteur DAT

Un lecteur DAT *(Digital Audio Tape)* est plus rapide qu'un lecteur Travan, mais il est plus cher. Un lecteur DAT haut de gamme peut stocker jusqu'à 24 Go de données sur une seule cassette DAT.

ASTUCE SUR LA CAPACITÉ DES CASSETTES

Les constructeurs indiquent souvent la quantité de données pouvant être stockées en valeur compressée. Ces constructeurs supposent que la compression permet de doubler la quantité d'informations pouvant être placée sur une cassette. Ce n'est pas toujours le cas.

Le taux de compression des informations dépend du type d'informations. Par exemple, un fichier texte supportera un taux de compression nettement plus élevé qu'un fichier image.

LECTEUR DE DISQUES AMOVIBLES

Un lecteur de disques amovibles est un périphérique qui permet de stocker de grandes quantités d'informations sur des disques amovibles.

Un lecteur de disques amovibles peut se trouver à l'intérieur de l'ordinateur ou bien être connecté à ce dernier par un câble.

Les disques amovibles sont semblables aux disquettes, par l'aspect et les dimensions.

TYPES DE DISQUE AMOVIBLE

Lecteur Jaz

Les lecteurs Jaz sont actuellement les plus répandus. Ils sont très rapides et possèdent la capacité de stockage la plus importante parmi tous les disques amovibles. Certains lecteurs Jaz permettent de stocker jusqu'à 2 Go de données sur un disque.

Lecteur Zip

Les lecteurs Zip sont des lecteurs très courants. Ils sont d'un coût relativement abordable et peuvent enregistrer jusqu'à 250 Mo de données sur un disque.

Lecteur LS-120

Les lecteurs LS-120 peuvent stocker jusqu'à 120 Mo de données sur une seule disquette. Contrairement à d'autres lecteurs, ils acceptent également les disquettes classiques 3,5 pouces.

UTILISATION DES DISQUES AMOVIBLES

Archiver des données

Vous utiliserez un disque amovible pour stocker des données anciennes ou rarement utilisées. Vous pouvez ensuite supprimer de votre ordinateur les fichiers sauvegardés afin de gagner de l'espace sur le disque dur.

Protéger des données

Vous aurez recours aussi à un disque amovible pour stocker des informations confidentielles ou en faire des copies de sauvegarde. Vous pouvez ainsi protéger les données en plaçant les disques amovibles dans un lieu sûr le soir et les week-ends.

Transférer des données

Un disque amovible peut servir à transférer de grandes quantités d'informations entre ordinateurs. Par exemple, vous pouvez apporter du travail chez vous ou transférer des données à un collaborateur.

Lorsque vous utilisez un disque amovible pour transférer des données, vous devez vous assurer que la personne à qui vous remettez le disque utilise le même type de lecteur. La plupart des lecteurs ne peuvent pas utiliser des disques de type différent.

CHAPITRE 5

LOGICIELS D'APPLICATION

Voulez-vous concevoir et créer un rapport sur votre ordinateur ? Parcourez ce chapitre pour découvrir comment les logiciels d'application vous aident dans votre travail.

Un logiciel d'application vous aide à réaliser une tâche précise.

Vous recourrez à des logiciels d'application pour écrire des lettres, gérer votre budget, dessiner, jouer et réaliser toutes sortes de tâches.

Les logiciels d'application sont également appelés logiciels, applications ou programmes.

ACQUÉRIR UN LOGICIEL

Vous pouvez acheter un logiciel dans un magasin d'informatique. Il en existe également des milliers qui sont disponibles sur Internet.

INSTALLER UN LOGICIEL

Le logiciel que vous achetez dans un magasin peut être fourni sur CD-ROM, sur DVD-ROM ou sur une série de disquettes. Avant d'utiliser le logiciel, vous devez installer ou copier le contenu du disque – ou des disquettes – sur votre ordinateur. Un logiciel est très rapide à installer quand son support est un CD-ROM ou d'un DVD-ROM.

VERSION D'UN LOGICIEL

Nouvelle version

Quand un éditeur ajoute de nouvelles fonctionnalités à l'un de ses logiciels, il lui donne un nouveau nom ou un nouveau numéro de version. Ce procédé permet de distinguer les versions entre elles.

Patches

Les éditeurs de logiciels mettent constamment à jour leurs programmes pour faire des corrections ou ajouter des améliorations. Ces mises à jour sont également appelées patches ou service packs.

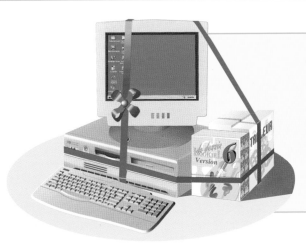

LOGICIELS FOURNIS AVEC LE MATÉRIEL

Des logiciels sont souvent fournis avec un nouvel ordinateur ou un nouveau périphérique, par exemple une imprimante. Les détaillants fournissent très souvent des logiciels pour vous permettre d'utiliser rapidement un nouvel équipement. Par exemple, un nouvel ordinateur est souvent livré avec un traitement de texte, un tableur et un programme de dessin.

OBTENIR DE L'AIDE

La plupart des logiciels contiennent une aide intégrée et une documentation papier pour vous en apprendre le fonctionnement. Vous pouvez également acheter dans un magasin d'informatique des ouvrages informatiques contenant des instructions détaillées étape par étape ou visiter le site Web du fabricant pour obtenir les informations les plus récentes sur un logiciel.

TRAITEMENT DE TEXTE

> Un traitement de texte permet de créer des documents de qualité professionnelle, rapidement et efficacement.

Parmi les traitements de texte les plus utilisés, on compte Word (Microsoft), WordPerfect (Corel) et Word Pro (Lotus).

FONCTIONNALITÉS D'UN TRAITEMENT DE TEXTE

Documents

Vous pouvez créer différents types de document : lettres, rapports, manuels, bulletins d'information, brochures ou pages Web.

Modifications

Le traitement de texte fournit de nombreuses fonctions permettant de travailler sur le texte des documents. Vous pouvez facilement modifier le texte, organiser les paragraphes et corriger les fautes d'orthographe.

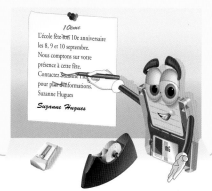

Impression

Si vous voulez sortir une copie papier d'un document, le traitement de texte permet de voir à l'écran avec exactitude l'aspect du document avant impression.

AMÉLIORER LA PRÉSENTATION D'UN DOCUMENT

Mise en forme

Vous pouvez changer facilement l'apparence de vos documents : ajouter des numéros de page, centrer le texte et utiliser de nombreuses polices de caractères dans le document.

Tableaux

Vous pouvez recourir à des tableaux pour organiser les informations dans un document. En y ajoutant des couleurs et des bordures, vous améliorerez leur apparence.

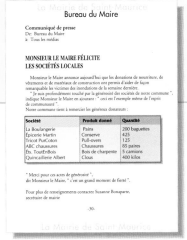

Images

La plupart des traitements de texte contiennent de nombreux types de graphismes qui sont à votre disposition pour améliorer l'apparence de vos documents.

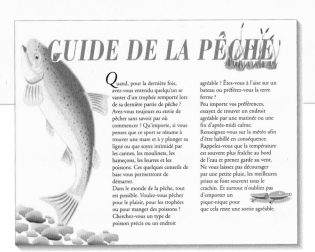

Publipostage

Un traitement de texte offre une fonction qui permet de finaliser rapidement des lettres personnalisées, des enveloppes et des étiquettes d'expédition pour chacune des personnes faisant partie d'une liste d'envoi groupé.

TABLEUR

Un tableur est un programme destiné à vous aider à gérer vos finances personnelles et professionnelles.

Parmi les tableurs les plus connus, on trouve Excel (Microsoft), Quattro Pro (Corel) et 1-2-3 (Lotus).

UTILISATIONS D'UN TABLEUR

Gestion financière

Vous utiliserez un tableur pour effectuer des calculs, analyser des données et présenter des informations chiffrées.

Gérer une liste de données

Un tableur permet de stocker une grande quantité d'informations telles que celles d'un publipostage ou d'une liste de produits. Les tableurs possèdent des outils pour organiser, gérer, trier et rechercher des données.

Si vous souhaitez gérer de manière plus approfondie de grandes quantités de données stockées sur vote ordinateur, utilisez plutôt un programme de base de données, dont la fonction première est précisément de gérer une liste de données.

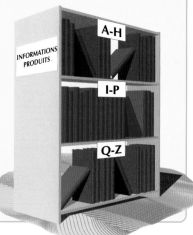

FONCTIONNALITÉS D'UN TABLEUR

Modification

Lorsque vous travaillez avec un tableur, vous pouvez ajouter, déplacer ou copier des données. La plupart des programmes conservent les dernières modifications que vous avez apportées et permettent de les annuler.

Mise en forme

Un tableur fournit de nombreuses possibilités pour améliorer l'apparence de vos feuilles de calcul. Vous pouvez facilement changer l'aspect et la taille des données – et ajouter des couleurs et des bordures aux cellules d'une feuille de calcul.

Formules et fonctions

Les tableurs fournissent de puissantes formules et fonctions pour le calcul et l'analyse des données. Une fonction est une formule prête à l'emploi qui permet d'effectuer des calculs spécifiques. Par exemple, la fonction SOMME additionne une liste de nombres.

Graphiques

Il est possible d'obtenir une représentation graphique des données. Après avoir créé un graphique, vous pouvez sélectionner un autre type de graphique, correspondant mieux à la représentation de vos données.

Si vous changez ultérieurement les données utilisées dans un graphique, le tableur mettra ce graphique automatiquement à jour.

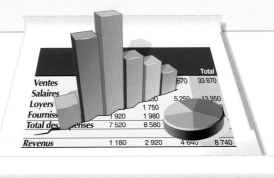

BASE DE DONNÉES

Une base de données vous aide à gérer de grandes quantités de données.

Les bases de données s'utilisent couramment pour gérer des listes de publipostage, des répertoires téléphoniques, des listes de produits, de clients ou de fournisseurs, ainsi que les registres du personnel.

Parmi les bases de données les plus utilisées, on trouve Access (Microsoft), Paradox (Corel) et Approach (Lotus).

CONSTITUTION D'UNE BASE DE DONNÉES

Table

Une table est un regroupement d'informations sur un sujet précis, comme une liste de publipostage. Une base de données peut contenir plusieurs tables.

Une table est constituée de champs et d'enregistrements.

Adresse N°	Nom	Prénom	Adresse	Ville	Code postal
1	Durand	Pierre	1, rue de l'Est	Paris	75020
2	Michel	Albert	10, rue Blanche	Marseille	13000
3	Dubois	Jean	3, rue des Colombes	Paris	75002
4	Fabre	Renée	55, avenue Principale	Lyon	69001
5	Fabre	Michel	25, rue Pavée	Marseille	13000
6	Lepeltier	Paul	48, rue de l'Empereur	Fontainebleau	77300
7	Duchemin	Catherine	1, rue Paul Cézanne	Auxerre	89000
8	Augustin	Anne	1, rue Ferdinand Céline	Paris	75020
9	Lepetit	Martin	45, rue Grande	Troyes	10000
10	Chauvin	Auguste	28, rue des Artistes	Paris	75014

Champ

Un champ est une catégorie précise d'information dans une table. Par exemple, un champ peut contenir les prénoms de tous vos clients.

Enregistrement

Un enregistrement est un regroupement d'informations sur une personne, un lieu ou toute autre chose dans une table. Par exemple, un enregistrement peut contenir le nom et l'adresse d'un client.

UTILISATIONS DES BASES DE DONNÉES

Stocker des informations

Une base de données stocke et gère des informations correspondant à un sujet précis.

Vous pouvez facilement ajouter, mettre à jour, afficher et organiser les informations stockées dans une base de données.

Trouver des informations

Vous pouvez instantanément trouver une information dans une base de données. Par exemple, vous pouvez trouver tous les clients dont le prénom est Michel.

Vous pouvez également effectuer des recherches plus poussées, par exemple trouver tous les clients qui vivent dans le Sud-Ouest et qui ont commandé pour au moins 500 francs de foie gras au cours de l'année précédente.

Analyser et imprimer des informations

Il est possible d'effectuer des calculs sur les éléments d'une base de données pour prendre des décisions rapides et fondées.

Vous pouvez présenter les résultats sous forme d'états ayant un aspect tout à fait professionnel.

Une suite logicielle est un ensemble de programmes vendus dans le même coffret.

Traitement DE TEXTE

TABLEUR

PRÉSENTATION

BASE DE DONNÉES

Microsoft Office est la plus connue des suites logicielles. Parmi les autres suites, on trouve Corel WordPerfect Office et Lotus SmartSuite.

AVANTAGES

Facilité d'utilisation

Les programmes d'une suite logicielle sont conçus sur les mêmes principes et fonctionnent dans un environnement similaire. Une fois que vous connaissez un programme, vous pouvez facilement apprendre les autres.

Coût

Acheter des programmes regroupés dans une suite revient moins cher que d'acheter les programmes individuellement.

INCONVÉNIENTS

Comme tous les programmes d'une suite proviennent du même éditeur, vous ne disposez pas forcément de la meilleure combinaison des fonctionnalités correspondant à vos besoins. Avant d'acheter une suite logicielle, analysez bien chacun des programmes qu'elle comporte.

UTILISATIONS DES SUITES LOGICIELLES

Une suite logicielle inclut les types de programme suivants. Certaines suites logicielles offrent des programmes supplémentaires. Par exemple, des programmes de publication (PAO) pour vous aider à concevoir des documents professionnels.

Traitement de texte

Un traitement de texte permet de créer des documents, lettres ou rapports par exemple.

Tableur

Un tableur permet de gérer et d'analyser des informations financières.

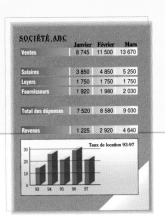

Programme de présentation

Un programme de présentation permet de créer, organiser et concevoir des présentations à l'aspect professionnel, pour des exposés et des conférences.

Programme de gestion d'informations

Un programme de gestion d'informations vous aide à organiser vos messages électroniques (e-mails), rendez-vous, contacts, notes et tâches professionnelles.

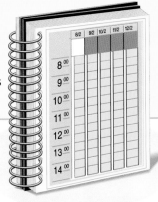

Base de données

Un programme de base de données permet de gérer de grandes quantités d'informations. Souvent, ce programme n'est fourni que dans les suites logicielles haut de gamme.

PROGRAMMES UTILITAIRES

Un utilitaire est un programme qui effectue une tâche spécialisée sur l'ordinateur.

Vous pouvez acquérir de nombreux programmes utilitaires dans les magasins d'informatique. Certains programmes utilitaires sont aussi disponibles gratuitement sur Internet.

Les utilitaires que vous pouvez utiliser dépendent du système d'exploitation de votre ordinateur.

NORTON UTILITIES

Norton Utilities (Symantec) fournit les outils pour optimiser l'ordinateur et pour sa maintenance. Il contient également les programmes permettant de récupérer des fichiers perdus et de protéger l'ordinateur contre les pannes.

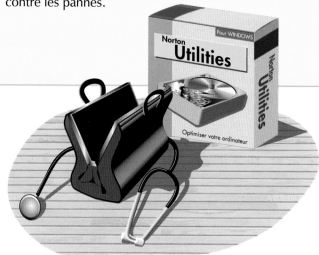

VIRUSSCAN

VirusScan (McAfee) est une suite de programmes antivirus que vous utiliserez pour réduire le risque d'infection de votre ordinateur. Un virus est un programme pouvant être la source de problèmes allant de l'affichage de messages indésirables jusqu'à l'effacement d'informations sur votre disque dur.

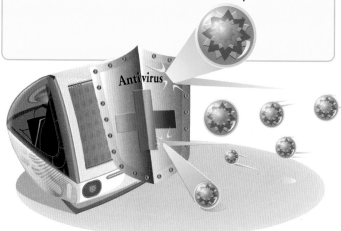

ACROBAT READER

Acrobat Reader (Adobe) permet d'afficher les fichiers au format *Portable Document Format* (.pdf). Ces fichiers sont souvent utilisés sur le Web pour afficher à l'écran des pages de livre ou de magazine de la même façon que dans leur forme imprimée.

VIAVOICE GOLD

ViaVoice Gold (IBM) est un programme de reconnaissance vocale qui permet de donner des instructions à l'ordinateur avec la voix. Vous parlez à votre ordinateur pour ouvrir des fichiers, effectuer une recherche sur le Web ou dicter des documents dans un traitement de texte.

WINFAX PRO

Avec WinFax Pro (Symantec), vous utilisez le modem-fax de votre ordinateur pour envoyer et recevoir des télécopies. WinFax Pro peut également convertir les télécopies reçues en documents modifiables avec un traitement de texte.

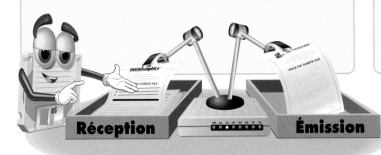

WINZIP

WinZip *(WinZip Computing)* permet la décompression des fichiers. La plupart des fichiers sur Internet sont compressés, ou regroupés, et on doit les décompresser avant de les utiliser sur l'ordinateur.

WinZip compresse également les informations afin que les fichiers soient transférés plus rapidement entre ordinateurs.

LOGICIELS DE JEU

> Vous pouvez vous distraire avec des jeux sur votre ordinateur.

Il existe différents types de jeux : action, sport, stratégie, simulation, énigme, éducation. Ils sont disponibles pour toutes les tranches d'âge et tous les niveaux de connaissance.

CONSIDÉRATIONS SUR LES JEUX

Acheter des jeux

Vous pouvez acheter des jeux dans les magasins d'informatique. On en trouve également sur l'Internet. Certains jeux peuvent être très chers, mais les éditeurs offrent souvent des versions de démonstration gratuites sur le World Wide Web. Ainsi, vous pouvez tester avant d'acheter.

Jeux en réseau et sur l'Internet

De nombreux jeux sont conçus pour permettre à plusieurs personnes de s'affronter à travers un réseau ou sur l'Internet.

Il existe de nombreux services de jeux en ligne qui permettent d'entrer facilement en contact avec d'autres joueurs par l'Internet. Lorsque vous jouez avec d'autres personnes sur le réseau mondial, chacun doit posséder sa propre version du logiciel de jeu.

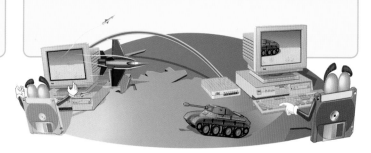

Certains logiciels de jeu ont recours à des périphériques spéciaux que vous devrez installer sur votre ordinateur.

MATÉRIELS PROPRES AUX JEUX

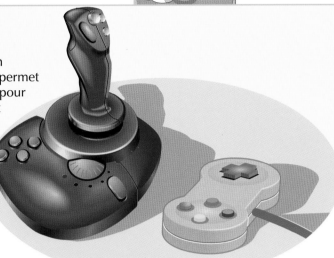

Contrôleur de jeu

Un contrôleur de jeu est un périphérique, par exemple un joystick ou un gamepad, qui permet d'actionner des commandes pour jouer. Les plus répandus sont Microsoft SideWinder et Gravis GamePad.

Certains jeux nécessitent un type particulier de contrôleur. Avant d'acheter un jeu, pensez à regarder le type de contrôleur exigé par le jeu.

Carte graphique 3D

De nombreux jeux sont conçus avec des graphiques en 3D et fonctionnent mieux sur des ordinateurs équipés d'une carte graphique 3D. Cette dernière possède un circuit électronique capable de convertir les instructions complexes de l'ordinateur en formes compréhensibles par le moniteur. Les cartes graphiques 3D les plus connues sont la Millenium de Matrox, la Radeon de ATI et la Voodoo de 3DFX.

Carte graphique 3D

Certains jeux nécessitent un type de carte 3D précis. Avant d'acheter un jeu, vérifiez le type de carte graphique demandé.

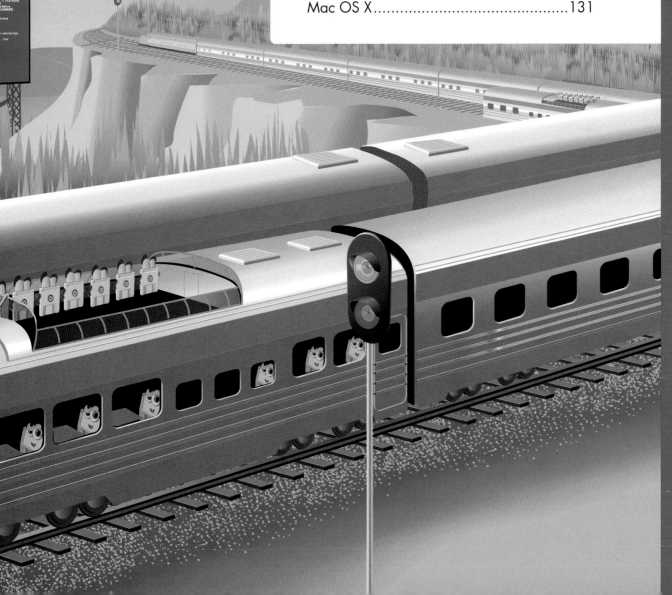

CHAPITRE 6

SYSTÈMES D'EXPLOITATION

Qu'est-ce qu'un système d'exploitation, et lequel vous convient le mieux ? Ce chapitre contient toutes les informations que vous recherchez à ce sujet.

> Un système d'exploitation est le programme qui gère toutes les activités de l'ordinateur.

Un système d'exploitation permet à toutes les parties de l'ordinateur de fonctionner ensemble, de manière efficace et harmonieuse.

FONCTIONS DU SYSTÈME D'EXPLOITATION

Contrôler les périphériques

Un système d'exploitation contrôle toutes les parties de l'ordinateur et leur permet de fonctionner ensemble.

Exécuter des programmes

Un système d'exploitation sert aussi à lancer des applications, comme Microsoft Word ou Adobe Photoshop.

Gérer les informations

Un système d'exploitation sert également à gérer et à organiser les informations enregistrées sur l'ordinateur. Il permet notamment de trier, copier, déplacer, supprimer ou visualiser des fichiers.

TYPES DE SYSTÈME D'EXPLOITATION

MS-DOS

MS-DOS est l'acronyme de *Microsoft Disk Operating System,* ou système d'exploitation Microsoft. Ce système d'exploitation affiche des lignes de texte à l'écran, et les tâches sont effectuées grâce à de petites lignes de commandes saisies au clavier et validées par la touche Entrée.

Windows

Windows est un système d'exploitation graphique, dont les commandes sont exécutées au moyen de la souris.

En fait, Windows n'est qu'une interface utilisateur graphique (GUI), qui permet d'utiliser des images (appelées icônes) à la place de lignes de commandes pour donner des instructions – ce qui rend Windows bien plus facile à utiliser que MS-DOS.

UNIX

UNIX est un système d'exploitation puissant, utilisé par beaucoup de serveurs reliés à l'Internet. Ce système d'exploitation est disponible en plusieurs versions.

Mac OS

Le système d'exploitation Mac OS est une interface utilisateur graphique (GUI) spécifique aux ordinateurs Macintosh.

PLATES-FORMES

On appelle plate-forme le type de système d'exploitation utilisé sur un ordinateur, comme Windows ou UNIX. De manière générale, les programmes conçus pour une plate-forme fonctionnent uniquement sur cette plate-forme.

Par exemple, Word pour Windows ne fonctionnera pas sur une plate-forme UNIX.

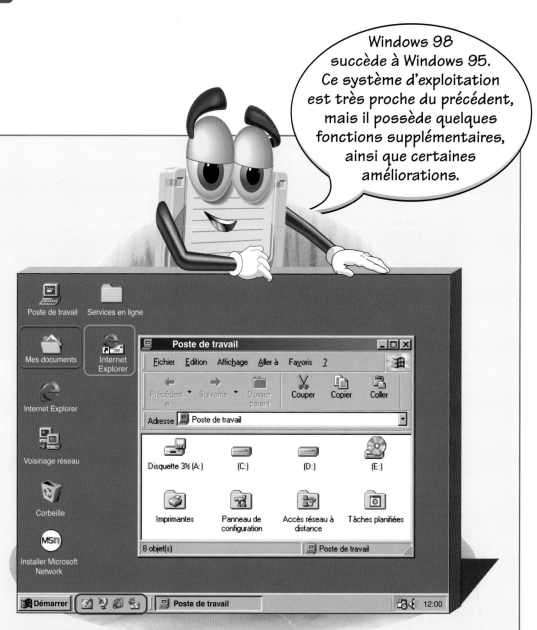

Windows 98 succède à Windows 95. Ce système d'exploitation est très proche du précédent, mais il possède quelques fonctions supplémentaires, ainsi que certaines améliorations.

Windows 98 existe en deux versions. Windows 98 Deuxième Édition inclut plusieurs améliorations et mises à jour de la première version.

Vous pouvez vérifier votre CD-ROM de Windows 98 pour savoir quelle version est installée sur votre ordinateur.

Mes documents

Cette icône est utilisée pour stocker tous les documents courants.

Internet Explorer

Ce programme permet de naviguer sur l'Internet.

Barre d'outils Lancement rapide

Cette barre permet d'accéder rapidement aux programmes les plus utilisés, comme Internet Explorer et Outlook Express.

CARACTÉRISTIQUES DE WINDOWS 98

Outils de maintenance

Windows 98 est plus fiable que Windows 95, et possède plusieurs outils permettant de localiser et de réparer les problèmes de l'ordinateur. Par exemple, Assistant Maintenance propose une surveillance régulière de l'ordinateur. Il recherche les erreurs sur le disque dur et les répare ; il peut aussi supprimer les fichiers inutiles, ou encore défragmenter un disque dur, afin d'en améliorer les performances.

FAT32

Il s'agit d'un système d'organisation des fichiers qui gère mieux les données stockées sur les grands disques durs, afin de réduire l'espace inutilisé. Windows 98 peut convertir un disque dur en FAT32 sans perdre les fichiers et programmes qu'il contient.

Utiliser plusieurs moniteurs

Windows 98 offre la possibilité d'afficher le bureau Windows sur plusieurs moniteurs, ce qui permet de travailler simultanément avec un plus grand nombre de programmes et de documents.

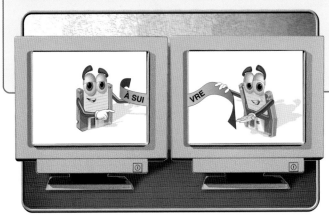

Internet

Windows 98 contient plusieurs programmes, comme Internet Explorer, Outlook Express et FrontPage Express, qui servent à visualiser et à échanger des informations sur l'Internet. Le programme Outlook Express permet d'échanger des messages électroniques (e-mails) avec des amis, des collègues ou des clients. Avec FrontPage Express, vous pouvez créer vos propres pages Web.

Windows Me est le successeur de Windows 98. Me correspond à l'abréviation anglaise de Millennium Edition.

Si vous avez déjà utilisé Windows 98, l'interface graphique et le fonctionnement de Windows Me vous paraîtront familiers.

CARACTÉRISTIQUES DE WINDOWS ME

Enregistrer des vidéos

Avec le programme Movie Maker inclus dans Windows Me, vous pouvez enregistrer des séquences de vidéo numérique, en faire un montage et les sauvegarder sur votre ordinateur. Vous pouvez envoyer ces vidéos dans des messages électroniques à vos amis ou collègues ou les placer dans une page Web.

Gérer des fichiers multimédia

Windows Me propose une version améliorée de Windows Media Player qui simplifie la gestion de vos fichiers multimédias. Vous pouvez l'utiliser pour lire toute une variété de fichiers multimédias et écouter des stations de radio sur l'Internet.

Restaurer votre ordinateur

Si vous rencontrez des problèmes sur votre ordinateur, vous pouvez utiliser le programme Restauration du système pour restaurer les paramètres et les performances de votre ordinateur à une heure antérieure aux problèmes rencontrés. Par exemple, si vous avez supprimé par inadvertance des fichiers importants, vous pouvez restaurer votre système à une date et une heure précédant cette suppression inopinée et récupérer ainsi vos fichiers.

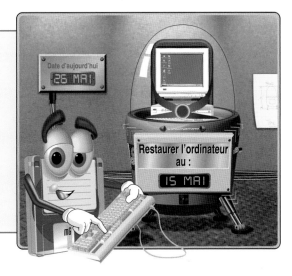

Configurer un réseau domestique

Si vous possédez plusieurs ordinateurs chez vous, vous pouvez utiliser l'Assistant Gestion de réseau domestique pour configurer un réseau afin d'échanger des informations entre vos ordinateurs. Un réseau domestique permet également de partager des périphériques et de jouer à des jeux en groupe.

Mise à jour de Windows

Le programme Windows Update permet de mettre automatiquement à jour votre ordinateur avec les dernières nouveautés que Microsoft propose sur son site Web. Il suffit de vous connecter à l'Internet et Windows vérifiera les mises à jour les plus récentes, déterminera celles qui s'appliquent à votre ordinateur et vous préviendra quand des nouvelles mises à jour seront disponibles.

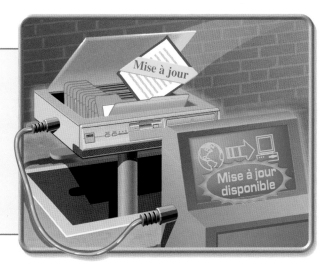

Mac OS 9 est une version très répandue du système d'exploitation Macintosh.

Ce système d'exploitation offre plusieurs fonctions sophistiquées pour travailler avec des fichiers multimédia et sur l'Internet.

CARACTÉRISTIQUES DE MAC OS 9

Multimédia

Mac OS 9 offre de puissantes capacités pour le son, la vidéo et les graphiques. Par exemple, le lecteur QuickTime vous permet de lire et de gérer des fichiers multimédias, comme des chansons ou des extraits de films. Mac OS 9 propose également un programme de reconnaissance vocale avec lequel vous pouvez activer des commandes simplement en parlant.

Internet

Mac OS 9 fournit plusieurs fonctionnalités qui peuvent vous aider à rechercher et à échanger des informations sur l'Internet. Par exemple, le programme Sherlock 2 vous permet de faire une recherche par catégories, comme Actualité, Références ou Commerce en ligne.

Mac OS X (dix) est la version la plus récente du système d'exploitation Macintosh.

CARACTÉRISTIQUES DE MAC OS X

Interface utilisateur graphique

Mac OS X offre une nouvelle interface graphique (GUI) conçue pour simplifier l'utilisation du système par rapport aux versions précédentes. Cette nouvelle interface graphique se distingue par des icônes de qualité photographique et par une zone appelée Dock, située dans le bas de l'écran, où vous pouvez stockez des objets que vous utilisez fréquemment.

Graphiques

Mac OS X combine plusieurs technologies graphiques de pointe, telles que le format PDF *(Portable Document Format)*, QuickTime et OpenGL, pour fournir des capacités graphiques améliorées. L'affichage des graphiques, par exemple dans des programmes de PAO (Publication assistée par ordinateur) ou dans des jeux, est de meilleure qualité.

Noyau du système d'exploitation

Le noyau du système d'exploitation Mac OS X a également été amélioré. Ce nouveau noyau assure un meilleur fonctionnement entre le matériel et les logiciels et procure une plus grande stabilité que les versions précédentes du système d'exploitation Macintosh.

CHAPITRE 7

ORDINATEURS PORTABLES

Quel type d'ordinateur portable choisir ? Toutes les informations nécessaires vous sont fournies dans ce chapitre.

Un portable est un ordinateur de petite taille et de faible poids que vous transportez facilement.

Ce type d'ordinateur est aussi appelé Notebook.

Vous pouvez acheter un ordinateur portable possédant les mêmes caractéristiques qu'un ordinateur de bureau, toutefois le portable reste nettement plus cher que ce dernier.

Dans un portable, le clavier, le dispositif de pointage et l'écran sont intégrés – ce qui supprime la contrainte des câbles servant à connecter ces périphériques à l'ordinateur.

AVANTAGES DES PORTABLES

En voyage

Un ordinateur portable permet de travailler quand vous êtes en déplacement ou à l'extérieur. Vous pouvez également vous en servir pour finir un travail chez vous plutôt que de rester tard le soir au bureau.

Pour les présentations

Vous pouvez utiliser un portable pour présenter des informations au cours d'une réunion.

BATTERIE

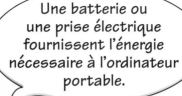

Une batterie ou une prise électrique fournissent l'énergie nécessaire à l'ordinateur portable.

La batterie sert à faire fonctionner l'ordinateur portable lorsque aucune prise électrique n'est disponible.

TYPES DE BATTERIE

Il existe deux types de batterie : les NiMH (hydrure de nickel métal) et les Lithium-Ion. Ces dernières sont plus chères que les NiMH, mais elles durent plus longtemps et sont plus légères. Certains portables utilisent maintenant des batteries dites intelligentes, destinées à mieux gérer la consommation électrique.

CONTRÔLER LA BATTERIE

La plupart des portables affichent la quantité d'énergie restant dans la batterie, soit à l'écran, soit sur un afficheur intégré à l'ordinateur.

RECHARGER UNE BATTERIE

L'énergie fournie par les batteries ne dure que quelques heures. Vous devez les recharger avant de les utiliser de nouveau. Si vous ne pouvez pas recharger une batterie quand vous êtes en déplacement, apportez-en une supplémentaire afin de travailler pendant une période dépassant le temps d'autonomie.

ÉCRAN

L'écran d'un portable utilise un affichage à cristaux liquides (LCD). Il s'agit du même type d'affichage que l'on trouve dans de nombreuses montres digitales.

Un écran à cristaux liquides utilise très peu d'énergie, ce qui accroît la durée d'utilisation d'une batterie avant de devoir la recharger. En outre, ce type d'écran pèse beaucoup moins lourd qu'un écran de bureau, ce qui rend un portable facile à transporter.

RÉTROÉCLAIRAGE

Les portables possèdent une source lumineuse interne qui éclaire l'arrière de l'écran. Ceci facilite la lecture dans des lieux faiblement éclairés, mais raccourcit également la durée d'utilisation de la batterie.

UTILISER UN ÉCRAN DE BUREAU

La plupart des portables permettent d'utiliser un écran de bureau en même temps que l'écran LCD. Cette fonction est appréciable pour les présentations.

TAILLE DE L'ÉCRAN

La taille des écrans se mesure d'après leur diagonale. Sont disponibles des écrans entre 12 et 15 pouces.

TYPES D'ÉCRAN

Matrice passive

Ce type d'écran est moins cher qu'un écran à matrice active, mais n'est pas aussi contrasté ni aussi riche en couleurs. Son faible coût le rend adapté aux travaux de bureau.

Ce type d'écran est souvent appelé écran DSTN *(Double SuperTwisted Nematic)*.

Les écrans à matrice passive sont difficiles à lire lorsqu'on les regarde de côté, ce qui représente un avantage lorsque vous souhaitez que votre travail reste confidentiel alors que vous êtes assis dans le train ou l'avion, mais ce qui est un inconvénient lors de présentations devant plusieurs personnes.

Matrice active

Ce type d'écran est plus cher, mais l'affichage est plus contrasté et plus riche en couleurs.

On désigne également par TFT *(Thin-Film Transistor)* un écran à matrice active.

Vous voyez bien sur les écrans à matrice active quand vous êtes de biais, ce qui est appréciable lors de présentations.

PÉRIPHÉRIQUES DE POINTAGE

> Il existe différents périphériques qui permettent de déplacer le pointeur sur l'écran de l'ordinateur portable.

La souris est inutilisable lorsque vous êtes en déplacement, puisqu'une surface relativement large et plate est nécessaire, ce qui n'est pas le cas quand vous travaillez dans le train par exemple.

Trackpoint

Le *trackpoint* (touche de pointage) est un petit périphérique, semblable à une gomme de crayon, que vous poussez dans différentes directions pour déplacer le pointeur à l'écran.

Trackball

Le *trackball* (boule de commande) est une souris qui est « sur le dos » et qu'on ne déplace pas. Vous faites rouler la boule avec vos doigts ou la paume de la main pour déplacer le pointeur à l'écran. Les trackball intégrés à droite du portable peuvent être gênants pour les gauchers.

Touchpad

Le *touchpad* (tablette sensitive) est une surface sensible à la pression et au déplacement. Lorsque vous déplacez le bout du doigt sur cette surface, le pointeur se déplace dans la même direction sur l'écran.

CLAVIER

Les touches du clavier d'un portable sont souvent petites et rapprochées pour gagner de l'espace. Avant d'acheter un portable, saisissez quelques paragraphes de texte pour vous assurer que le clavier vous convient.

Certains ordinateurs portables disposent d'un clavier qui se développe pour devenir de taille normale.

MODEM

Vous pouvez acheter un portable équipé d'un modem intégré ou en ajouter un par la suite.

Un modem permet de vous connecter à l'Internet pour échanger des informations et des messages.

Quand vous êtes en déplacement, il vous donne la possibilité aussi de vous connecter au réseau de votre société.

CARTE SON ET HAUT-PARLEURS

Vous pouvez acheter un portable intégrant une carte son et des haut-parleurs pour lire et enregistrer des sons, ce qui est appréciable si vous utilisez votre portable pour des présentations.

DISQUE DUR

Le disque dur est le périphérique principal utilisé par le portable pour stocker les informations. Achetez le disque dur possédant la plus grande capacité possible. Les nouvelles versions de logiciel ainsi que vos données le rempliront rapidement.

LECTEUR DE CD-ROM OU DE DVD-ROM

Un portable peut contenir un lecteur de CD-ROM ou de DVD-ROM pour lire les informations stockées sur ces types de disque.

Certains portables offrent la possibilité de retirer le lecteur de CD-ROM ou de DVD-ROM et de le remplacer par un autre composant, qui peut être une batterie supplémentaire pour augmenter la durée d'utilisation du portable, un second disque dur pour ajouter de l'espace de stockage ou un lecteur de disquettes.

LECTEUR DE DISQUETTES

De nombreux portables sont fournis avec un lecteur de disquettes pour lire et enregistrer des informations sur ce type de support.

Si vous pensez ne pas utiliser le lecteur de disquettes très souvent, vous pouvez acheter un portable sans ce type de lecteur pour en réduire le poids. Vous pouvez par la suite connecter au portable un lecteur de disquette externe si nécessaire.

PROCESSEUR ET MÉMOIRE

Le processeur est le composant électronique principal de l'ordinateur. Il exécute les instructions, effectue les calculs et gère le flux d'informations qui passent par l'ordinateur.

PROCESSEUR

Des processeurs spéciaux, appelés processeurs mobiles, sont développés pour les ordinateurs portables. Ces processeurs sont plus petits et consomment moins d'énergie que les processeurs classiques.

Le schéma ci-contre présente les processeurs de portables les plus courants. Le choix d'un processeur dépend de votre budget et de l'usage que voulez faire de votre ordinateur portable.

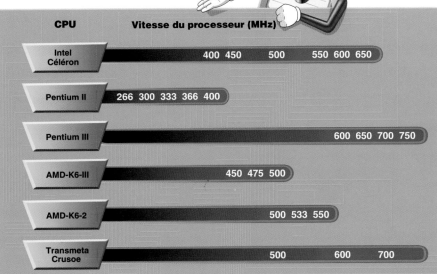

CPU	Vitesse du processeur (MHz)
Intel Céléron	400 450 500 550 600 650
Pentium II	266 300 333 366 400
Pentium III	600 650 700 750
AMD-K6-III	450 475 500
AMD-K6-2	500 533 550
Transmeta Crusoe	500 600 700

MÉMOIRE

La mémoire électronique, ou mémoire vive, stocke temporairement les données dans l'ordinateur. Elle fonctionne un peu comme un tableau noir qui recevrait constamment de nouvelles données. Un portable fonctionnant avec Windows Me doit être équipé d'une mémoire vive d'au moins 32 Mo pour assurer un fonctionnement correct des programmes.

CARTES D'EXTENSION

Une carte d'extension ajoute de nouvelles fonctionnalités à un portable : des capacités sonores ou de la mémoire supplémentaire.

Les cartes d'extension pour portables sont d'un format spécial, appelé généralement PCMCIA *(Personnal Computer Memory Card International Association)*, ou plus récemment PC Card.

Certaines *PC Card* possèdent plusieurs fonctionnalités. Par exemple, une seule carte peut fournir des fonctions réseau et modem.

TYPES DE PC CARD

Une carte d'extension *PC Card* est un périphérique très léger, de la taille d'une carte bancaire. Il en existe trois types : PC Card I, PC Card II et PC Card III. Le type I est le plus mince et le type III le plus épais. Chacun de ces types offre des fonctionnalités différentes.

CONNECTEUR POUR PC CARD

La carte d'extension s'insère dans un connecteur de l'ordinateur portable. La plupart des portables possèdent un connecteur PC qui accepte deux cartes, de Type I et de Type II, ou une carte de Type III.

UTILISER UN PORTABLE AU BUREAU

CARTE D'INTERFACE RÉSEAU

Une carte d'interface réseau connecte le portable à un réseau et contrôle le flux d'informations entre le réseau et le portable. Lorsque vous êtes connecté à un réseau, vous pouvez accéder à tout l'équipement et toutes les informations disponibles sur ce réseau.

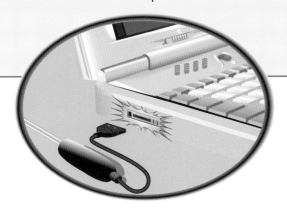

PORT INFRAROUGE

Certains ordinateurs portables possèdent un port infrarouge pour partager des informations sans utiliser de câble. Les ports infrarouges s'utilisent couramment pour connecter un portable à une imprimante.

RÉPLICATEUR DE PORTS

Un réplicateur de ports est un petit boîtier qui permet de connecter à un seul port du portable plusieurs périphériques, par exemple une imprimante, un modem et une souris. Après avoir connecté le réplicateur de ports au portable, vous pouvez y brancher tous les périphériques.

STATION D'ACCUEIL

Une station d'accueil consiste en un boîtier de bureau permettant de connecter simultanément plusieurs périphériques au portable. Elle fournit également des fonctionnalités supplémentaires telles que l'utilisation du réseau, d'un moniteur de bureau et d'un clavier.

PRÉSENTATION DES ORDINATEURS DE POCHE

> Un ordinateur de poche est un ordinateur portable suffisamment petit pour tenir dans une poche ou dans une main.

Un ordinateur de poche est également appelé assistant numérique personnel (PDA).

Parmi les ordinateurs de poche les plus répandus sur le marché, on trouve le Palm Inc de Palm Computers et le Handspring fabriqué par Visor.

PÉRIPHÉRIQUES D'ENTRÉE

Stylet

À la place d'une souris, les ordinateurs de poche utilisent un stylet électronique pour sélectionner les objets à l'écran.

Clavier

Les ordinateurs de poche possèdent un petit clavier permettant la saisie des données.

Modem sans fil

Vous pouvez ajouter un modem sans fil à certains types d'ordinateur de poche. Vous pouvez ainsi vous connecter à l'Internet pour échanger des messages électroniques et accéder à votre réseau professionnel interne lorsque vous êtes en déplacement.

SYSTÈME D'EXPLOITATION

La plupart des ordinateurs de poche utilisent Microsoft Windows CE ou Palm OS comme système d'exploitation. Windows CE et Palm OS sont des interfaces utilisateur graphiques (GUI) : elles permettent d'utiliser des images à la place de commandes en mode texte pour effectuer des tâches.

UTILISATION DES ORDINATEURS DE POCHE

Organiseurs électroniques

Les ordinateurs de poche ont une capacité suffisante pour mémoriser des milliers d'adresses, de rendez-vous et de mémos. La plupart d'entre eux incluent un programme d'agenda.

Échanger des informations

Vous pouvez connecter un ordinateur de poche à un ordinateur de bureau pour transférer des données entre ces deux ordinateurs. Certains ordinateurs de poche utilisent une technologie infrarouge qui leur permet d'échanger des informations avec d'autres ordinateurs de poche sans être connecté par un câble.

AUTRES TYPES D'ORDINATEUR DE POCHE

Certains téléphones portables et pagers intègrent des capacités de traitement des données. Ces appareils peuvent proposer des programmes d'agenda, une connexion à l'Internet et l'échange de courrier électronique (e-mail).

RIM de BlackBerry est un périphérique de poche qui permet de recevoir et d'envoyer des e-mails.

CHAPITRE 8

WINDOWS ME : LES BASES

Bienvenue dans Windows Me ! Ce chapitre vous apporte les compétences essentielles dont vous aurez besoin pour utiliser ce logiciel.

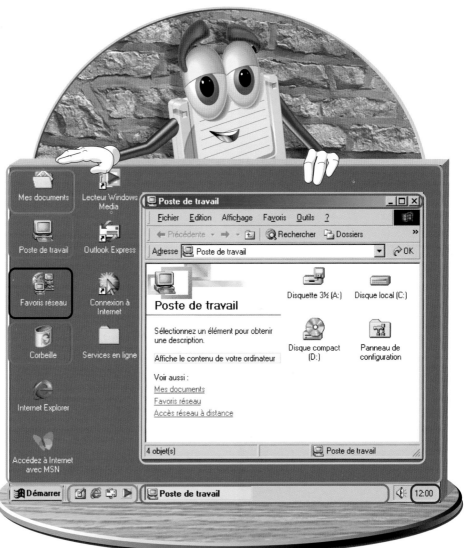

MES DOCUMENTS

Dossier qui constitue un emplacement pratique pour ranger vos documents.

POSTE DE TRAVAIL

Permet de visualiser tous les dossiers et fichiers stockés sur votre ordinateur.

FAVORIS RÉSEAU

Permet de visualiser tous les dossiers et fichiers disponibles sur votre réseau.

CORBEILLE

Contient les dossiers que vous supprimez et permet de les récupérer ensuite.

BUREAU

Arrière-plan de votre écran.

BARRE DE TITRE

Affiche le nom de la fenêtre ouverte.

FENÊTRE

Rectangle qui affiche des informations à l'écran.

BOUTON DÉMARRER

Permet un accès rapide aux programmes, aux fichiers et à l'aide de Windows.

BARRE LANCEMENT RAPIDE

Permet d'accéder directement à certaines fonctionnalités courantes.

Affiche le bureau de Windows en masquant temporairement toutes les fenêtres ouvertes.

Permet d'accéder au Web.

Permet d'échanger du courrier électronique.

Permet de lire des bandes son et vidéo.

BARRE DES TÂCHES

Affiche un bouton pour chaque fenêtre ouverte à l'écran, permettant ainsi de passer facilement d'une fenêtre à l'autre.

HORLOGE

Affiche l'heure courante.

UTILISER LA SOURIS

Une souris est un outil que l'on manipule avec la main pour sélectionner et déplacer des éléments à l'écran.

Lorsque vous déplacez la souris sur votre bureau, son pointeur se déplace dans la même direction à l'écran. Ce pointeur prend différentes formes, telles que ⌖ ou I, selon son emplacement et l'opération en cours.

Placez votre main sur la souris. Utilisez le pouce et les deux derniers doigts pour la déplacer, l'index et le majeur servant à appuyer sur les boutons.

ACTIONS DE LA SOURIS

Cliquer

Appuyer sur le bouton gauche de la souris et le relâcher.

Double-cliquer

Appuyer deux fois rapidement sur le bouton gauche de la souris et le relâcher.

Cliquer avec le bouton droit

Appuyer sur le bouton droit de la souris et le relâcher.

Glisser-Déposer

Placer le pointeur de la souris sur un objet de l'écran, puis presser et tenir enfoncé le bouton gauche de la souris. Sans relâcher le bouton gauche, déplacer le pointeur à l'endroit où l'objet doit être placé, et relâcher le bouton.

Windows démarre automatiquement dès que vous allumez votre ordinateur. Il est alors prêt à réaliser les tâches que vous lui demandez.

DÉMARRER WINDOWS ME

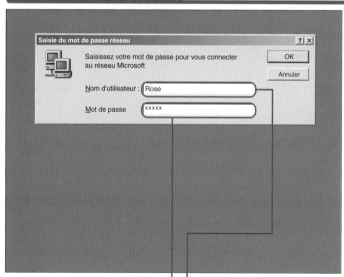

■1 Allumez votre ordinateur et votre écran.

■ Une boîte de dialogue peut apparaître, demandant d'entrer votre mot de passe.

■ Cette zone affiche votre nom d'utilisateur.

■2 Saisissez votre mot de passe et appuyez sur la touche Entrée.

Note. Un astérisque (*) apparaît à la place de chaque caractère saisi pour éviter que quelqu'un d'autre ne voie votre mot de passe.

■ Windows démarre.

■ Cette zone affiche les icônes de votre bureau.

■ Cette zone affiche la barre des tâches.

Note. Dans ce livre, nous avons choisi une résolution qui assure la très bonne lisibilité des représentations d'écrans. Pour modifier la résolution de l'écran, consultez la page 218.

ARRÊTER WINDOWS ME

Quand vous avez fini de vous servir de votre ordinateur, arrêtez Windows avant d'éteindre votre PC.

■ Attendez que ce message s'inscrive à l'écran pour éteindre votre ordinateur. Certains PC s'éteignent automatiquement.

Assurez-vous d'avoir quitté tous les programmes lancés avant d'arrêter Windows.

ARRÊTER WINDOWS ME

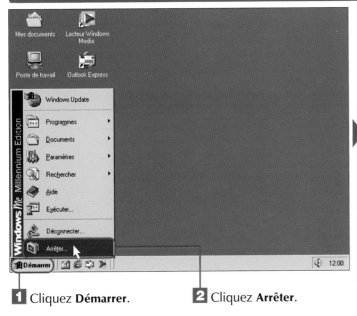

1 Cliquez **Démarrer**.

2 Cliquez **Arrêter**.

■ La boîte de dialogue Arrêt de Windows s'affiche.

3 Cliquez cette zone pour spécifier que vous voulez arrêter Windows.

4 Cliquez **Arrêter**.

5 Cliquez **OK** pour arrêter Windows.

UTILISER LE MENU DÉMARRER

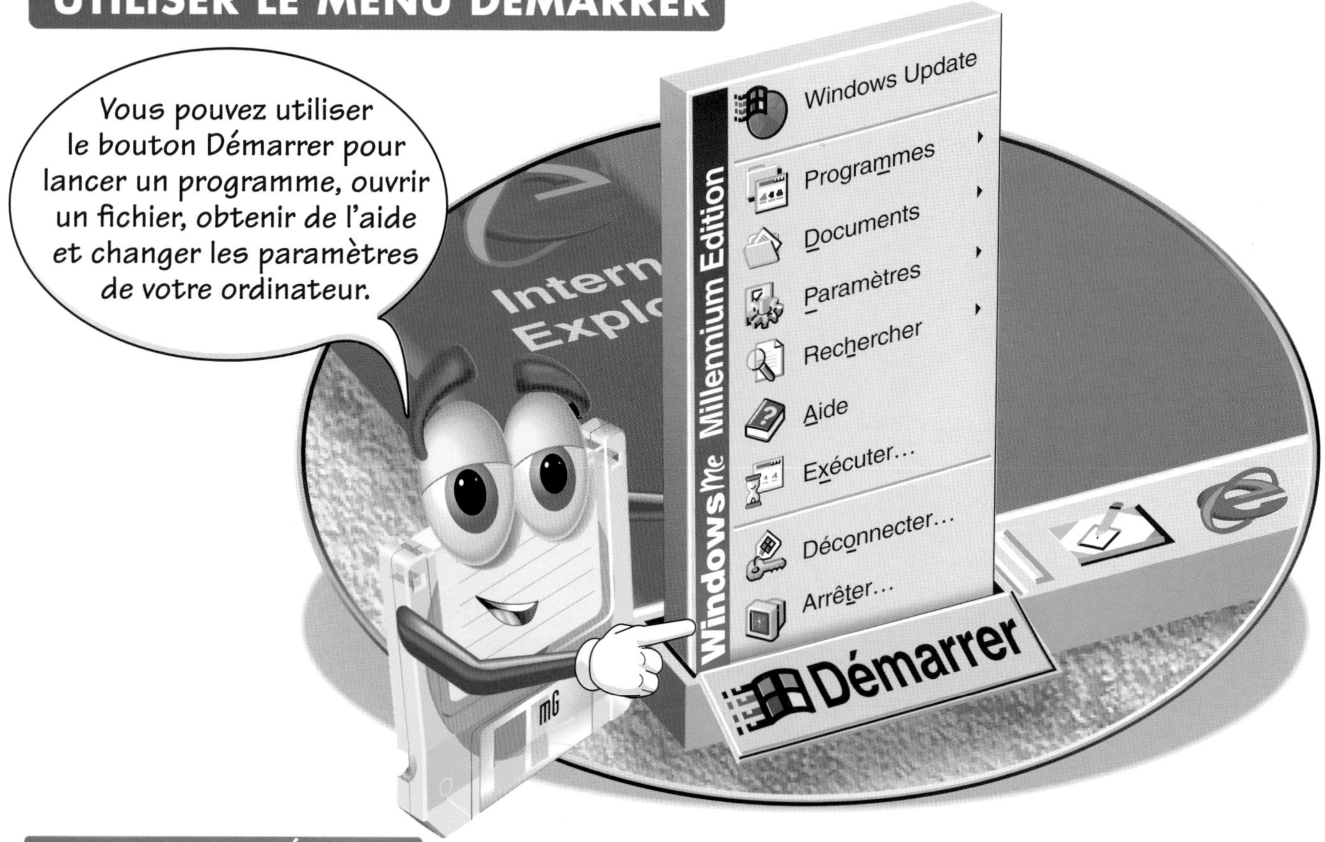
Vous pouvez utiliser le bouton Démarrer pour lancer un programme, ouvrir un fichier, obtenir de l'aide et changer les paramètres de votre ordinateur.
Windows Update
Programmes
Documents
Paramètres
Rechercher
Aide
Exécuter...
Déconnecter...
Arrêter...
Windows Me Millennium Edition
Démarrer

UTILISER LE MENU DÉMARRER

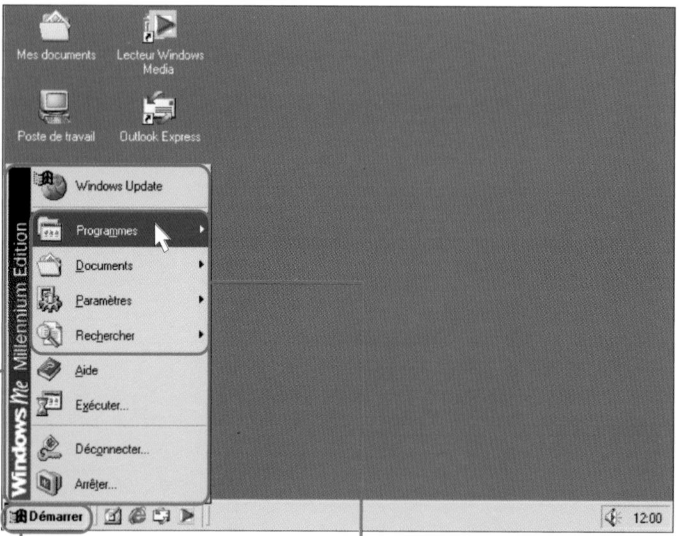
Mes documents
Lecteur Windows Media
Poste de travail
Outlook Express
Windows Update
Programmes
Documents
Paramètres
Rechercher
Aide
Exécuter...
Déconnecter...
Arrêter...
Windows Me Millennium Edition
Démarrer
12:00

1 Cliquez **Démarrer**.

■ Le menu Démarrer s'affiche.

■ Un élément de menu suivi d'une flèche (▶) donne accès à un autre menu.

2 Pour afficher d'autres menus, placez le pointeur ↖ sur le nom de menu suivi d'une flèche (▶).

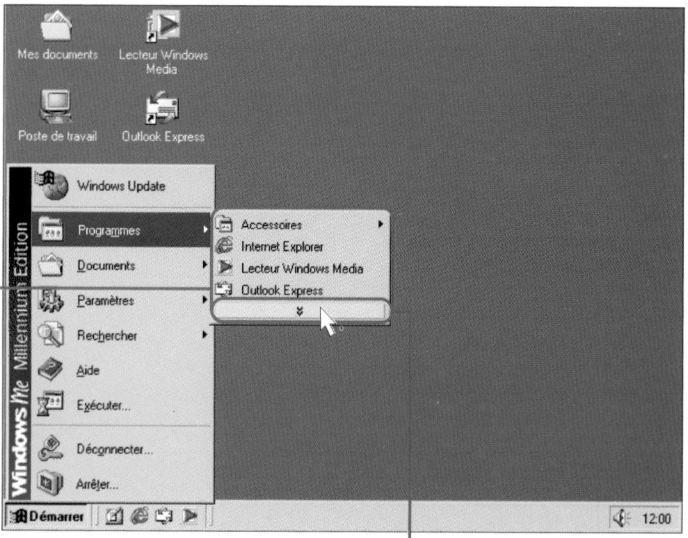
Mes documents
Lecteur Windows Media
Poste de travail
Outlook Express
Windows Update
Programmes
Documents
Paramètres
Rechercher
Aide
Exécuter...
Déconnecter...
Arrêter...
Accessoires
Internet Explorer
Lecteur Windows Media
Outlook Express
Windows Me Millennium Edition
Démarrer
12:00

■ Un autre menu apparaît.

■ Dans certains cas, une version abrégée d'un menu apparaît, ne contenant que les éléments les plus récemment utilisés.

3 Pour afficher tous les éléments du menu, cliquez ¥.

C'EST SIMPLE

Quels programmes sont fournis par Windows ?

Windows est accompagné de nombreux programmes
fort utiles, notamment :

Lecteur Windows Media
est un programme qui
permet d'organiser et
de lire des fichiers son
et vidéo sur votre
ordinateur.

ScanDisk est un
programme qui
recherche et répare les
erreurs des disques.

WordPad est un
programme de traitement
de texte qui permet de
créer des documents
élémentaires, comme des
lettres et des mémos.

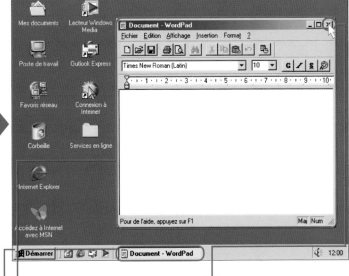

■ Tous les éléments du
menu apparaissent.

4 Répétez les étapes **2**
et **3** jusqu'à faire apparaître
la commande voulue.

5 Cliquez l'élément
à utiliser.

*Note. Pour fermer le menu
Démarrer sans sélectionner
d'élément, cliquez en dehors
du menu ou appuyez sur la
touche* **Alt** .

■ Dans cet exemple, la fenêtre
WordPad s'affiche à l'écran.

■ Dans la barre des tâches
apparaît un bouton
correspondant à la fenêtre
ouverte.

6 Une fois votre travail
terminé, cliquez **☒**
pour fermer la fenêtre.

FAIRE DÉFILER LE CONTENU D'UNE FENÊTRE

> Servez-vous de la barre de défilement pour parcourir la fenêtre à la recherche d'une information. C'est utile quand une fenêtre n'est pas assez grande pour afficher tout son contenu.

FAIRE DÉFILER LE CONTENU D'UNE FENÊTRE

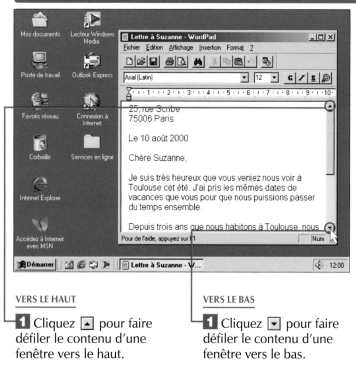

VERS LE HAUT

1 Cliquez ▲ pour faire défiler le contenu d'une fenêtre vers le haut.

VERS LE BAS

1 Cliquez ▼ pour faire défiler le contenu d'une fenêtre vers le bas.

ATTEINDRE UN ENDROIT PRÉCIS

1 Faites glisser le curseur de défilement le long de la barre de défilement verticale, jusqu'à afficher l'information recherchée.

■ La position du curseur de défilement indique la partie de la fenêtre actuellement affichée. Quand il se trouve au milieu de la barre de défilement, par exemple, vous voyez à l'écran le milieu de votre document.

FERMER UNE FENÊTRE

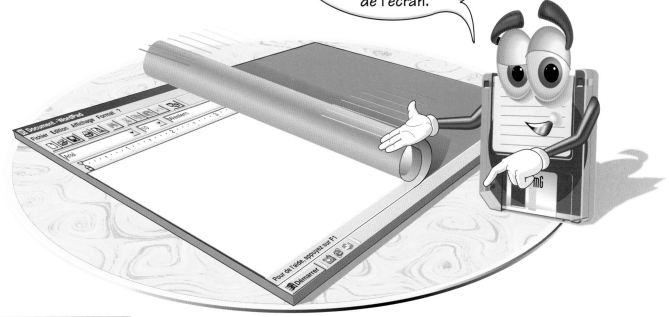

Une fois votre travail terminé dans une fenêtre, vous pouvez fermer cette dernière pour la retirer de l'écran.

FERMER UNE FENÊTRE

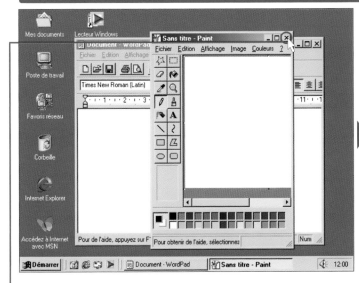

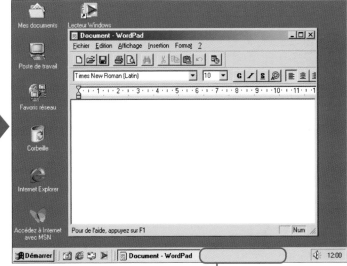

1 Cliquez ⊠ dans la fenêtre à fermer.

■ La fenêtre disparaît de l'écran.

■ Le bouton de la fenêtre disparaît également de la barre des tâches.

155

AGRANDIR COMPLÈTEMENT UNE FENÊTRE

Vous pouvez agrandir une fenêtre jusqu'à ce qu'elle occupe tout l'écran, afin de mieux voir son contenu.

AGRANDIR COMPLÈTEMENT UNE FENÊTRE

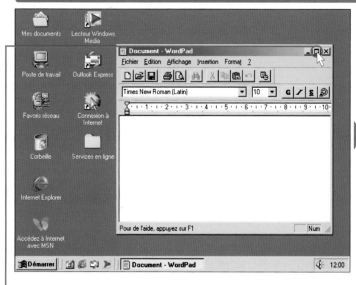

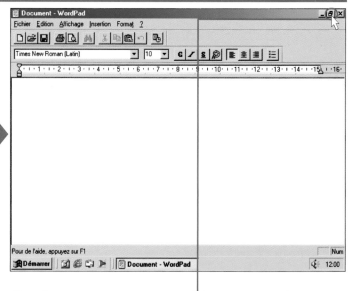

1 Cliquez ☐ dans la fenêtre à agrandir.

■ La fenêtre occupe tout l'écran.

■ Pour ramener la fenêtre à sa taille précédente, cliquez 🗗 .

RÉDUIRE COMPLÈTEMENT UNE FENÊTRE

Si, pour l'instant, vous n'avez pas besoin d'une fenêtre, vous pouvez la réduire au minimum jusqu'à la faire disparaître de l'écran. Il vous est ensuite possible de l'afficher à nouveau à tout moment.

RÉDUIRE COMPLÈTEMENT UNE FENÊTRE

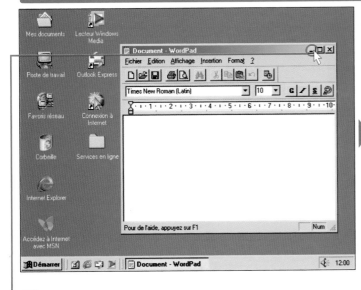

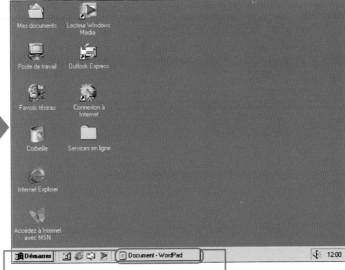

1 Cliquez ☐ dans la fenêtre à réduire.

■ La fenêtre est réduite à un bouton dans la barre des tâches.

■ Pour restaurer la fenêtre, cliquez son bouton dans la barre des tâches.

157

DÉPLACER UNE FENÊTRE

Si une fenêtre masque des éléments de votre écran, vous pouvez la déplacer à un endroit différent.

DÉPLACER UNE FENÊTRE

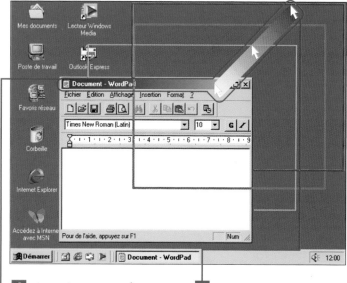 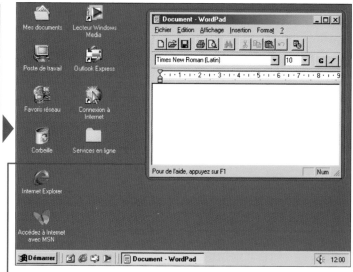

1 Placez le pointeur ⬚ sur la barre de titre de la fenêtre à déplacer.

2 Faites glisser le pointeur ⬚ vers le nouvel endroit choisi pour la fenêtre.

■ Un contour matérialise le nouvel emplacement de la fenêtre.

■ La fenêtre occupe l'emplacement souhaité.

REDIMENSIONNER UNE FENÊTRE

Vous pouvez facilement modifier la taille d'une fenêtre affichée à l'écran.

Agrandir une fenêtre permet d'y afficher davantage d'informations. La réduire permet de faire apparaître les éléments qu'elle cachait.

REDIMENSIONNER UNE FENÊTRE

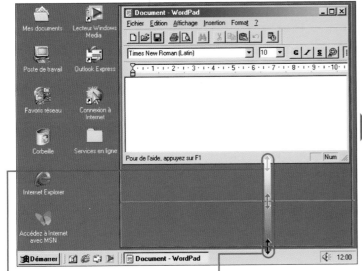

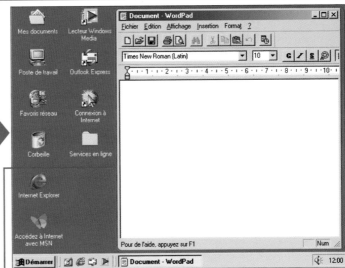

1 Placez le pointeur ⍺ sur le bord de la fenêtre à redimensionner (⍺ devient ↕, ↔ ou ↘).

2 Faites glisser le pointeur ↕ jusqu'à ce que la fenêtre ait la taille désirée.

■ Un contour matérialise les nouvelles dimensions de la fenêtre.

■ La fenêtre adopte la nouvelle taille.

> Il est possible d'avoir plusieurs fenêtres ouvertes à la fois. Passer ensuite de l'une à l'autre est extrêmement facile.

On peut comparer les fenêtres à des feuilles de papier séparées. Passer à une autre fenêtre revient à placer cette feuille de papier sur le haut de la pile.

PASSER D'UNE FENÊTRE À UNE AUTRE

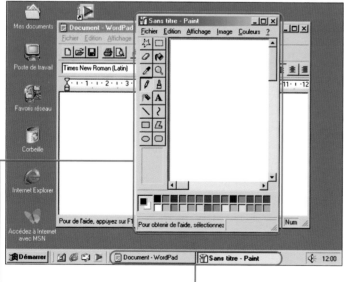

■ Vous ne pouvez travailler que dans une seule fenêtre à la fois. La fenêtre active s'affiche au premier plan, en avant des autres fenêtres ; elle se reconnaît à sa barre de titre bleue.

■ La barre des tâches affiche un bouton pour chaque fenêtre ouverte.

1 Pour que la fenêtre dans laquelle vous désirez travailler s'affiche en avant des autres fenêtres, cliquez son bouton dans la barre des tâches.

■ La fenêtre apparaît devant toutes les autres, ce qui permet de voir parfaitement son contenu.

Note. Vous pouvez aussi cliquer un endroit quelconque de la fenêtre à afficher au premier plan.

VOIR LE BUREAU

Vous pouvez réduire en une seule fois toutes les fenêtres ouvertes pour les faire disparaître de l'écran et visualiser ainsi de nouveau le bureau.

VOIR LE BUREAU

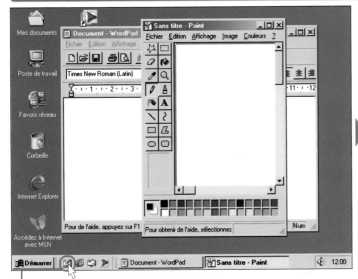

1 Cliquez 🖳 pour réduire toutes les fenêtres ouvertes à l'écran.

■ Chaque fenêtre est réduite à un bouton dans la barre des tâches. Vous pouvez désormais voir clairement le bureau.

■ Pour afficher à nouveau toutes les fenêtres, cliquez 🖳.

■ Pour ne faire réapparaître qu'une seule fenêtre, cliquez son bouton dans la barre des tâches.

Si vous ne savez pas comment effectuer une tâche, utilisez la commande Aide pour trouver l'information.

OBTENIR DE L'AIDE

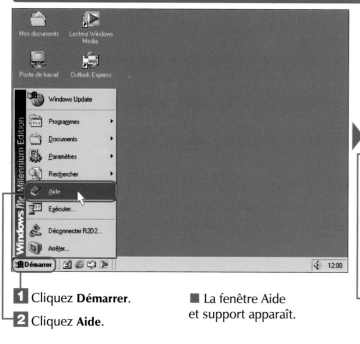

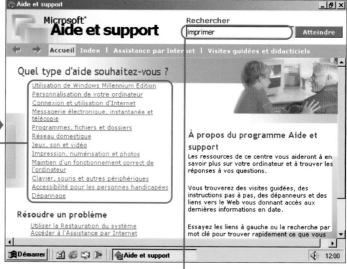

1 Cliquez **Démarrer**.

2 Cliquez **Aide**.

■ La fenêtre Aide et support apparaît.

■ Cette zone affiche une liste de tâches et de problèmes courants pour lesquels une aide est disponible.

3 Pour rechercher une information spécifique, cliquez cette zone et saisissez le sujet qui vous intéresse.

4 Appuyez sur la touche Entrée pour commencer la recherche.

Comment utiliser la commande Aide pour trouver
l'information sur un sujet qui m'intéresse ?

**Assistance par
Internet**

Permet d'accéder à
de l'aide disponible
sur Internet.

Accueil

Permet de parcourir les
rubriques de l'aide par
catégorie. La page Accueil
apparaît à chaque fois que
vous ouvrez la fenêtre Aide
et support.

Index

Répertorie les rubriques
de l'aide par ordre
alphabétique.

**Visites guidées
et didacticiels**

Propose des
informations
pédagogiques
sur Windows Me.

■ Cette zone affiche
les rubriques de l'aide
correspondant au texte
que vous avez saisi.

5 Cliquez la rubrique qui
vous intéresse (⬚ devient
🖑 lorsque vous pointez une
rubrique).

*Note. La plupart des rubriques
précédées du symbole* 🖹 *nécessitent
de se connecter à l'Internet, ce qui
n'est pas le cas des rubriques
précédées du symbole* ❓ *.*

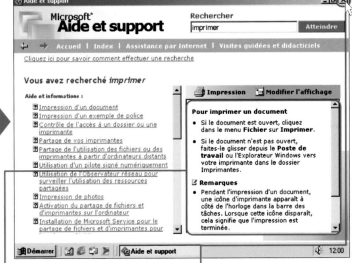

■ Le contenu de la
rubrique choisie apparaît
dans cette zone.

*Note. Vous pouvez répéter l'étape 5
pour obtenir de l'aide sur un autre
sujet.*

6 Après avoir lu les
informations, cliquez ☒
pour fermer la fenêtre
Aide et support.

DÉMARRER ET QUITTER UN PROGRAMME

WordPad permet de créer des documents simples, comme des lettres et des mémos.

EXEMPLE DE PROGRAMME : WORDPAD

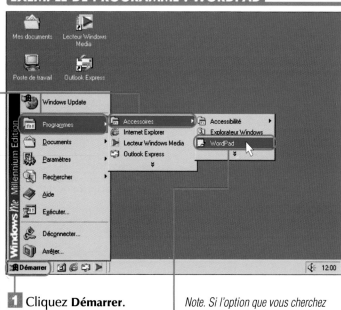

1 Cliquez **Démarrer**.

2 Pointez **Programmes**.

3 Pointez **Accessoires**.

Note. Si l'option que vous cherchez n'apparaît pas dans le menu, placez le pointeur ☿ sur le bas du menu pour en afficher toutes les commandes.

4 Cliquez **WordPad**.

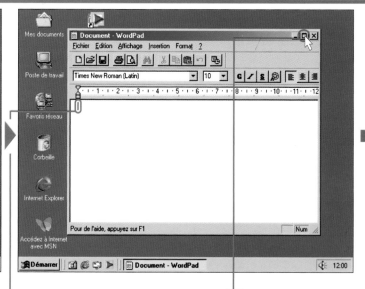

■ La fenêtre WordPad s'ouvre en affichant un nouveau document vierge.

■ Le curseur clignotant à l'écran, appelé point d'insertion, indique l'endroit où apparaîtra le texte saisi.

5 Cliquez ▢ pour agrandir la fenêtre WordPad, afin qu'elle occupe tout l'écran.

Existe-t-il des programmes plus
évolués pour créer des documents ?

WordPad est un programme simple qui offre
seulement les commandes de base d'un
traitement de texte. Si vous avez besoin de
commandes avancées, achetez un traitement
de texte plus puissant, comme Microsoft
Word ou Corel WordPerfect. Ces derniers
permettent aussi de réaliser des tableaux et
du graphisme. Ils possèdent en outre un
correcteur d'orthographe et un dictionnaire
de synonymes.

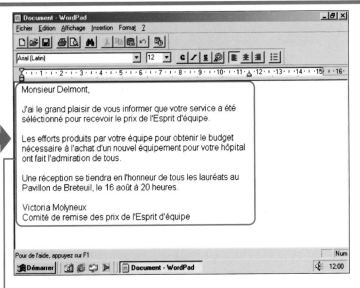

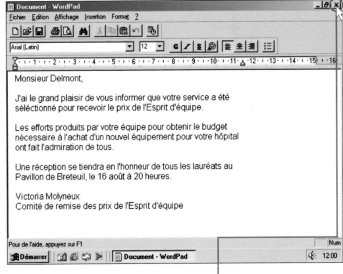

6 Saisissez le texte de votre
document.

■ Lorsque vous atteignez la
fin de la ligne, WordPad fait
automatiquement passer le texte
au début de la ligne suivante.
N'appuyez sur la touche Entrée
que pour commencer une nouvelle
ligne ou un nouveau paragraphe.

*Note. Pour améliorer la
lisibilité de cet exemple, la
police et la taille des caractères
ont été changées. Pour
modifier la police et la taille
des caractères, consultez les
pages 268 et 269.*

QUITTER WORDPAD

**Après avoir fini d'utiliser
WordPad, vous pouvez quitter
le programme.**

■ Avant de quitter WordPad,
enregistrez toutes les
modifications apportées au
document. Pour ce faire,
consultez la page 256.

1 Cliquez ☒ pour
quitter WordPad.

CHAPITRE 9

VISUALISER DES FICHIERS

Vous recherchez un fichier ? Lisez ce chapitre pour apprendre à visualiser les données enregistrées sur votre ordinateur et à trier les fichiers, afin de les retrouver plus facilement.

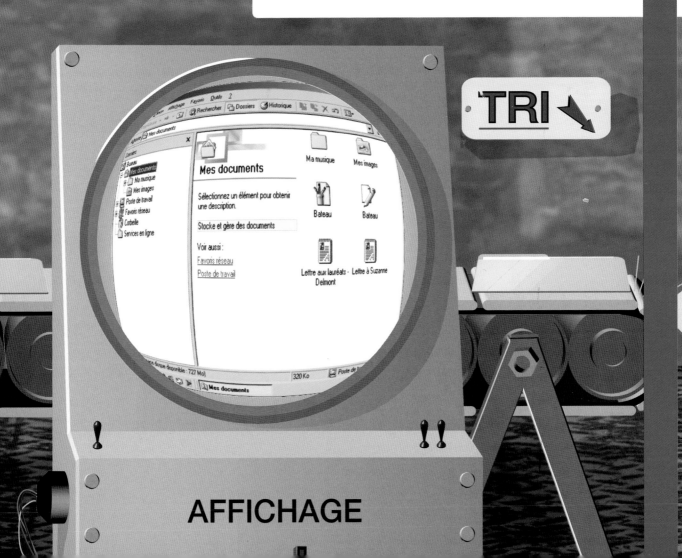

AFFICHAGE

> Vous pouvez facilement visualiser les lecteurs, dossiers et fichiers de votre ordinateur.

VISUALISER LE CONTENU DE VOTRE ORDINATEUR

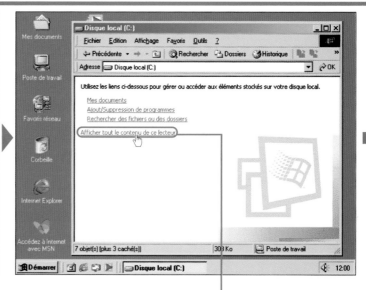

1 Double-cliquez **Poste de travail** pour visualiser le contenu de votre ordinateur.

■ La fenêtre Poste de travail apparaît.

■ Ces éléments représentent les lecteurs de votre ordinateur.

2 Pour afficher le contenu d'un lecteur, double-cliquez-le.

Note. Lorsque vous souhaitez visualiser le contenu d'une disquette ou d'un CD-ROM, assurez-vous que vous avez bien inséré l'un ou l'autre dans le lecteur avant de passer à l'étape 2.

■ Le contenu du lecteur apparaît.

3 Si le contenu du lecteur est masqué, faites-le apparaître en cliquant **Afficher tout le contenu de ce lecteur**.

Quels lecteurs sont disponibles sur mon ordinateur ?

Disquette 3 ½ (A:)	Permet de lire et de stocker des informations sur une disquette.
Disque local (C:)	Permet de lire et de stocker des informations sur votre disque dur.
Disque compact (D:)	Permet de lire les informations stockées sur un CD-ROM.

Que représentent les icônes dans les fenêtres ?

Chacun des éléments apparaissant dans une fenêtre est associé à un symbole graphique qui permet de le reconnaître. Les icônes les plus courantes sont :

 Dossier

 Image Paint

 Document texte

 Lecteur Windows Media

 Document WordPad

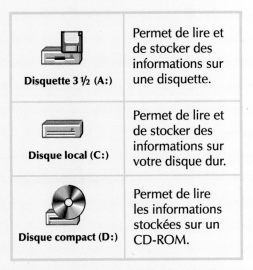

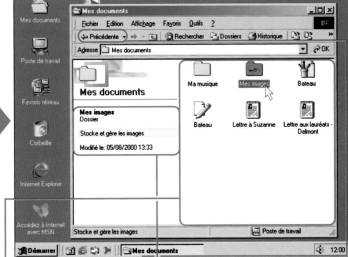

■ Cette zone affiche le contenu du lecteur.

4 Pour afficher le contenu d'un dossier, double-cliquez-le.

■ Le contenu du dossier apparaît.

5 Pour visualiser des informations concernant un fichier ou un dossier, cliquez-le.

■ Cette zone affiche des informations sur l'élément sélectionné.

Note. Si aucune information n'apparaît, agrandissez la fenêtre. Pour ce faire, consultez la page 156.

■ Vous pouvez cliquer **Précédente** pour afficher à nouveau le contenu d'un dossier consulté précédemment.

169

Vous pouvez modifier l'aspect des éléments d'une fenêtre. Les informations données à l'écran dépendent de l'affichage retenu.

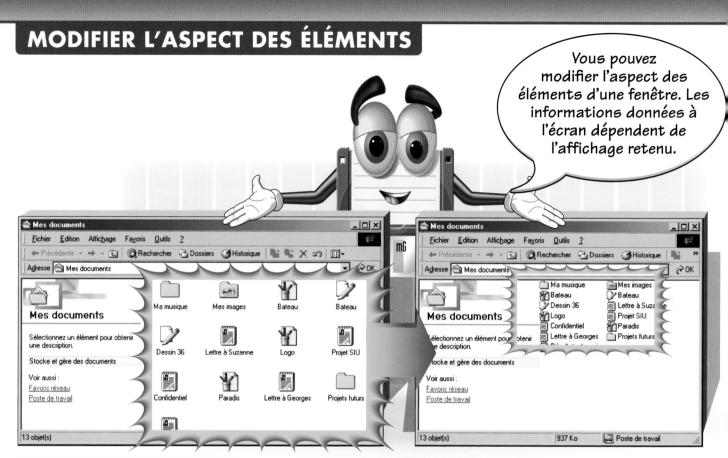

MODIFIER L'ASPECT DES ÉLÉMENTS

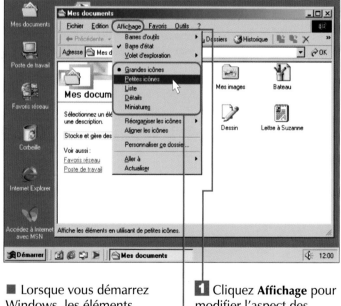

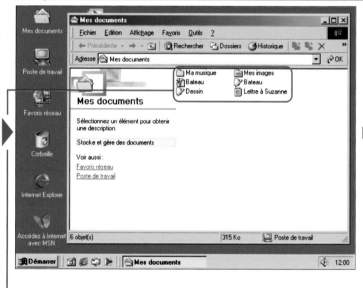

■ Lorsque vous démarrez Windows, les éléments apparaissent sous la forme de grandes icônes.

Note. Une icône est une image représentant un élément, comme un fichier, un dossier ou un programme.

1 Cliquez **Affichage** pour modifier l'aspect des éléments.

■ Une puce (•) apparaît devant l'affichage actuel.

2 Cliquez la présentation souhaitée.

PETITES ICÔNES

■ Les éléments sont affichés sous la forme de petites icônes.

Qu'est-ce que le mode d'affichage Miniatures ?

L'affichage Miniatures permet de visualiser une version miniature de chaque fichier graphique listé dans une fenêtre. Les autres types de fichiers sont représentés par des icônes, comme un dossier (☐), ou un document WordPad (🖹). L'affichage des miniatures n'est pas possible dans toutes les fenêtres.

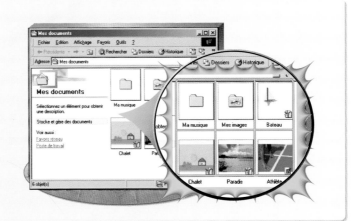

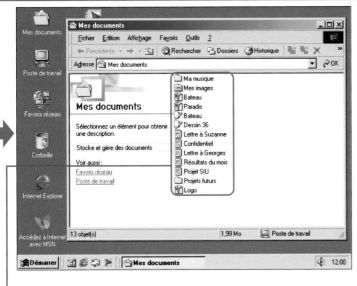

LISTE

■ Les éléments sont affichés sous la forme de petites icônes dans une liste.

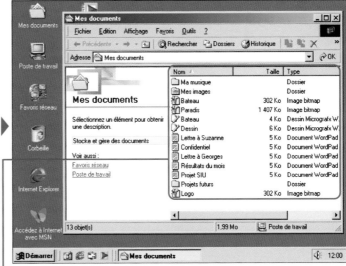

DÉTAILS

■ Des informations sur chacun des éléments, telles que leur nom, leur taille ou leur type, sont affichées.

Vous pouvez trier les éléments d'une fenêtre selon différents critères, afin de retrouver plus facilement les fichiers et dossiers recherchés.

NOM
TRIER LES ÉLÉMENTS

TAILLE
TRIER LES ÉLÉMENTS

TYPE
TRIER LES ÉLÉMENTS

DATE
TRIER LES ÉLÉMENTS

Vous pouvez classer les éléments par nom, par taille, par type ou en fonction de leur date de dernière modification.

TRIER LES ÉLÉMENTS

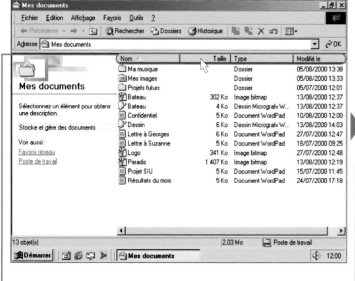

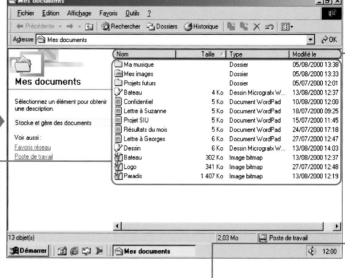

■ Lorsque vous démarrez Windows, les éléments sont classés par ordre alphabétique.

1 Cliquez l'en-tête de la colonne à utiliser pour classer les éléments.

Note. Si les en-têtes ne sont pas visibles, effectuez les étapes 1 et 2 de la page 170, en sélectionnant **Détails** *à l'étape 2.*

■ Les éléments sont triés. Dans cet exemple, ils sont classés par taille.

■ Pour classer les éléments dans l'ordre inverse, cliquez à nouveau l'en-tête.

VISUALISER LE CONTENU DE MES DOCUMENTS

Vous pouvez facilement visualiser le contenu du dossier Mes documents, qui constitue un endroit commode pour stocker vos fichiers.

De nombreux programmes placent automatiquement les fichiers que vous enregistrez dans le dossier Mes documents.

VISUALISER LE CONTENU DE MES DOCUMENTS

1 Double-cliquez **Mes documents**.

■ La fenêtre Mes documents apparaît, affichant vos fichiers et dossiers.

■ Le dossier Mes images constitue un endroit pratique pour stocker vos images.

2 Pour visualiser le contenu du dossier Mes images, double-cliquez-le.

■ La fenêtre Mes images apparaît, affichant une version miniature de chaque image du dossier Mes images.

3 Après avoir vu les images, cliquez ⌧ pour fermer la fenêtre.

L'explorateur Windows affiche l'emplacement de chacun des dossiers et fichiers contenus dans votre ordinateur.

Vous pouvez déplacer, renommer et effacer des fichiers dans l'explorateur Windows de la même manière que dans n'importe quelle fenêtre. Pour travailler avec les fichiers, consultez les pages 178 à 205.

UTILISER L'EXPLORATEUR WINDOWS

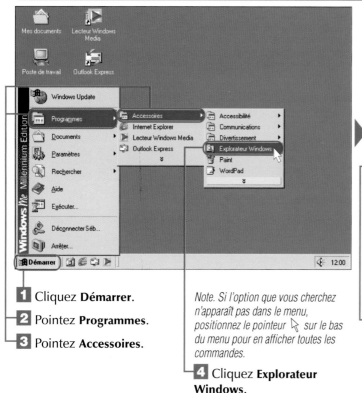

1 Cliquez **Démarrer**.

2 Pointez **Programmes**.

3 Pointez **Accessoires**.

Note. Si l'option que vous cherchez n'apparaît pas dans le menu, positionnez le pointeur ⌖ sur le bas du menu pour en afficher toutes les commandes.

4 Cliquez **Explorateur Windows**.

■ Une fenêtre apparaît.

■ Cette zone montre comment les dossiers sont organisés dans votre ordinateur.

5 Pour afficher le contenu d'un dossier, cliquez-le.

■ Cette zone affiche le contenu du dossier sélectionné.

C'EST SIMPLE

Comment savoir si un dossier
en contient d'autres ?

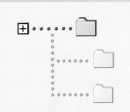

Un signe plus (⊞) situé
devant le nom d'un
dossier indique que tous
les dossiers qu'il contient
sont masqués.

Un signe moins (⊟)
situé devant le nom d'un
dossier indique que tous
les dossiers qu'il contient
sont affichés.

L'absence de signe devant
le nom d'un dossier
indique que celui-ci ne
contient aucun autre
dossier. Il peut en
revanche contenir des
fichiers.

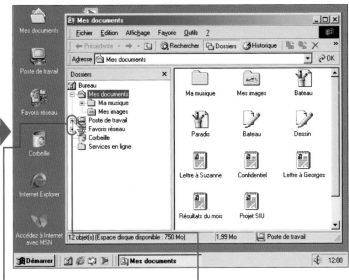

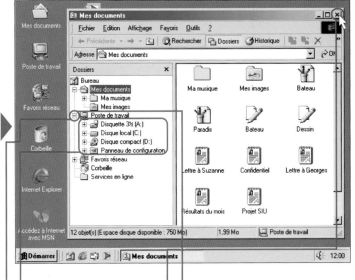

■ Un dossier affichant un
signe plus (⊞) contient
des dossiers masqués.

6 Cliquez le signe plus
(⊞) situé devant le
dossier pour afficher
ses dossiers.

■ Les dossiers masqués
apparaissent.

■ Le signe plus (⊞) se
transforme en signe
moins (⊟) pour indiquer
que tous les dossiers
contenus sont affichés.

■ Vous pouvez cliquer le signe
moins (⊟) situé devant le nom
du dossier pour dissimuler de
nouveau ses dossiers.

7 Quand vous avez fini
d'utiliser l'explorateur
Windows, cliquez ⊠
pour fermer la fenêtre.

CHAPITRE 10

TRAVAILLER AVEC DES FICHIERS

Vous voulez ouvrir, copier ou imprimer des fichiers ? Lisez ce chapitre pour apprendre à manipuler vos fichiers efficacement.

Fichiers restaurés

SÉLECTIONNER DES FICHIERS

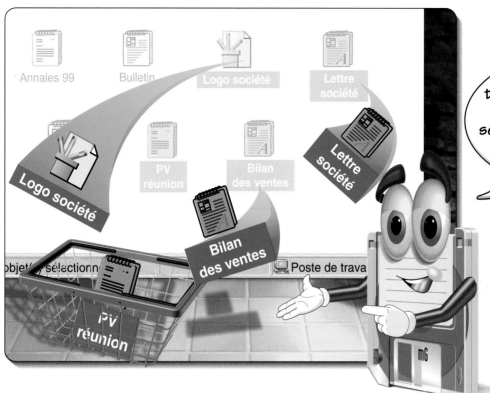

Avant de pouvoir travailler sur des fichiers, il faut souvent les sélectionner. Ils s'affichent alors en surbrillance à l'écran.

Vous pouvez sélectionner des dossiers et fichiers de la même façon. Lorsque vous sélectionnez un dossier, vous sélectionnez tous les fichiers qu'il contient.

SÉLECTIONNER DES FICHIERS

SÉLECTIONNER UN FICHIER

1 Cliquez le fichier à sélectionner.

■ Le fichier apparaît en surbrillance.

■ Cette zone donne des informations sur le fichier sélectionné.

SÉLECTIONNER UN GROUPE DE FICHIERS

1 Cliquez le premier fichier à sélectionner.

2 En maintenant la touche Maj enfoncée, cliquez le dernier fichier à sélectionner.

Comment désélectionner des fichiers ?

Pour désélectionner tous les fichiers, cliquez une zone vierge de la fenêtre.

Pour désélectionner un fichier parmi une sélection de plusieurs, maintenez la touche `Ctrl` enfoncée et cliquez le fichier concerné.

Note. Vous pouvez désélectionner des dossiers de la même manière que des fichiers.

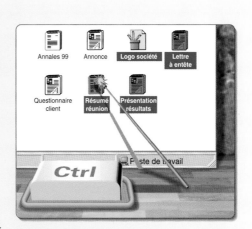

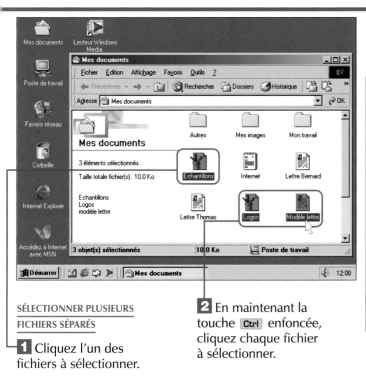

SÉLECTIONNER PLUSIEURS FICHIERS SÉPARÉS

1 Cliquez l'un des fichiers à sélectionner.

2 En maintenant la touche `Ctrl` enfoncée, cliquez chaque fichier à sélectionner.

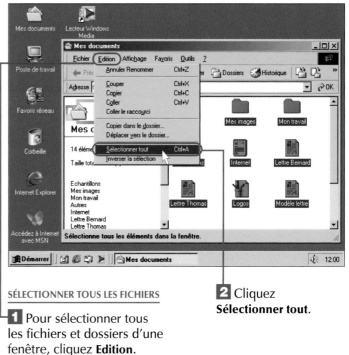

SÉLECTIONNER TOUS LES FICHIERS

1 Pour sélectionner tous les fichiers et dossiers d'une fenêtre, cliquez **Edition**.

2 Cliquez **Sélectionner tout**.

OUVRIR UN FICHIER

Vous pouvez ouvrir un fichier pour en afficher le contenu à l'écran. Cela vous permet de le consulter ou de le modifier.

OUVRIR UN FICHIER

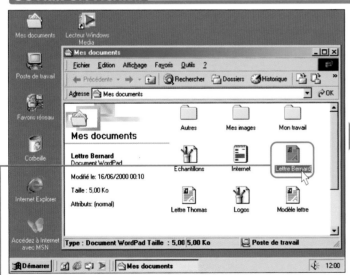

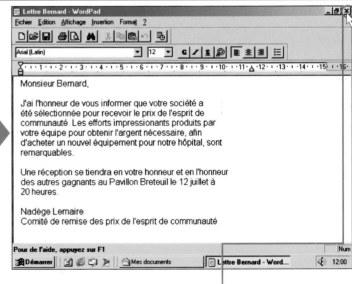

1 Double-cliquez le fichier à ouvrir.

■ Le fichier s'ouvre. Vous pouvez le consulter ou le modifier.

Note. Si vous cliquez un fichier graphique, l'image s'affiche dans la fenêtre Aperçu de l'image. Pour modifier l'image, vous devez l'ouvrir dans l'application avec laquelle vous l'avez créée ou dans tout autre programme de retouche d'images.

2 Quand vous avez fini de travailler avec le fichier, cliquez **×** pour le fermer.

Windows se souvient des derniers fichiers que vous avez utilisés et permet de les ouvrir rapidement.

OUVRIR UN FICHIER UTILISÉ RÉCEMMENT

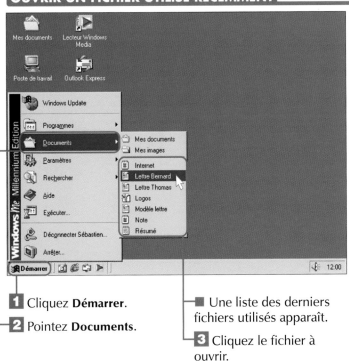

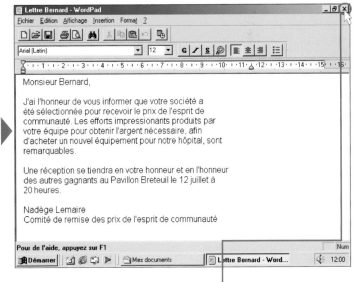

1 Cliquez **Démarrer**.

2 Pointez **Documents**.

■ Une liste des derniers fichiers utilisés apparaît.

3 Cliquez le fichier à ouvrir.

*Note. Vous pouvez cliquer **Mes documents** ou **Mes images** pour accéder à des dossiers stockant des documents ou des images.*

■ Le fichier s'ouvre. Vous pouvez le consulter ou le modifier.

Note. Si vous cliquez un fichier graphique, l'image s'affiche dans la fenêtre Aperçu de l'image. Pour modifier l'image, vous devez l'ouvrir dans l'application avec laquelle vous l'avez créée ou dans tout autre programme de retouche d'images.

4 Quand vous avez fini de travailler avec le fichier, cliquez ☒ pour le fermer.

181

IMPRIMER UN FICHIER

Vous pouvez obtenir une copie papier d'un fichier stocké sur votre ordinateur.

Avant de lancer l'impression, assurez-vous que votre imprimante est allumée et alimentée en papier.

IMPRIMER UN FICHIER

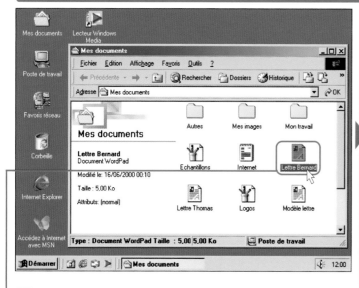

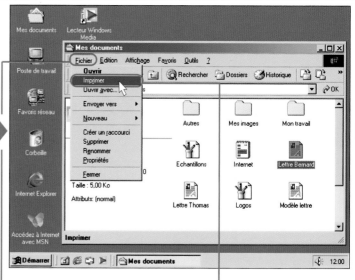

1 Cliquez le fichier à imprimer.

■ Pour imprimer plusieurs fichiers, sélectionnez-les.

Note. Pour sélectionner plusieurs fichiers, consultez la page 178.

2 Cliquez **Fichier**.

3 Cliquez **Imprimer**.

Avec quels types d'imprimantes puis-je imprimer mes fichiers ?

Windows travaille avec de très nombreux types d'imprimantes. Les deux types les plus courants sont :

Jet d'encre
Elles produisent des documents adaptés à un usage professionnel ou personnel, qui ne réclament pas une qualité d'impression optimale.

Laser
Plus rapides, elles produisent des documents de meilleure qualité que les imprimantes à jet d'encre, mais sont également plus chères.

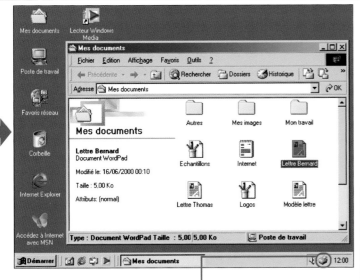

■ Windows ouvre, imprime et ferme rapidement le fichier.

■ Lorsque vous imprimez un fichier, une icône d'imprimante ( ) apparaît dans cette zone. Dès que l'impression est terminée, elle disparaît.

IMPRIMER UN FICHIER
DEPUIS LE BUREAU

1 Cliquez le fichier à imprimer avec le bouton droit. Un menu apparaît.

2 Cliquez **Imprimer** pour imprimer le fichier.

■ Windows ouvre, imprime et ferme rapidement le fichier.

Vous pouvez visualiser des informations sur les fichiers envoyés à l'imprimante.

VISUALISER LES FICHIERS À IMPRIMER

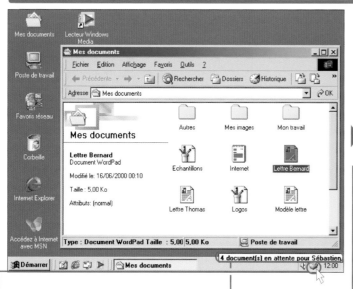

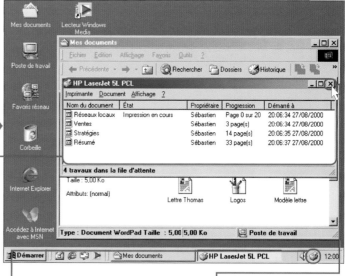

■ Lorsque vous imprimez un fichier, une icône d'imprimante (🖨) apparaît dans cette zone.

1 Pour voir combien de fichiers sont en attente d'impression, placez le pointeur ⬚ sur 🖨.

■ Une info-bulle apparaît, affichant le nombre de fichiers en attente.

2 Double-cliquez l'icône d'imprimante (🖨) pour obtenir des informations sur les fichiers en attente d'impression.

■ Une fenêtre apparaît, affichant des informations sur les fichiers. Le fichier situé en tête de la liste sera le premier imprimé.

3 Après avoir lu les informations, cliquez ✕ pour fermer la fenêtre.

RENOMMER UN FICHIER

Vous pouvez donner un nouveau nom à un fichier pour mieux décrire son contenu et le retrouver ensuite plus facilement.

Vous pouvez renommer des dossiers en appliquant la même méthode que pour des fichiers. Évitez si possible de changer le nom de dossiers que vous n'avez pas créés.

RENOMMER UN FICHIER

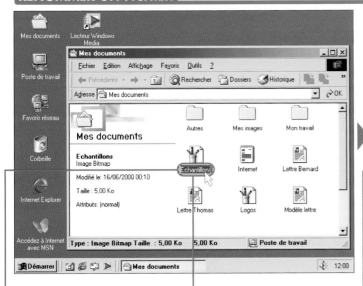

1 Cliquez le nom du fichier à renommer.

Note. Évitez de renommer des fichiers que vous n'avez pas créés.

2 Patientez quelques instants, puis cliquez à nouveau le nom du fichier à renommer.

■ Le nom du fichier apparaît dans un encadré.

3 Saisissez le nouveau nom du fichier et appuyez sur la touche Entrée .

*Note. Les noms de fichiers ne peuvent pas contenir les caractères \ / : * ? " < > ou |. Essayez de choisir des dénominations courtes, car certains programmes sont incapables de lire des intitulés très longs.*

DÉPLACER ET COPIER DES FICHIERS

Vous pouvez réorganiser les fichiers enregistrés sur votre ordinateur en les plaçant ou en les copiant à de nouveaux endroits.

Réorganiser des fichiers sur votre ordinateur équivaut à ranger des documents dans un classeur pour mieux les retrouver.

DÉPLACER DES FICHIERS

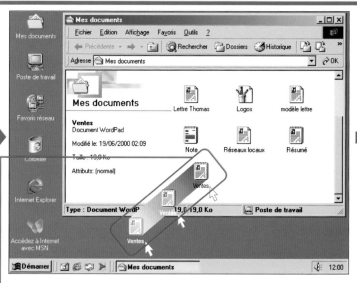

1 Placez le pointeur ⍐ sur le fichier à déplacer.

■ Pour déplacer plusieurs fichiers, sélectionnez-les, puis placez le pointeur ⍐ sur l'un d'entre eux.

Note. Pour sélectionner plusieurs fichiers, consultez la page 178.

2 Glissez-déposez le fichier vers son nouvel emplacement.

Quelle différence existe-t-il entre déplacer et copier un fichier ?

Déplacer un fichier

Lorsque vous déplacez un fichier, vous le stockez à un endroit différent sur votre ordinateur.

Copier un fichier

Lorsque vous copiez un fichier, vous le dupliquez et placez ce nouvel exemplaire ailleurs. Cela permet de stocker le même fichier à deux endroits différents.

COPIER DES FICHIERS

■ Le fichier est déplacé au nouvel endroit.

Note. Vous pouvez déplacer un dossier, et tous les fichiers qu'il contient, de la même manière qu'un fichier.

1 Placez le pointeur ⬚ sur le fichier à copier.

■ Pour copier plusieurs fichiers, sélectionnez-les, puis placez le pointeur ⬚ sur l'un d'entre eux.

Note. Pour sélectionner plusieurs fichiers, consultez la page 178.

2 En maintenant la touche Ctrl enfoncée, glissez-déposez les fichiers vers leur nouvel emplacement.

COPIER UN FICHIER SUR UNE DISQUETTE

Vous pouvez placer une copie d'un fichier sur une disquette, en vue de la transmettre à un ami, un membre de votre famille ou un collègue.

Quand vous copiez un fichier sur une disquette, cette dernière doit être formatée. Pour formater une disquette, consultez la page 220.

COPIER UN FICHIER SUR UNE DISQUETTE

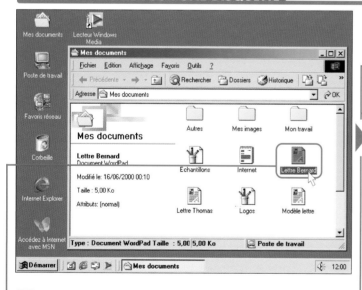

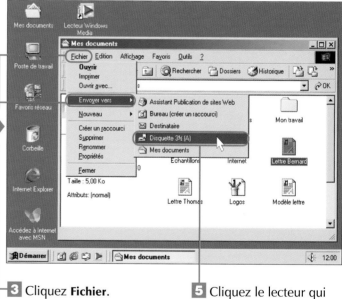

1 Insérez une disquette dans le lecteur.

2 Cliquez le fichier à copier sur la disquette.

■ Pour copier plusieurs fichiers, sélectionnez-les.

Note. Pour sélectionner plusieurs fichiers, consultez la page 178.

3 Cliquez **Fichier**.

4 Pointez **Envoyer vers**.

5 Cliquez le lecteur qui contient la disquette.

Comment protéger les données enregistrées sur mes disquettes ?

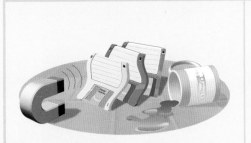
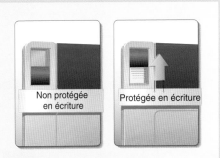

Non protégée en écriture

Protégée en écriture

Conservez-les en lieu sûr

Stockez vos disquettes loin de toute source magnétique, qui risque d'endommager les enregistrements. Prenez également garde à ne pas renverser de liquides, tels que boissons gazeuses ou du café, sur vos disquettes.

Protégez-les en écriture

Vous pouvez empêcher d'autres utilisateurs de modifier les données enregistrées sur vos disquettes en faisant glisser le petit clapet du disque en position Protection en écriture.

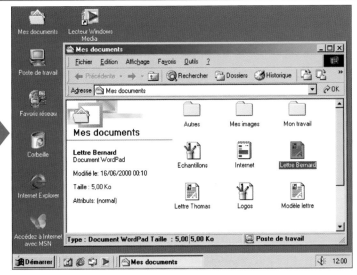
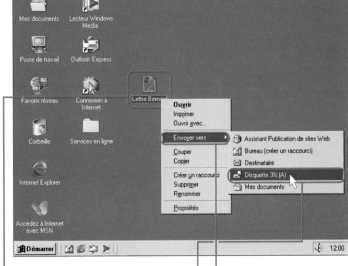

■ Windows place une copie du fichier sur la disquette.

Note. Pour visualiser le contenu d'une disquette, consultez la page 168.

Note. Vous pouvez copier un dossier, et tous les fichiers qu'il contient, sur une disquette de la même manière qu'un fichier.

COPIER UN FICHIER DEPUIS LE BUREAU

1 Insérez une disquette dans le lecteur.

2 Cliquez le fichier à copier avec le bouton droit. Un menu apparaît.

3 Cliquez **Envoyer vers**.

4 Cliquez le lecteur qui contient la disquette.

SUPPRIMER UN FICHIER

Vous pouvez supprimer un fichier dont vous n'avez plus besoin.

Avant de supprimer un fichier que vous avez créé, évaluez la valeur de votre travail. Ne supprimez que les fichiers dont vous êtes sûr de ne plus avoir besoin.

Veillez à supprimer uniquement des fichiers que vous avez créés. N'en supprimez aucun qui soit indispensable au fonctionnement de Windows ou d'un autre programme.

SUPPRIMER UN FICHIER

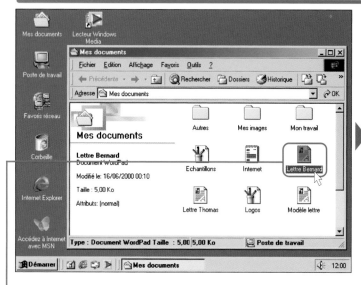

1 Cliquez le fichier à supprimer.

■ Pour supprimer plusieurs fichiers, sélectionnez-les.

Note. Pour sélectionner plusieurs fichiers, consultez la page 178.

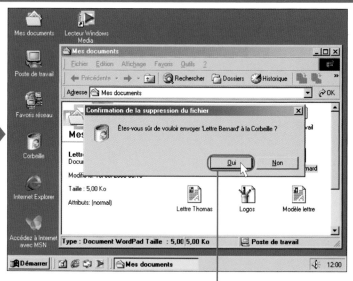

2 Appuyez sur la touche [Suppr].

■ La boîte de dialogue Confirmation de la suppression du fichier apparaît.

3 Cliquez **Oui** pour supprimer le fichier.

Comment supprimer
définitivement un fichier
de mon ordinateur ?

Lorsque vous supprimez un fichier,
Windows le place dans la
Corbeille, afin que vous puissiez le
récupérer en cas de besoin. Pour
contourner cet envoi dans la
Corbeille, vous pouvez supprimer
définitivement le fichier. Cela se
révèle notamment utile dans le cas
d'un document confidentiel.

Pour supprimer
définitivement un fichier,
effectuez les étapes 1 à 3
de la page 190, en
maintenant cette fois la
touche **Maj** enfoncée
pendant l'étape 2.

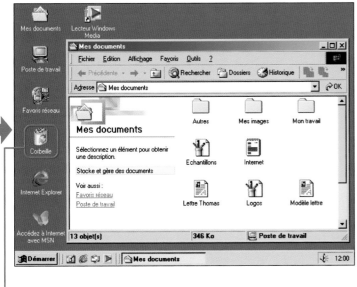

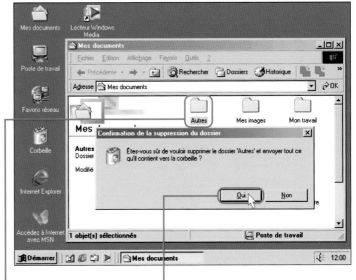

■ Le fichier disparaît.

■ Windows place le
fichier dans la Corbeille,
afin que vous puissiez le
récupérer ultérieurement.

*Note. Pour récupérer un
fichier supprimé, consultez
la page 192.*

SUPPRIMER UN DOSSIER

**Vous pouvez supprimer
un dossier et tous les
fichiers qu'il contient.**

1 Cliquez le dossier
à supprimer.

2 Appuyez sur la touche **Suppr**.

■ La boîte de dialogue
Confirmation de la suppression
du dossier apparaît.

3 Cliquez **Oui** pour supprimer
le dossier.

La Corbeille conserve tous les fichiers que vous avez supprimés et permet de replacer facilement celui souhaité dans son dossier d'origine.

RÉCUPÉRER UN FICHIER SUPPRIMÉ

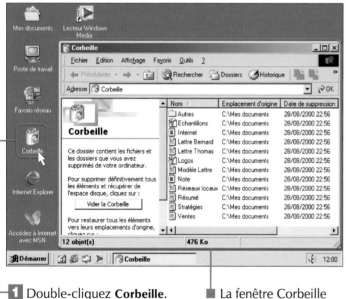

1 Double-cliquez **Corbeille**.

■ La fenêtre Corbeille apparaît, affichant tous les fichiers supprimés.

2 Cliquez le fichier à récupérer.

■ Pour récupérer plusieurs fichiers, sélectionnez-les.

Note. Pour sélectionner plusieurs fichiers, consultez la page 178.

■ Cette zone donne des informations sur le fichier sélectionné.

C'EST SIMPLE

Comment savoir si la Corbeille contient des fichiers supprimés ?

L'aspect de l'icône de la Corbeille indique si celle-ci contient ou non des fichiers supprimés.

| Contient des fichiers supprimés. | Ne contient pas de fichiers supprimés. |

C'EST SIMPLE

Comment procéder si le fichier recherché ne se trouve pas dans la Corbeille ?

La suppression de fichiers depuis une disquette, un disque amovible ou un lecteur réseau est définitive. Il est donc impossible de restaurer ensuite ces fichiers.

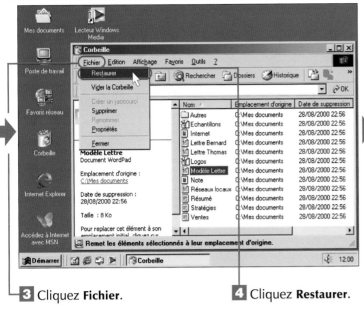

3 Cliquez **Fichier**.

4 Cliquez **Restaurer**.

■ Le fichier disparaît de la Corbeille. Windows le remet dans son dossier d'origine.

5 Cliquez ☒ pour fermer la fenêtre Corbeille.

Note. Vous pouvez récupérer des dossiers, et tous les fichiers qu'ils contiennent, de la même manière qu'un fichier.

VIDER LA CORBEILLE

> Vous pouvez gagner de la place sur votre disque en supprimant définitivement tous les fichiers contenus dans la Corbeille.

La Corbeille stocke tous les fichiers supprimés. Lorsque vous la videz, ces fichiers disparaissent définitivement de votre ordinateur et ne peuvent plus être restaurés.

VIDER LA CORBEILLE

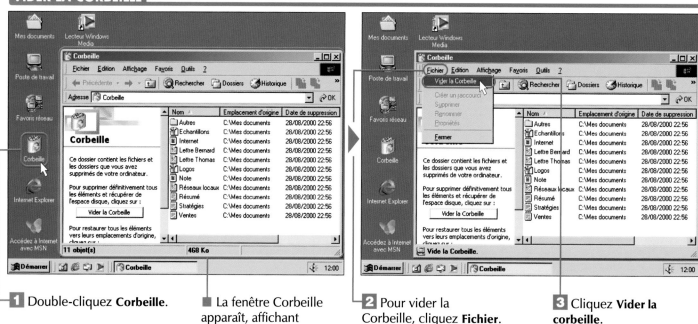

1 Double-cliquez **Corbeille**.

■ La fenêtre Corbeille apparaît, affichant tous les fichiers supprimés.

2 Pour vider la Corbeille, cliquez **Fichier**.

3 Cliquez **Vider la corbeille**.

C'EST SIMPLE

Puis-je supprimer uniquement certains fichiers de la Corbeille ?

Vous ne voudrez parfois retirer définitivement de la Corbeille que quelques fichiers, confidentiels, par exemple.

1 Tout en maintenant la touche Ctrl enfoncée, cliquez chaque fichier à supprimer définitivement de votre ordinateur.

2 Appuyez sur la touche Suppr .

■ Une boîte de dialogue demande de confirmer la suppression. Cliquez **Oui**, afin de supprimer définitivement les fichiers sélectionnés.

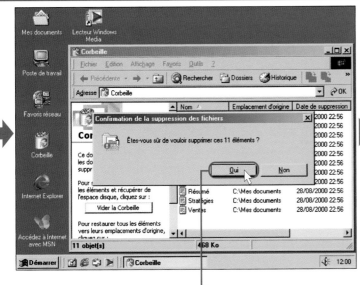

■ La boîte de dialogue Confirmation de la suppression des fichiers apparaît.

4 Cliquez **Oui** pour supprimer définitivement tous les fichiers.

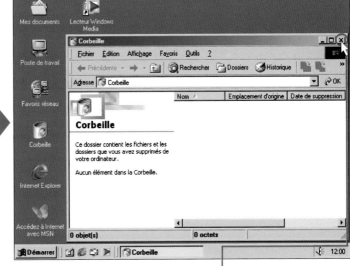

■ Tous les fichiers sont définitivement supprimés.

5 Cliquez ☒ pour fermer la fenêtre Corbeille.

CRÉER UN NOUVEAU FICHIER

Vous pouvez instantanément créer, nommer et enregistrer un nouveau fichier où vous le souhaitez, sans avoir à lancer de programme.

Créer un nouveau fichier sans démarrer de programme permet de vous concentrer sur l'organisation de vos fichiers plutôt que sur l'application nécessaire à l'accomplissement de vos tâches.

CRÉER UN NOUVEAU FICHIER

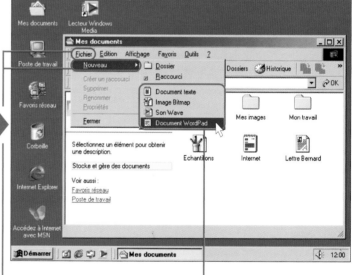

1 Affichez le contenu du dossier dans lequel vous désirez placer le nouveau fichier.

Note. Pour afficher le contenu de votre ordinateur, consultez la page 168.

2 Cliquez **Fichier**.

3 Pointez **Nouveau**.

4 Cliquez le type de fichier que vous voulez créer.

Quels types de fichiers peut-on créer ?

Les types de fichiers que vous pouvez créer dépendent des programmes installés sur votre ordinateur. Par défaut, Windows permet de créer les types suivants :

📄	Document texte	Permet de créer un document sans mise en forme.
📄	Document WordPad	Permet de créer un document avec une mise en forme élémentaire.
🖌	Image Bitmap	Permet de créer un dessin.
▶	Son Wave	Permet de créer un fichier son.

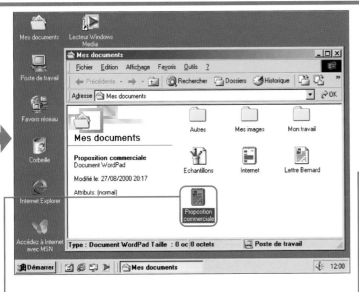

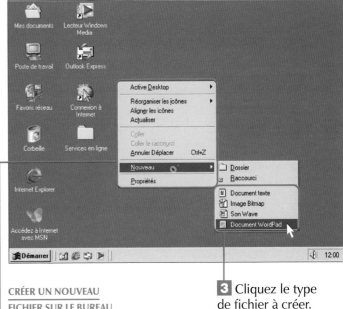

■ Le nouveau fichier apparaît. Il porte un nom provisoire.

5 Saisissez un nouveau nom et appuyez sur la touche Entrée.

*Note. Les noms de fichiers ne peuvent pas contenir les caractères \ / : * ? " < > ou |.*

CRÉER UN NOUVEAU FICHIER SUR LE BUREAU

1 Cliquez une zone vierge du bureau avec le bouton droit. Un menu apparaît.

2 Pointez **Nouveau**.

3 Cliquez le type de fichier à créer.

4 Saisissez un nom pour le nouveau fichier et appuyez sur la touche Entrée.

Vous pouvez créer un nouveau dossier pour mieux organiser les fichiers stockés sur votre ordinateur. Cette opération équivaut à placer un nouveau dossier dans un classeur.

CRÉER UN NOUVEAU DOSSIER

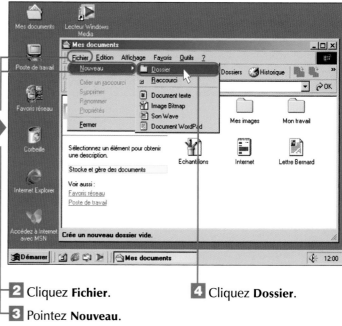

1 Affichez le contenu du dossier dans lequel vous désirez placer le nouveau dossier.

Note. Pour afficher le contenu de votre ordinateur, consultez la page 168.

2 Cliquez **Fichier**.

3 Pointez **Nouveau**.

4 Cliquez **Dossier**.

Comment la création de nouveaux dossiers peut-elle m'aider à organiser les données dans mon ordinateur ?

Vous pouvez créer un nouveau dossier pour stocker des fichiers que vous désirez rassembler, comme les documents relatifs à un projet particulier. Cela permet notamment de localiser rapidement les fichiers en question. Il est ainsi possible de créer un dossier « Rapport » où vous placeriez tous vos rapports. Vous pouvez créer autant de dossiers que nécessaire pour mettre en place un système de classement adapté à vos besoins.

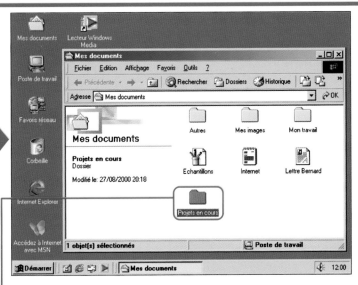

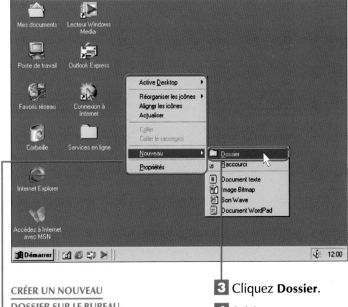

■ Le nouveau dossier apparaît. Il porte un nom provisoire.

5 Saisissez un nouveau nom et appuyez sur la touche **Entrée**.

*Note. Les noms de dossiers ne peuvent pas contenir les caractères \ / : * ? " < > ou |.*

CRÉER UN NOUVEAU DOSSIER SUR LE BUREAU

1 Cliquez une zone vierge du bureau avec le bouton droit. Un menu apparaît.

2 Pointez **Nouveau**.

3 Cliquez **Dossier**.

4 Saisissez un nom pour le nouveau dossier et appuyez sur la touche **Entrée**.

RECHERCHER UN FICHIER

Rechercher : Rapport des ventes

Si vous ne parvenez pas à vous souvenir du nom de l'un de vos fichiers ou de l'endroit où il se trouve, vous pouvez demander à Windows de vous aider à le rechercher.

Rapport des ventes

RECHERCHER UN FICHIER

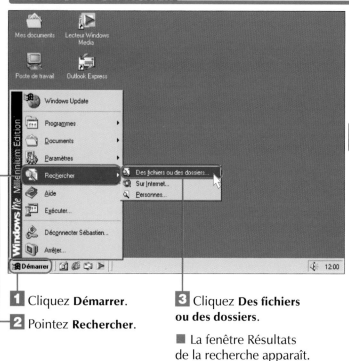

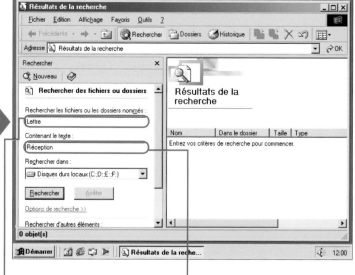

1 Cliquez **Démarrer**.

2 Pointez **Rechercher**.

3 Cliquez **Des fichiers ou des dossiers**.

■ La fenêtre Résultats de la recherche apparaît.

RECHERCHE D'APRÈS LE NOM

4 Pour spécifier le nom du fichier recherché, cliquez cette zone, puis saisissez le nom complet ou partiel du fichier.

RECHERCHE D'APRÈS LE CONTENU

5 Pour spécifier un ou plusieurs mots contenus dans le fichier que vous recherchez, cliquez cette zone, puis saisissez le(s) terme(s) en question.

200

Selon quels critères puis-je rechercher un fichier ?

Windows propose plusieurs types de recherches, notamment d'après le nom ou le contenu du fichier. Vous pouvez utiliser tous les critères présentés aux pages 200 à 203, certains d'entre eux, uniquement, ou vous limiter à un seul. Appliquer plusieurs critères affine, mais ralentit la recherche.

Puis-je rechercher un fichier si je ne connais qu'une partie de son nom ?

Si vous recherchez un fichier sur une partie de son nom, seulement, Windows affiche tous les fichiers et dossiers dont le nom contient le mot spécifié. Ainsi, si vous recherchez un fichier dans le nom duquel figure le terme « rapport », Windows affiche l'ensemble des fichiers et dossiers dont le nom contient le mot « rapport ».

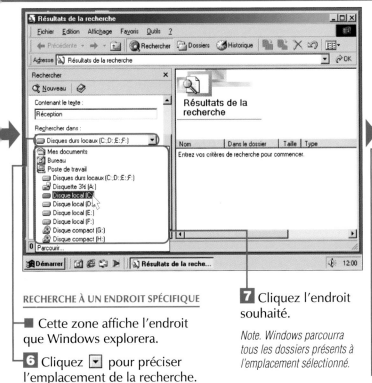

RECHERCHE À UN ENDROIT SPÉCIFIQUE

■ Cette zone affiche l'endroit que Windows explorera.

6 Cliquez ▼ pour préciser l'emplacement de la recherche.

7 Cliquez l'endroit souhaité.

Note. Windows parcourra tous les dossiers présents à l'emplacement sélectionné.

OPTIONS DE RECHERCHE AVANCÉES

8 Pour utiliser des options de recherche plus poussées, cliquez **Options de recherche**.

■ D'autres options de recherche apparaissent. Vous pouvez avoir besoin de la barre de défilement pour les visualiser toutes.

*Note. Pour masquer à nouveau ces options, cliquez **Options de recherche**.*

SUITE ▶

RECHERCHER UN FICHIER

Vous pouvez rechercher un fichier avec lequel vous avez travaillé à une période donnée, ou un fichier d'un type précis, comme un document WordPad.

Rechercher : Fichiers créés dans WordPad

WordPad

RECHERCHER UN FICHIER (SUITE)

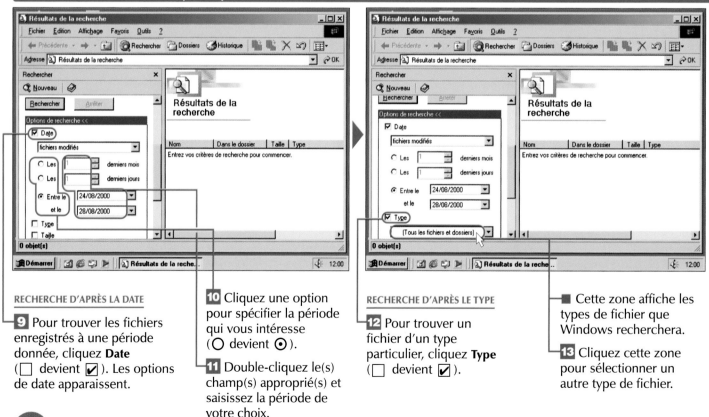

RECHERCHE D'APRÈS LA DATE

9 Pour trouver les fichiers enregistrés à une période donnée, cliquez **Date** (☐ devient ☑). Les options de date apparaissent.

10 Cliquez une option pour spécifier la période qui vous intéresse (○ devient ⊙).

11 Double-cliquez le(s) champ(s) approprié(s) et saisissez la période de votre choix.

RECHERCHE D'APRÈS LE TYPE

12 Pour trouver un fichier d'un type particulier, cliquez **Type** (☐ devient ☑).

■ Cette zone affiche les types de fichier que Windows recherchera.

13 Cliquez cette zone pour sélectionner un autre type de fichier.

Quels types de fichier puis-je rechercher ?

Vous pouvez restreindre la recherche en spécifiant le type du fichier à trouver. Les types de fichier proposés dépendent des programmes installés sur votre ordinateur. Voici une liste des plus courants :

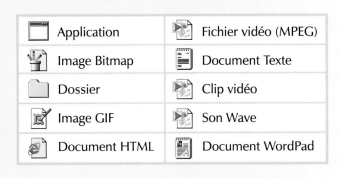

	Application		Fichier vidéo (MPEG)
	Image Bitmap		Document Texte
	Dossier		Clip vidéo
	Image GIF		Son Wave
	Document HTML		Document WordPad

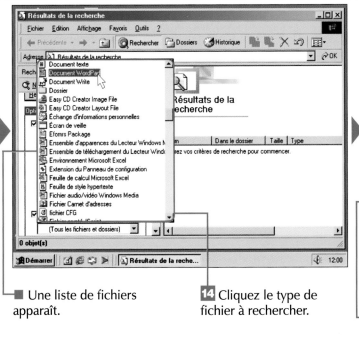

■ Une liste de fichiers apparaît.

14 Cliquez le type de fichier à rechercher.

DÉMARRER LA RECHERCHE

15 Cliquez **Rechercher** pour lancer la recherche.

■ Cette zone affiche les noms des fichiers concordants trouvés par Windows et des informations sur chacun d'entre eux.

16 Pour ouvrir un fichier, double-cliquez-le.

AJOUTER UN RACCOURCI SUR LE BUREAU

Vous pouvez ajouter un raccourci sur le bureau pour accéder rapidement à un fichier que vous utilisez souvent.

AJOUTER UN RACCOURCI SUR LE BUREAU

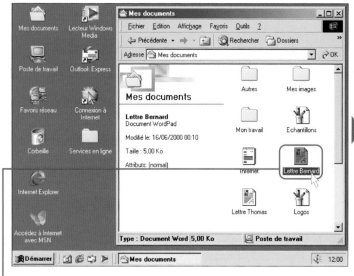

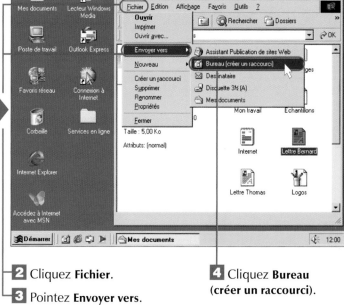

1 Cliquez le fichier pour lequel vous désirez créer un raccourci.

2 Cliquez **Fichier**.

3 Pointez **Envoyer vers**.

4 Cliquez **Bureau (créer un raccourci)**.

Comment renommer ou supprimer un raccourci ?

Un raccourci peut être renommé ou supprimé comme un fichier, sans que cela affecte le fichier original. Selon que vous désirez renommer ou supprimer un fichier, consultez la page 185 ou 190.

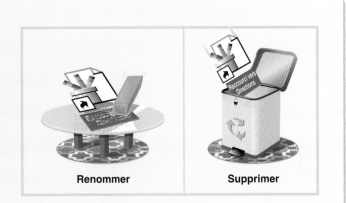

Renommer   **Supprimer**

■ Le raccourci apparaît sur le bureau.

■ Vous pouvez distinguer le raccourci de l'original grâce à la petite flèche (🡕) qu'il affiche.

■ Vous pouvez double-cliquer le raccourci pour ouvrir le fichier correspondant.

Note. Vous pouvez créer un raccourci vers un dossier (et accéder ainsi rapidement à tous les fichiers qu'il contient) de la même manière que vers un fichier.

CHAPITRE 11

PERSONNALISER VOTRE ORDINATEUR

Vous voulez personnaliser votre ordinateur ? Lisez ce chapitre : vous y apprendrez à définir un écran de veille, à changer la configuration de la souris, *etc.*

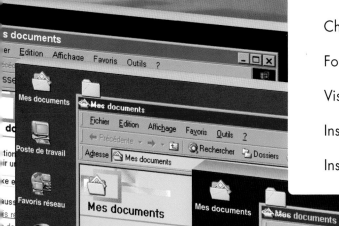

Vous pouvez enjoliver l'écran de l'ordinateur en ajoutant un papier peint au bureau.

AJOUTER UN PAPIER PEINT

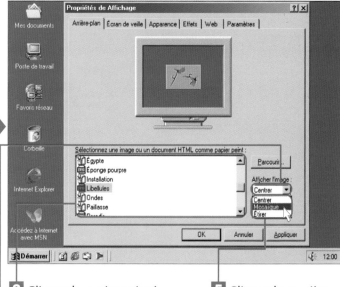

1 Cliquez une zone vierge du bureau avec le bouton droit. Un menu apparaît.

2 Cliquez **Propriétés**.

■ La boîte de dialogue Propriétés de Affichage apparaît.

3 Cliquez le papier peint à appliquer à l'écran.

4 Cliquez cette zone pour choisir le mode d'affichage du papier peint.

5 Cliquez la manière dont vous souhaitez afficher le papier peint.

Note. Pour plus d'informations, consultez le haut de la page 209.

Comment le papier peint peut-il s'afficher à l'écran ?

Centrer

Place le papier peint au centre de l'écran.

Mosaïque

Répète le papier peint autant de fois que nécessaire pour occuper tout l'écran.

Étirer

Étire le papier peint pour lui faire occuper tout l'écran.

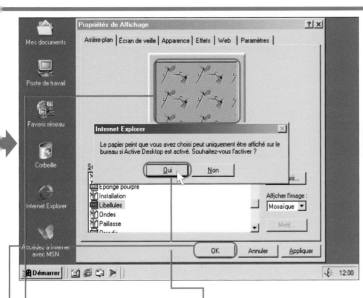

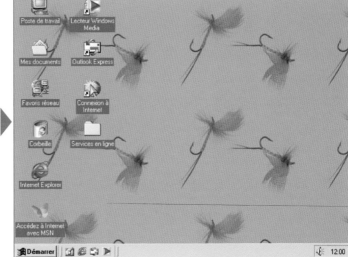

■ Cette zone montre comment le papier peint sélectionné se présentera à l'écran.

6 Cliquez **OK** pour ajouter le papier peint à l'écran.

■ Une boîte de dialogue apparaît si le papier peint choisi nécessite d'activer l'Active Desktop.

7 Cliquez **Oui** pour activer l'Active Desktop.

■ Le papier peint apparaît à l'écran.

■ Pour supprimer un papier peint de l'écran, répétez les étapes 1 à 3, en sélectionnant cette fois (**Aucun**) à l'étape 3, puis passez à l'étape 6.

INSTALLER UN ÉCRAN DE VEILLE

Un écran de veille est une image ou un motif mobile qui apparaît automatiquement à l'écran quand l'ordinateur n'est pas utilisé pendant une période prolongée.

INSTALLER UN ÉCRAN DE VEILLE

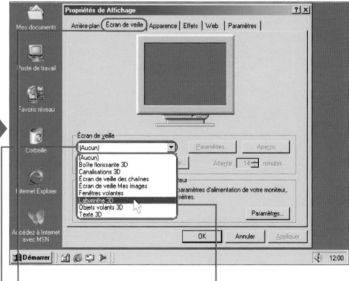

1 Cliquez une zone vierge du bureau avec le bouton droit. Un menu apparaît.

2 Cliquez **Propriétés**.

■ La boîte de dialogue Propriétés de Affichage apparaît.

3 Cliquez l'onglet **Écran de veille**.

4 Cliquez cette zone pour afficher une liste des écrans de veille disponibles.

5 Cliquez l'écran de veille à utiliser.

Note. L'écran de veille Mes images affiche en alternance toutes les images stockées dans le dossier Mes images.

210

Est-il indispensable d'utiliser un écran de veille ?

Les écrans de veille servaient initialement à empêcher le phénomène d'incrustation qui se produisait sur les premiers écrans quand une image demeurait fixe pendant une période prolongée. Les moniteurs actuels ne craignent plus ce phénomène, mais on utilise toujours des écrans de veille pour leur intérêt ludique.

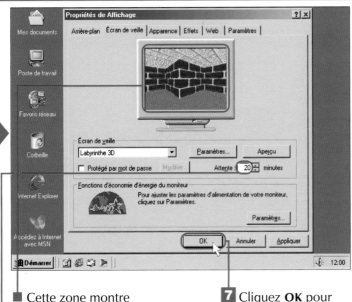

■ Cette zone montre comment se présentera l'écran de veille.

6 L'écran de veille apparaît quand l'ordinateur n'a pas été utilisé pendant un certain nombre de minutes. Pour spécifier cette durée, double-cliquez cette zone, puis saisissez le nombre souhaité.

7 Cliquez **OK** pour confirmer vos modifications.

■ L'écran de veille apparaît après le temps d'inactivité défini.

■ Un simple mouvement de la souris ou une pression sur le clavier fait disparaître l'écran de veille.

■ Pour désactiver l'écran de veille, répétez les étapes 1 à 5, en sélectionnant cette fois (**Aucun**) à l'étape 5, puis passez à l'étape 7.

MODIFIER LES COULEURS DE L'ÉCRAN

Vous pouvez modifier les couleurs affichées à l'écran, en vue de personnaliser Windows ou d'améliorer l'esthétique de l'interface.

MODIFIER LES COULEURS DE L'ÉCRAN

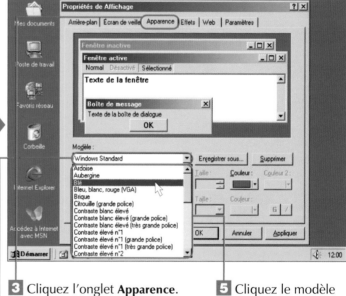

1 Cliquez une zone vierge du bureau avec le bouton droit. Un menu apparaît.

2 Cliquez **Propriétés**.

■ La boîte de dialogue Propriétés de Affichage apparaît.

3 Cliquez l'onglet **Apparence**.

4 Cliquez cette zone pour afficher une liste des modèles de couleurs disponibles.

5 Cliquez le modèle de couleurs à utiliser.

C'EST SIMPLE

Quelle différence existe-t-il entre les modèles de
couleurs Contraste élevé, 65 536 couleurs et VGA ?

Contraste élevé

Les modèles de couleurs
Contraste élevé sont
conçus pour les
personnes qui souffrent
de troubles visuels.

65 536 couleurs

Les modèles de
couleurs 65 536
couleurs sont conçus
pour les ordinateurs
capables d'afficher
plus de 256 couleurs.

VGA

Les modèles de couleurs VGA
sont conçus pour les ordinateurs
limités à 16 couleurs.

Pour changer le nombre de
couleurs affichées à l'écran,
consultez la page 216.

■ Cette zone montre
comment se présentera
l'écran avec le modèle de
couleurs sélectionné.

6 Cliquez **OK** pour
appliquer le nouveau
modèle.

■ L'écran adopte le
modèle de couleurs
sélectionné.

■ Pour rétablir le
modèle de couleurs
original, répétez les
étapes **1** à **6**, en
sélectionnant cette fois
Windows Standard à
l'étape **5**.

Il est important que la date et l'heure de l'ordinateur soient réglées correctement, car Windows les utilise pour déterminer à quel moment les documents sont créés et modifiés.

RÉGLER LA DATE ET L'HEURE

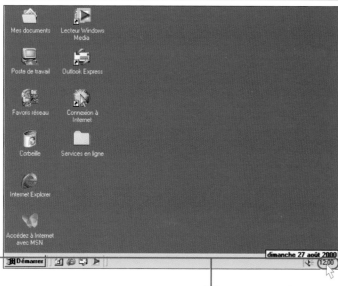

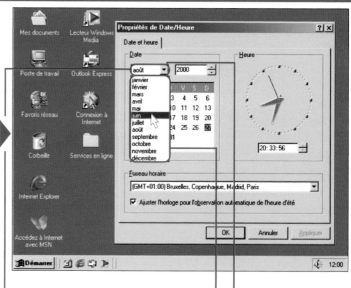

■ Cette zone affiche l'heure sur laquelle est réglé l'ordinateur.

1 Pour consulter la date sur laquelle est réglé l'ordinateur, placez le pointeur � sur cette zone. Quelques instants après, la date apparaît.

2 Pour régler la date ou l'heure, double-cliquez cette zone.

■ La boîte de dialogue Propriétés de Date/Heure apparaît.

■ Cette zone affiche le mois sur lequel est réglé l'ordinateur.

3 Pour changer le mois, cliquez cette zone.

4 Cliquez le mois correct.

C'EST SIMPLE

Windows mémorise-t-il la date et l'heure quand l'ordinateur est éteint ?

Oui. L'ordinateur intègre une horloge qui stocke la date et l'heure même quand il n'est plus sous tension.

C'EST SIMPLE

Windows change-t-il toujours l'heure automatiquement lorsque nous passons à l'heure d'hiver ou d'été ?

Oui. Quand vous allumez votre ordinateur après le changement d'horaire, Windows affiche un message indiquant que l'heure a été modifiée.

Heure modifiée

Windows a modifié votre horloge en fonction du nouvel horaire. Vérifiez que les nouveaux paramètres sont corrects.

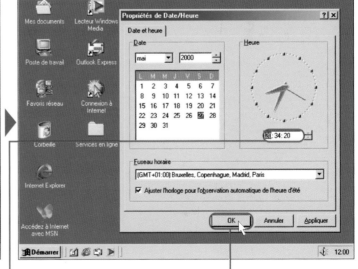

■ Cette zone affiche l'année sur laquelle est réglé l'ordinateur.

5 Pour changer l'année, cliquez ▲ ou ▼ dans cette zone, jusqu'à ce que l'année appropriée apparaisse.

■ Cette zone affiche les jours du mois. Le jour en cours apparaît en surbrillance.

6 Pour changer le jour, cliquez le jour correct.

■ Cette zone affiche l'heure sur laquelle est réglé l'ordinateur.

7 Pour changer l'heure, double-cliquez la partie à modifier, puis saisissez la valeur appropriée.

8 Cliquez **OK** pour confirmer vos modifications.

CHANGER LA PROFONDEUR DE COULEUR

Vous pouvez modifier le nombre de couleurs affichées à l'écran. Plus il est élevé, meilleure est la qualité des images.

Le nombre de couleurs maximal affichable à l'écran dépend du moniteur et de la carte vidéo.

CHANGER LA PROFONDEUR DE COULEUR

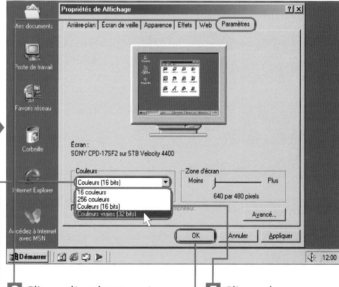

1 Cliquez une zone vierge du bureau avec le bouton droit. Un menu apparaît.

2 Cliquez **Propriétés**.

■ La boîte de dialogue Propriétés de Affichage apparaît.

3 Cliquez l'onglet **Paramètres**.

4 Cliquez cette zone pour sélectionner une nouvelle profondeur de couleur.

5 Cliquez la profondeur de couleur souhaitée.

6 Cliquez **OK** pour confirmer votre modification.

C'EST SIMPLE

Quand faut-il changer
le nombre de couleurs
affichées à l'écran ?

Il est parfois nécessaire
d'afficher davantage de
couleurs pour consulter des
photos, lire des vidéos ou
jouer sur votre ordinateur.
Windows propose les
profondeurs de couleur
suivantes :

16 couleurs
256 couleurs
Couleurs (16 bits) : plus de 65 000 couleurs
Couleurs vraies (24 bits) : plus de 16 millions de couleurs

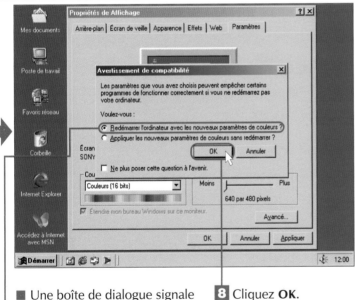

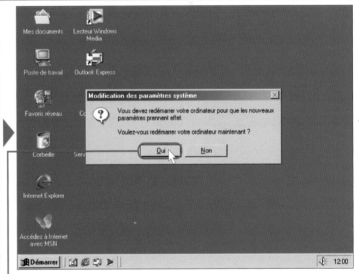

■ Une boîte de dialogue signale
que certains programmes
risquent de ne pas fonctionner
correctement si vous ne
redémarrez pas l'ordinateur.

7 Cliquez cette option pour
redémarrer l'ordinateur et
adopter la nouvelle profondeur
de couleur (○ devient ⊙).

8 Cliquez **OK**.

■ Une boîte de dialogue
apparaît, indiquant que
vous devez redémarrer
l'ordinateur pour valider
les nouveaux paramètres.

9 Cliquez **Oui** pour
redémarrer l'ordinateur.

■ Au redémarrage de
l'ordinateur, Windows
applique la nouvelle
profondeur de couleur.

CHANGER LA RÉSOLUTION DE L'ÉCRAN

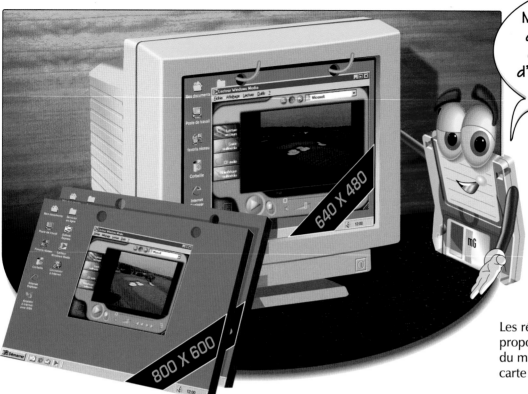

Modifier la résolution de l'écran permet de changer la quantité d'informations visibles à l'écran.

Les résolutions proposées dépendent du moniteur et de la carte vidéo.

CHANGER LA RÉSOLUTION DE L'ÉCRAN

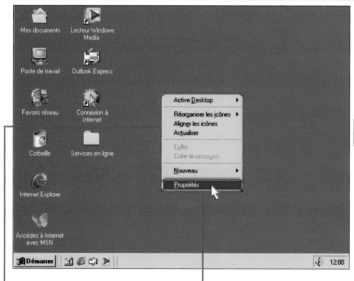

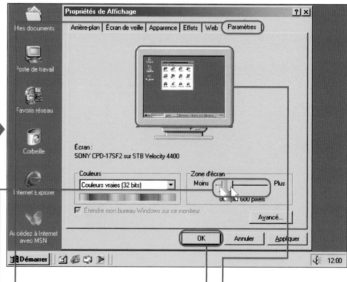

1 Cliquez une zone vierge du bureau avec le bouton droit. Un menu apparaît.

2 Cliquez **Propriétés**.

■ La boîte de dialogue Propriétés de Affichage apparaît.

3 Cliquez l'onglet **Paramètres**.

4 Pour modifier la résolution, faites glisser le curseur (▯) jusqu'à la résolution de votre choix.

■ Cette zone montre comment se présentera l'écran à la résolution sélectionnée.

5 Cliquez **OK** pour confirmer votre modification.

Quelle résolution choisir ?

La résolution s'exprime en nombre de pixels affichés dans la largeur de l'écran multiplié par le nombre de pixels affichés dans la hauteur. Un pixel correspond au plus petit point affichable sur un moniteur. Les résolutions les plus fréquentes sont 640 x 480 et 800 x 600.

Plus la résolution est faible, plus les images affichées à l'écran sont grandes, et plus il est facile de distinguer les différents éléments.

Plus la résolution est élevée, plus les images affichées à l'écran sont petites, et plus le nombre d'informations visibles à l'écran est élevé.

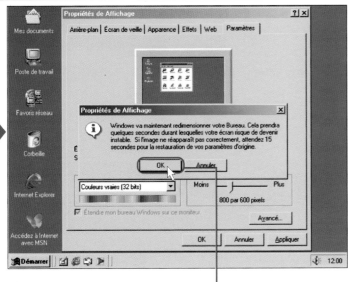

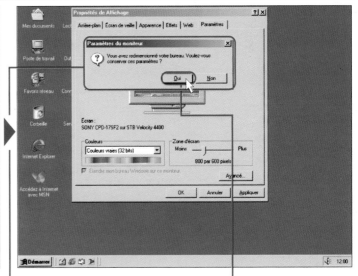

■ Une boîte de dialogue signale que Windows va prendre quelques secondes pour changer la résolution de l'écran. Il est possible que votre écran scintille pendant cette modification.

6 Cliquez **OK** pour modifier la résolution.

■ Windows redimensionne les informations affichées à l'écran.

■ La boîte de dialogue Paramètres du moniteur apparaît, demandant si vous souhaitez conserver la nouvelle résolution.

7 Cliquez **Oui** pour la conserver.

Avant de pouvoir stocker des informations sur une disquette, vous devez formater cette dernière.

Généralement, les disquettes vendues dans les magasins d'informatique sont déjà formatées. Vous pouvez néanmoins avoir besoin de formater de nouveau une disquette pour effacer les informations qu'elle contient et la préparer à en stocker de nouvelles.

FORMATER UNE DISQUETTE

1 Insérez la disquette à formater dans le lecteur.

2 Double-cliquez **Poste de travail**.

■ La fenêtre Poste de travail apparaît.

3 Cliquez le lecteur contenant la disquette à formater.

4 Cliquez **Fichier**.

5 Cliquez **Formater**.

Comment connaître la quantité d'informations maximale enregistrable sur une disquette ?

Disquette double densité

Les disquettes de 3,5 pouces avec un seul trou peuvent stocker 720 Ko d'informations.

Disquette haute densité

Les disquettes de 3,5 pouces avec deux trous et portant la mention HD peuvent stocker 1,44 Mo d'informations.

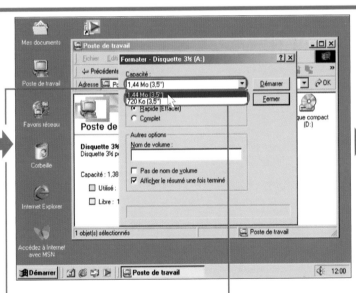

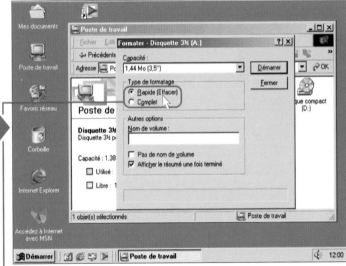

■ La boîte de dialogue Formater apparaît.

6 Cliquez cette zone pour indiquer la quantité d'informations maximale que la disquette peut stocker.

7 Cliquez la capacité de stockage de la disquette.

Note. Pour plus d'informations, consultez le haut de cette page.

8 Cliquez le type de formatage à effectuer (○ devient ◉).

Note. Si la disquette n'a jamais été formatée, sélectionnez l'option ***Complet***.

Rapide (Effacer)

Supprime tous les fichiers, mais ne recherche pas les zones éventuellement endommagées sur la disquette.

Complet

Supprime tous les fichiers et examine la disquette pour détecter les zones éventuellement endommagées.

SUITE

FORMATER UNE DISQUETTE

Avant de formater une disquette, vérifiez qu'elle ne contient pas d'informations dont vous avez besoin, car le formatage détruit irrémédiablement toutes les données qui s'y trouvent.

Disquette
Double face
1,44 Mo

FORMATER UNE DISQUETTE (SUITE)

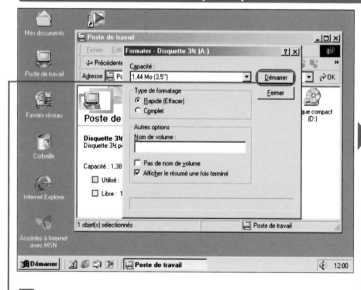

9 Cliquez **Démarrer** pour commencer le formatage.

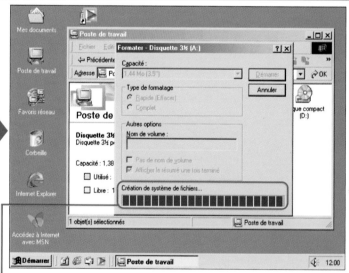

■ Cette zone permet de voir la progression du formatage.

Comment savoir si une disquette est formatée ?

Quand vous essayez de visualiser le contenu d'une disquette non formatée, Windows affiche automatiquement un message d'erreur. Il n'est pas possible de savoir, en la regardant, si une disquette est formatée. Pour consulter le contenu d'une disquette, reportez-vous à la page 168.

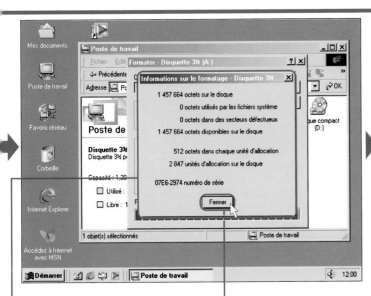

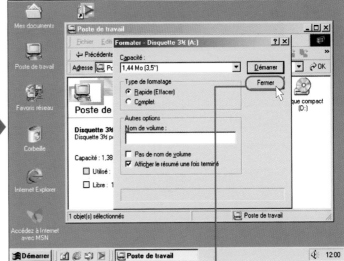

■ La boîte de dialogue Informations sur le formatage apparaît quand le formatage est terminé. Elle contient des informations sur la disquette formatée.

10 Après avoir lu ces informations, cliquez **Fermer** pour fermer la boîte de dialogue.

■ Pour formater une autre disquette, insérez-la dans le lecteur et répétez les étapes 6 à 10, qui commencent à la page 221.

11 Cliquez **Fermer** pour fermer la boîte de dialogue Formater.

Vous pouvez voir très facilement la quantité d'espace disque utilisée et la quantité disponible.

Vérifiez la quantité d'espace disponible sur votre disque dur (C:) au moins une fois par mois et veillez à ce qu'elle représente au moins 10 % de l'espace disque total.

VISUALISER L'ESPACE DISQUE

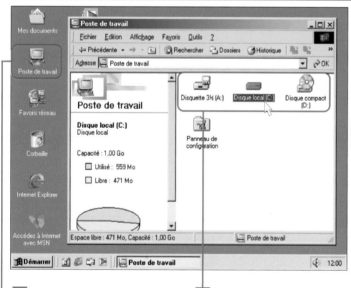

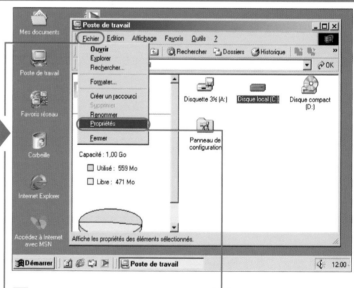

1 Double-cliquez **Poste de travail**.

■ La fenêtre Poste de travail apparaît.

2 Pour visualiser l'espace total d'un disque, cliquez ce dernier.

Note. Pour visualiser l'espace total d'une disquette, insérez cette dernière dans le lecteur avant d'effectuer l'étape 2.

3 Cliquez **Fichier**.

4 Cliquez **Propriétés**.

Comment augmenter la quantité
d'espace libre sur le disque dur ?

Supprimez des fichiers

Supprimez les fichiers
dont vous n'avez plus
besoin. Pour ce faire,
consultez la page 190.

**Utilisez le programme
Nettoyage de disque**

Retirez les fichiers inutiles
de l'ordinateur grâce au
programme Nettoyage de
disque.

Supprimez des programmes

Retirez de votre ordinateur
les programmes dont vous
n'avez plus besoin.

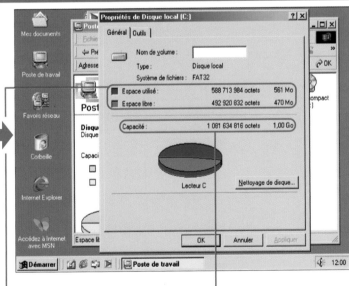

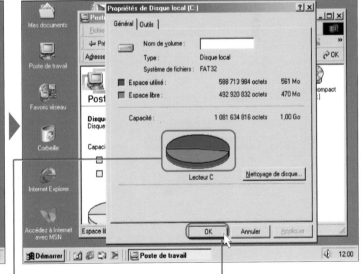

■ La boîte de dialogue
Propriétés apparaît.

■ Cette zone affiche les
quantités d'espace libre
et utilisée sur le disque,
en octet, Méga-octet (Mo)
et Giga-octet (Go).

■ Cette zone indique la
quantité totale d'espace
disque, en octets et en
Giga-octets (Go).

■ Ce graphique permet de
visualiser les proportions
d'espace libre et utilisé.

5 Après avoir lu les
informations, cliquez **OK**
pour fermer la boîte de
dialogue Propriétés.

INSTALLER UN PROGRAMME

Vous pouvez ajouter un nouveau programme sur votre ordinateur. Il peut vous être fourni sur un CD-ROM ou sur des disquettes.

Après avoir installé un programme, veillez bien à en conserver le CD-ROM ou les disquettes dans un endroit sûr. Si votre ordinateur tombe en panne ou que vous supprimez les fichiers du logiciel par mégarde, vous risquez en effet de devoir réinstaller le programme.

INSTALLER UN PROGRAMME

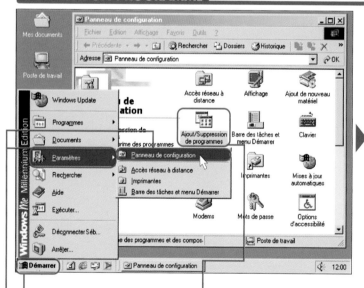

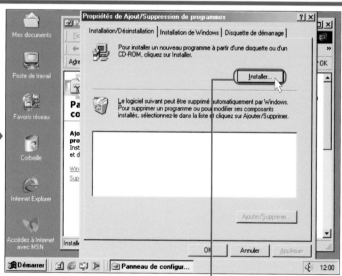

1 Cliquez **Démarrer**.

2 Pointez **Paramètres**.

3 Cliquez **Panneau de configuration**.

■ La fenêtre Panneau de configuration apparaît.

4 Double-cliquez **Ajout/Suppression de programmes**.

Note. Il se peut que les éléments de votre fenêtre Panneau de configuration ne se présentent pas comme dans cet exemple. Si nécessaire, utilisez la barre de défilement pour faire apparaître l'icône Ajout/Suppression de programmes.

■ La boîte de dialogue Propriétés de Ajout/ Suppression de programmes apparaît.

5 Cliquez **Installer**, afin d'installer un nouveau programme.

226

Pourquoi mon programme d'installation a-t-il démarré automatiquement dès l'insertion du CD-ROM dans le lecteur ?

La plupart des programmes fournis sur CD-ROM lancent automatiquement un programme d'installation dès que vous insérez le disque dans le lecteur. Il vous suffit ensuite de suivre les instructions à l'écran pour procéder à l'installation.

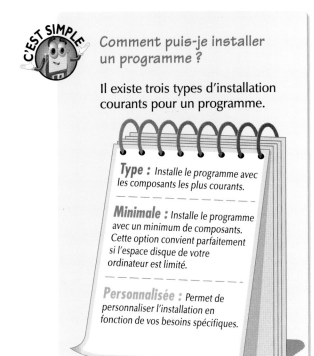

Comment puis-je installer un programme ?

Il existe trois types d'installation courants pour un programme.

Type : *Installe le programme avec les composants les plus courants.*

Minimale : *Installe le programme avec un minimum de composants. Cette option convient parfaitement si l'espace disque de votre ordinateur est limité.*

Personnalisée : *Permet de personnaliser l'installation en fonction de vos besoins spécifiques.*

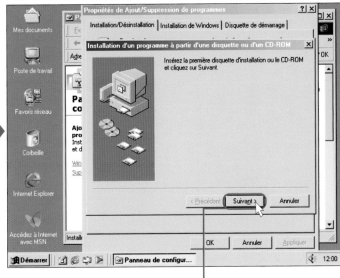

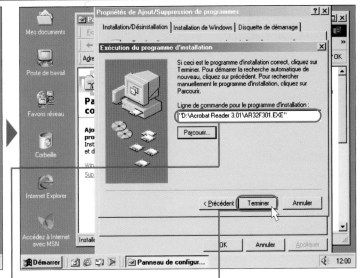

■ L'assistant Installation d'un programme à partir d'une disquette ou d'un CD-ROM apparaît.

6 Insérez le premier disque (CD-ROM ou disquette) d'installation dans le lecteur correspondant.

7 Cliquez **Suivant** pour continuer.

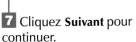

■ Windows localise le premier fichier nécessaire à l'installation du programme.

8 Cliquez **Terminer**, afin d'installer le programme.

9 Suivez les instructions données à l'écran. Chaque programme pose des questions spécifiques.

Avant de pouvoir utiliser une nouvelle imprimante, vous devez l'installer sur l'ordinateur. Vous n'avez à effectuer cette installation qu'une seule fois.

Windows intègre un assistant qui vous guide étape par étape pendant la procédure d'installation.

INSTALLER UNE IMPRIMANTE

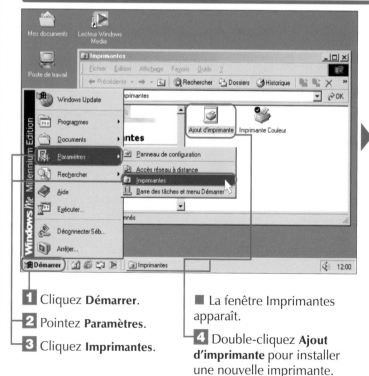

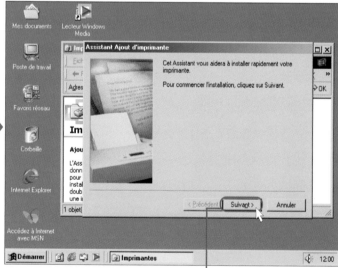

1 Cliquez **Démarrer**.

2 Pointez **Paramètres**.

3 Cliquez **Imprimantes**.

■ La fenêtre Imprimantes apparaît.

4 Double-cliquez **Ajout d'imprimante** pour installer une nouvelle imprimante.

■ La boîte de dialogue Assistant Ajout d'imprimante apparaît.

5 Cliquez **Suivant** pour continuer.

Que faire si l'imprimante à installer n'apparaît pas dans la liste ?

Si l'imprimante à installer ne figure pas dans la liste affichée à l'étape 9 ci-dessous, vous pouvez utiliser le disque d'installation fourni avec la machine.

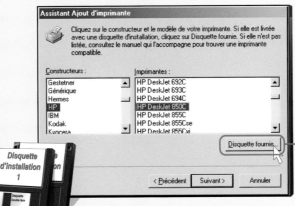

1 Insérez la disquette d'installation dans le lecteur.

2 Cliquez **Disquette fournie**, puis appuyez sur la touche `Entrée`.

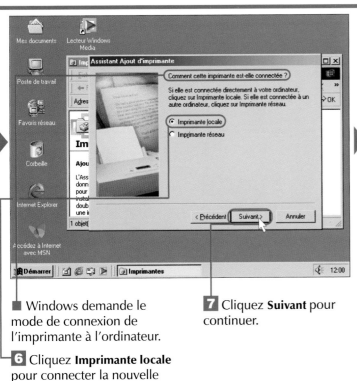

■ Windows demande le mode de connexion de l'imprimante à l'ordinateur.

6 Cliquez **Imprimante locale** pour connecter la nouvelle imprimante directement à l'ordinateur (○ devient ⊙).

7 Cliquez **Suivant** pour continuer.

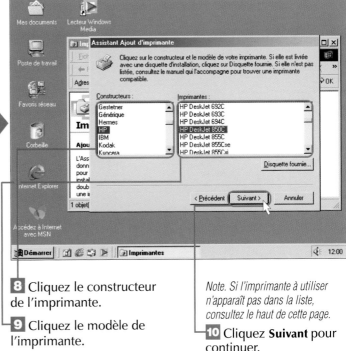

8 Cliquez le constructeur de l'imprimante.

9 Cliquez le modèle de l'imprimante.

Note. Si l'imprimante à utiliser n'apparaît pas dans la liste, consultez le haut de cette page.

10 Cliquez **Suivant** pour continuer.

SUITE

INSTALLER UNE IMPRIMANTE

Lors de l'installation d'une imprimante, vous devez indiquer le port à utiliser. Un port est une prise à l'arrière de l'ordinateur, dans laquelle vient s'enficher le matériel connecté.

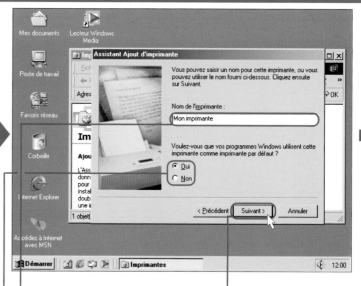

INSTALLER UNE IMPRIMANTE (SUITE)

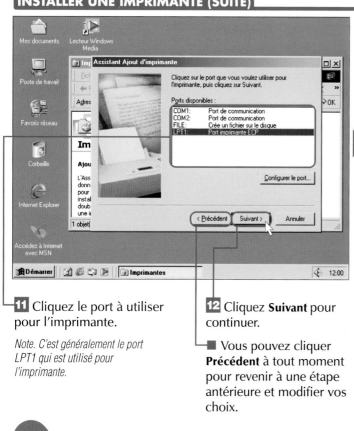

11 Cliquez le port à utiliser pour l'imprimante.

Note. C'est généralement le port LPT1 qui est utilisé pour l'imprimante.

12 Cliquez **Suivant** pour continuer.

■ Vous pouvez cliquer **Précédent** à tout moment pour revenir à une étape antérieure et modifier vos choix.

13 Windows fournit un nom par défaut à l'imprimante. Pour utiliser un nom différent, saisissez-le.

14 Cliquez **Oui** ou **Non**, selon que vous souhaitez ou non que l'imprimante soit celle utilisée par défaut, c'est-à-dire celle vers laquelle seront automatiquement envoyés les fichiers (○ devient ⊙).

Note. Si vous installez ici votre première imprimante, il est inutile d'effectuer l'étape 14.

15 Cliquez **Suivant** pour continuer.

230

Qu'est-ce qu'une imprimante Plug and Play ?

Il s'agit d'une imprimante que Windows est capable de détecter automatiquement après le branchement du dispositif et l'allumage de l'ordinateur. Windows affiche dans ce cas l'assistant Ajout de nouveau matériel, afin de vous faciliter l'installation. Suivez alors les instructions affichées à l'écran.

Pourquoi faut-il installer l'imprimante ?

En installant l'imprimante, vous pouvez indiquer à Windows le pilote qu'il doit utiliser. Un pilote est un programme qui permet à l'ordinateur de communiquer avec l'imprimante. Lorsque vous installez cette dernière, Windows vous aide à choisir le bon pilote.

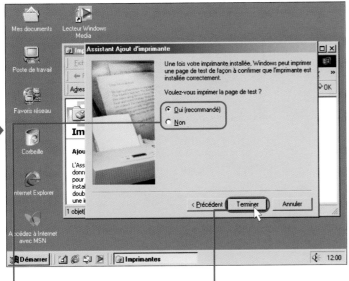

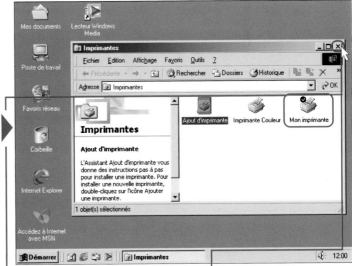

16 Cliquez **Oui** ou **Non** suivant que vous souhaitez ou non imprimer une page de test (○ devient ⊙). Celle-ci permet de vous assurer que l'imprimante fonctionne correctement.

17 Cliquez **Terminer** pour installer l'imprimante.

■ Une nouvelle icône apparaît dans la fenêtre Imprimantes.

■ Si vous avez choisi de faire de votre machine l'imprimante par défaut à l'étape **14**, une coche (✔) apparaît à côté de son icône.

*Note. Si vous avez demandé l'impression d'une page de test à l'étape **16**, une boîte de dialogue demande si cette page est correcte. Cliquez **Oui** si tel est le cas.*

18 Cliquez ✕ pour fermer la fenêtre Imprimantes.

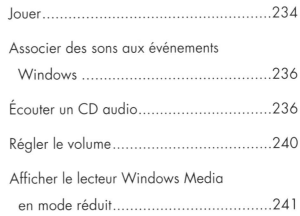

CHAPITRE 12

SE DISTRAIRE AVEC WINDOWS

Aimeriez-vous jouer et écouter des CD ou des radios sur votre ordinateur ? Ce chapitre montre comment faire.

Windows est fourni avec plusieurs jeux. Ces derniers permettent d'apprendre de manière ludique à mieux maîtriser la souris et à améliorer la coordination entre les mains et les yeux.

Vous pouvez jouer à certains jeux, comme les dames, avec d'autres joueurs sur l'Internet. Windows vous met en relation avec des internautes du monde entier. Pour jouer, vous avez besoin d'une connexion Internet.

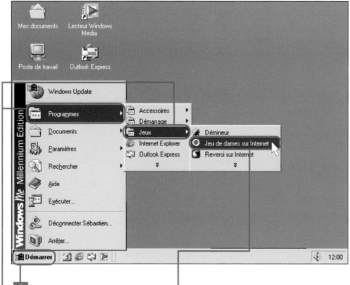

1 Cliquez **Démarrer**.

2 Pointez **Programmes**.

3 Pointez **Jeux**.

Note. Si l'option que vous cherchez n'apparaît pas dans le menu, positionnez le pointeur ⍗ sur le bas du menu pour en afficher toutes les commandes.

4 Cliquez le jeu de votre choix.

■ Si vous avez sélectionné un jeu qui se joue sur l'Internet, une boîte de dialogue apparaît, affichant des informations sur ce type de divertissement.

Note. Si vous avez sélectionné un jeu qui ne se joue pas sur l'Internet, passez directement à l'étape 7.

5 Cliquez **Jouer** pour continuer.

Quels sont les jeux fournis avec Windows ?

Voici quelques jeux très connus fournis avec Windows.

Solitaire

Le solitaire est un jeu de patience très connu, qui se joue donc seul. L'objectif est de placer toutes les cartes dans l'ordre, de l'as au roi, en constituant une pile pour chacune des quatre couleurs.

Démineur

Le démineur est un jeu de stratégie dont le but est d'éviter d'exploser sur les mines.

Pinball

Pinball est un jeu de flipper similaire à ceux des salles de jeux. On lance une balle avec laquelle on essaye de marquer un maximum de points.

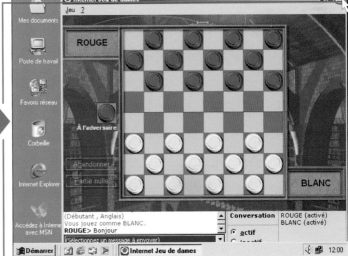

■ Si vous n'êtes pas encore connecté à l'Internet, la boîte de dialogue Connexion à apparaît.

■ Ces zones affichent votre nom d'utilisateur et votre mot de passe.

Note. Un astérisque (*) apparaît à la place de chacun des caractères de votre mot de passe pour cacher ce dernier aux yeux des autres utilisateurs.

6 Cliquez **Connecter** pour vous connecter à l'Internet.

■ La fenêtre du jeu apparaît. Dans cet exemple, la fenêtre Internet Jeu de dames apparaît.

7 Quand vous avez fini de jouer à ce jeu, cliquez ☒ pour fermer la fenêtre.

■ Si vous jouez à un jeu sur l'Internet, un message vous demande confirmation avant de quitter le jeu. Cliquez **Oui** pour fermer le jeu.

ÉCOUTER UN CD AUDIO

Vous pouvez écouter des CD audio sur votre ordinateur tout en travaillant.

Pour écouter de la musique, vous devez posséder un lecteur de CD-ROM, une carte son et des haut-parleurs.

ÉCOUTER UN CD AUDIO

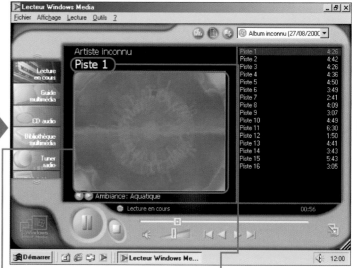

1 Insérez un CD dans votre lecteur de CD-ROM.

■ Le lecteur Windows Media apparaît et le CD est automatiquement joué.

2 Cliquez 🔲 pour agrandir la fenêtre du lecteur Windows Media, afin qu'elle occupe tout l'écran.

■ Cette zone affiche une représentation graphique de la chanson en cours.

■ Cette zone affiche le numéro de la chanson en cours.

Comment écouter un CD audio tout en faisant autre chose avec l'ordinateur ?

Si vous voulez faire autre chose de votre ordinateur tout en écoutant un CD audio, réduisez la fenêtre du lecteur Windows Media pour qu'elle n'apparaisse plus à l'écran. Consultez à cette fin la page 157.

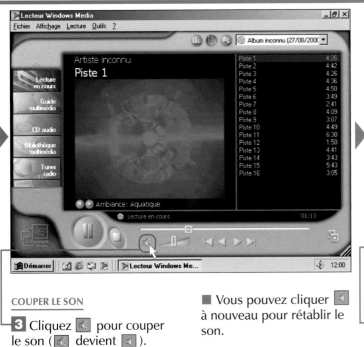

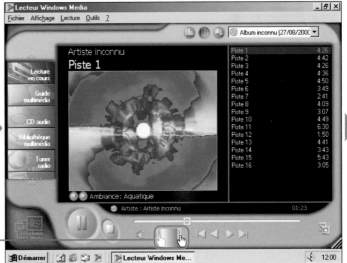

COUPER LE SON

3 Cliquez ◄ pour couper le son (◄ devient ◄).

■ Vous pouvez cliquer ◄ à nouveau pour rétablir le son.

MODIFIER LE VOLUME SONORE

4 Pour réduire ou augmenter le volume sonore, faites respectivement glisser ce curseur (▯) vers la gauche ou la droite.

Note. Le volume dépend aussi de celui réglé avec l'icône de haut-parleur (◄) dans la barre des tâches. Pour modifier le volume sonore de cette manière, consultez la page 240.

SUITE ▶

ÉCOUTER UN CD AUDIO

Quand vous écoutez un CD audio, vous pouvez passer d'une piste à l'autre ou visualiser la liste des chansons du CD.

ÉCOUTER UN CD AUDIO (SUITE)

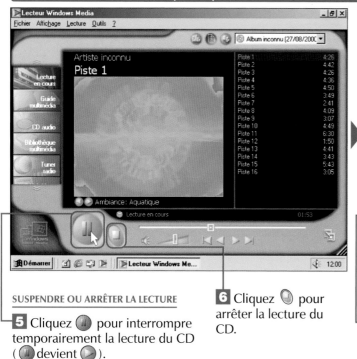

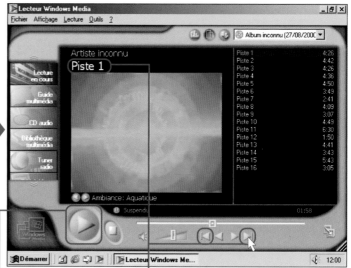

SUSPENDRE OU ARRÊTER LA LECTURE

5 Cliquez ⏸ pour interrompre temporairement la lecture du CD (⏸ devient ▶).

6 Cliquez ⏹ pour arrêter la lecture du CD.

REPRENDRE LA LECTURE

7 Cliquez ▶ pour reprendre la lecture du CD.

ÉCOUTER UNE AUTRE CHANSON

■ Cette zone indique la chanson en cours.

8 Cliquez l'une des options suivantes pour écouter une autre piste du CD.

◀ Passer à la chanson précédente

▶ Passer à la chanson suivante

Puis-je écouter un CD en privé ?

Vous pouvez écouter un CD audio
en privé en branchant un casque à
la prise située en façade de votre
lecteur de CD-ROM. Si ce dernier
ne prévoit pas de prise adéquate,
vous pouvez brancher le casque à
l'arrière de votre ordinateur, là où
vous enfichez habituellement vos
haut-parleurs.

AFFICHER LA LISTE DES PISTES

9 Cliquez l'onglet **CD
Audio** pour visualiser la
liste des chansons du CD.

■ Cette zone présente la
liste des chansons du CD.

10 Pour écouter une
chanson en particulier,
double-cliquez-la.

11 Pour revenir à la
représentation graphique
de la chanson en cours,
cliquez l'onglet **Lecture
en cours**.

FERMER LE LECTEUR WINDOWS MEDIA

12 Quand vous avez fini
d'écouter le CD, cliquez ☒
pour fermer la fenêtre lecteur
Windows Media.

13 Retirez le CD de
votre lecteur.

RÉGLER LE VOLUME

Vous pouvez facilement régler le volume du son diffusé par vos haut-parleurs.

Le réglage du volume affecte tous les sons, y compris les CD audio et les vidéos.

RÉGLER LE VOLUME

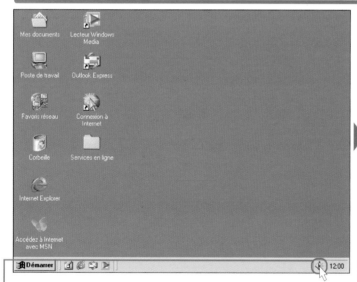

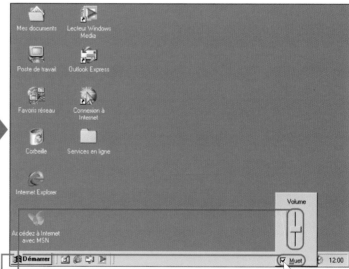

1 Cliquez ◄› pour afficher le contrôle du volume.

2 Faites glisser le curseur (▭) vers le haut ou le bas, selon que vous désirez augmenter ou diminuer le volume.

3 Cliquez cette option pour couper le son (☐ devient ☑). L'icône de haut-parleur ◄› devient 🚫 dans la barre des tâches.

Note. Vous pouvez répéter l'étape 3 pour réactiver le volume.

4 Cliquez une zone vierge du bureau pour masquer le contrôle du volume.

AFFICHER LE LECTEUR WINDOWS MEDIA EN MODE RÉDUIT

Le lecteur Windows Media peut être affiché en mode réduit pendant la lecture de fichiers sonores ou vidéo. Il occupe ainsi moins de place à l'écran.

Le mode réduit présente moins de fonctionnalités que le mode complet, mais il laisse à l'écran plus de place aux autres programmes.

AFFICHER LE LECTEUR WINDOWS MEDIA EN MODE RÉDUIT

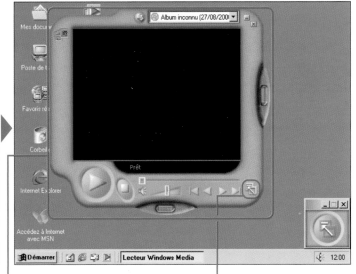

1 Cliquez ▶ pour lancer le lecteur Windows Media.

■ La fenêtre lecteur Windows Media apparaît.

2 Cliquez 🖾 pour passer en mode réduit.

■ Le lecteur Windows Media apparaît en mode réduit.

■ Pour afficher de nouveau le lecteur Windows Media en mode complet, cliquez 🖾 .

Cher Monsieur Coppens,
Je suis très honorée de vous informer
que votre société a été désignée pour
recevoir le Grand Prix de la Générosité.

L'effort, tant financier que matériel,
que vous avez déployé pour venir en aide
à notre Hôpital est tout à fait
admirable.

La remise officielle de votre prix s'effect
au cours de la réception qui aura li
le 12 juillet à 18 heures, dans les sa
Nordotel.

Catherine Fontaine, résidente
Association pour le Grand Prix de la Générosité

admirable

DÉMARRER AVEC WORD

ÉCRAN DE WORD

L'écran de Word affiche divers éléments, qui vous aident à accomplir vos tâches efficacement.

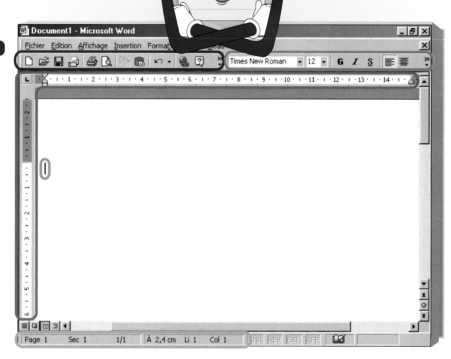

Barre d'outils Standard

Comporte des boutons qui facilitent la sélection de commandes courantes, comme Enregistrer et Imprimer.

Point d'insertion

Trait clignotant à l'écran, qui indique où apparaîtra le texte saisi.

Barre d'outils Mise en forme

Propose des boutons qui facilitent la sélection de commandes de mise en forme courantes, comme Gras et Souligné.

Règle

Permet de changer les marges et les tabulations du document.

Barre d'état

Renseigne sur la zone du document affichée à l'écran et sur la position du point d'insertion.

Page 1

Page affichée à l'écran.

Sec 1

Section du document visible à l'écran.

1/1

Page affichée à l'écran et nombre de pages total du document.

À 2,4 cm

Distance entre le haut de la page et le point d'insertion.

Li 1

Nombre de lignes qui séparent la marge supérieure du point d'insertion.

Col 1

Nombre de caractères entre la marge de gauche et le point d'insertion, espaces compris.

SAISIR DU TEXTE

Word permet de saisir rapidement et facilement du texte dans votre document.

Word souligne automatiquement les mots mal orthographiés en rouge et les erreurs de grammaire en vert, mais ces soulignements n'apparaissent pas dans le document imprimé.

SAISIR DU TEXTE

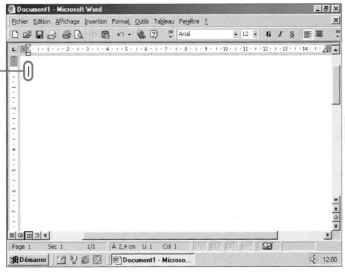

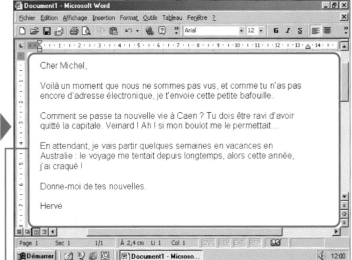

■ Le texte tapé apparaît à l'endroit où le point d'insertion clignote à l'écran.

1 Saisissez le texte du document.

■ Lorsque vous atteignez la fin d'une ligne, Word poursuit automatiquement l'inscription du texte sur la ligne suivante. Pour commencer un nouveau paragraphe, appuyez simplement sur la touche Entrée.

Note. Dans cet exemple, nous avons changé la police du texte et choisi Arial, afin d'améliorer la lisibilité du document. Pour modifier la police d'un texte, consultez la page 268.

SÉLECTIONNER DU TEXTE

La plupart des tâches que vous devez accomplir dans Word nécessitent de sélectionner auparavant le texte sur lequel vous souhaitez travailler.

Le texte sélectionné apparaît en surbrillance à l'écran.

SÉLECTIONNER DU TEXTE

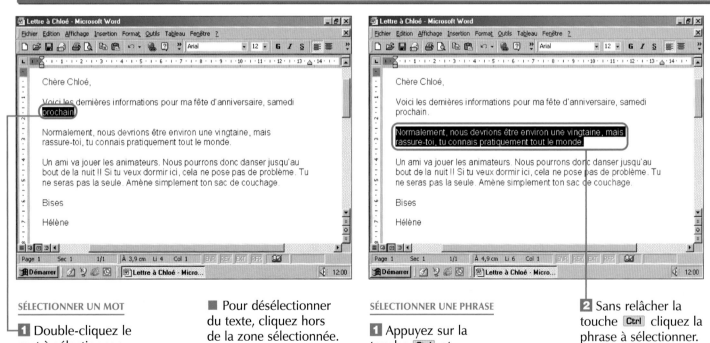

SÉLECTIONNER UN MOT

■ Pour désélectionner du texte, cliquez hors de la zone sélectionnée.

1 Double-cliquez le mot à sélectionner.

SÉLECTIONNER UNE PHRASE

1 Appuyez sur la touche **Ctrl** et maintenez-la enfoncée.

2 Sans relâcher la touche **Ctrl** cliquez la phrase à sélectionner.

Comment sélectionner
tout le texte d'un
document ?

Pour sélectionner rapidement
tout le texte d'un document,
appuyez sur la touche `Ctrl`
et, sans la relâcher, tapez `A`.

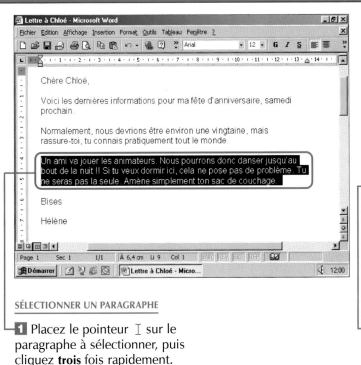

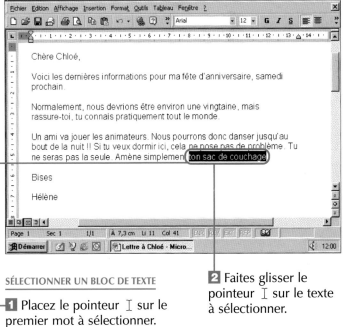

SÉLECTIONNER UN PARAGRAPHE

1 Placez le pointeur I sur le
paragraphe à sélectionner, puis
cliquez **trois** fois rapidement.

SÉLECTIONNER UN BLOC DE TEXTE

1 Placez le pointeur I sur le
premier mot à sélectionner.

2 Faites glisser le
pointeur I sur le texte
à sélectionner.

INSÉRER DU TEXTE

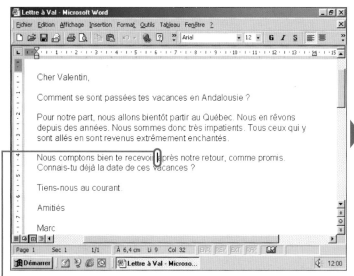

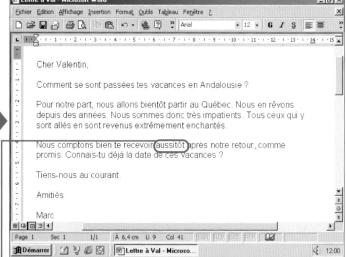

1 Cliquez à l'endroit où vous désirez insérer le nouveau texte.

■ Le texte saisi apparaîtra là où le point d'insertion clignote à l'écran.

Note. Vous pouvez appuyer sur les touches fléchées ← , → , ↑ *ou* ↓ *pour déplacer le point d'insertion.*

2 Saisissez le texte à insérer. Pour entrer un espace, appuyez sur la **barre d'espace**.

■ Les mots situés à droite du nouveau texte se décalent vers la droite.

Puis-je insérer des
symboles absents du
clavier ?

Oui. Lorsque vous tapez l'une
des séries de caractères
suivantes, Word la remplace
automatiquement par un
symbole.

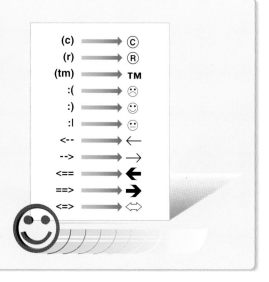

SUPPRIMER DU TEXTE

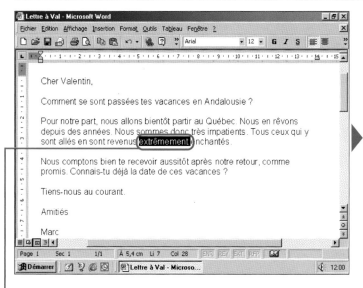

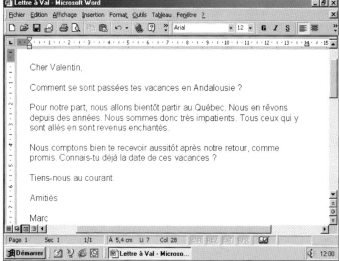

1 Sélectionnez le texte
à supprimer. Pour
sélectionner du texte,
consultez la page 246.

2 Appuyez sur la
touche **Suppr**, afin de
retirer le texte.

■ Le texte disparaît. Les
mots restants se déplacent,
afin d'occuper tout l'espace
libéré.

■ Pour supprimer un seul
caractère, cliquez à sa
droite et appuyez sur la
touche **◄Retour Arr**. Word
supprime le caractère situé
à gauche du point
d'insertion clignotant.

DÉPLACER OU COPIER DU TEXTE

Vous pouvez déplacer ou copier du texte à un nouvel endroit de votre document.

Déplacer du texte permet de réorganiser le texte de votre document.

Copier du texte permet de réutiliser des informations déjà saisies dans votre document, sans avoir à les retaper.

DÉPLACER OU COPIER DU TEXTE

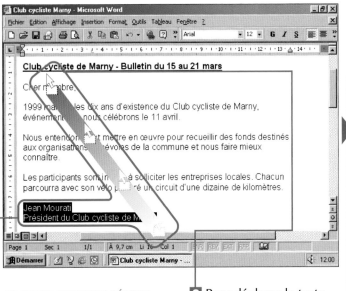

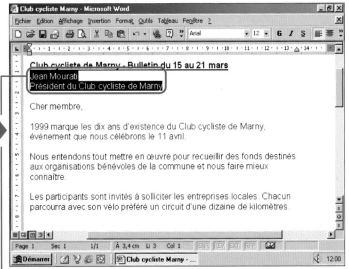

AU MOYEN DU GLISSER-DÉPOSER

1 Sélectionnez le texte à déplacer. Pour sélectionner du texte, consultez la page 246.

2 Placez le pointeur I sur le texte sélectionné (I devient �⃗).

3 Pour déplacer le texte, faites glisser le pointeur �⃗ à l'endroit de destination de la sélection.

Note. Le texte apparaîtra à l'endroit précis de l'écran indiqué par le pointeur accompagné d'un emplacement en pointillés.

■ Le texte est déplacé au nouvel endroit.

■ Pour copier du texte, effectuez les étapes 1 à 3, en appuyant cette fois sur la touche **Ctrl** sans la relâcher, à l'étape 3.

250

Pourquoi la barre d'outils Presse-papiers apparaît-elle lorsque je déplace ou copie du texte ?

La barre d'outils Presse-papiers apparaît parfois quand vous déplacez ou copiez du texte au moyen des boutons de la barre d'outils. Chaque icône de la barre Presse-papiers représente un texte sélectionné destiné à être déplacé ou copié.

■ Pour visualiser le texte matérialisé par une icône, placez le pointeur ▷ sur cette dernière. Un encadré jaune apparaît, dans lequel figurent les premiers mots. Vous pouvez cliquer l'icône, afin d'insérer le texte dans le document.

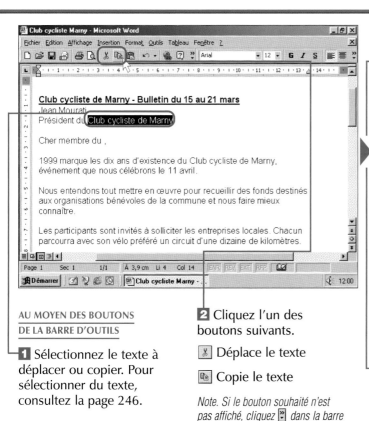

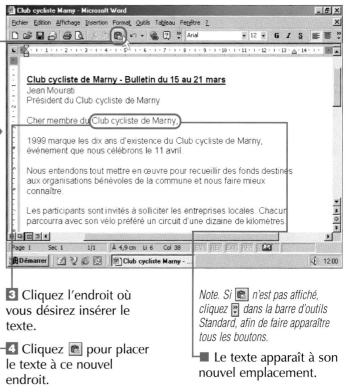

AU MOYEN DES BOUTONS
DE LA BARRE D'OUTILS

1 Sélectionnez le texte à déplacer ou copier. Pour sélectionner du texte, consultez la page 246.

2 Cliquez l'un des boutons suivants.

✂ Déplace le texte

▣ Copie le texte

Note. Si le bouton souhaité n'est pas affiché, cliquez ⁑ dans la barre d'outils Standard, afin de faire apparaître tous les boutons.

3 Cliquez l'endroit où vous désirez insérer le texte.

4 Cliquez ▣ pour placer le texte à ce nouvel endroit.

Note. Si ▣ n'est pas affiché, cliquez ⁑ dans la barre d'outils Standard, afin de faire apparaître tous les boutons.

■ Le texte apparaît à son nouvel emplacement.

Vous pouvez facilement vous rendre d'un endroit à l'autre au sein d'un document.

Lorsque vous créez un long document, il arrive que tout le texte ne puisse pas apparaître simultanément à l'écran. Vous devez donc faire défiler le document pour en visualiser d'autres parties.

SE DÉPLACER DANS UN DOCUMENT

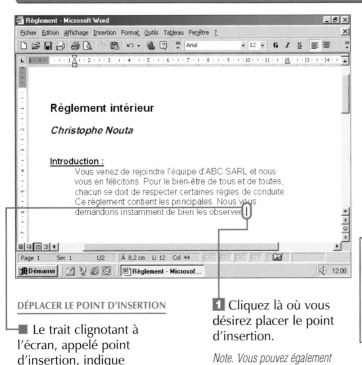

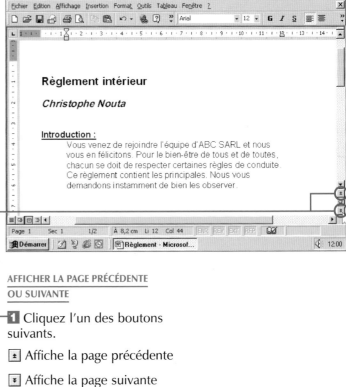

DÉPLACER LE POINT D'INSERTION

■ Le trait clignotant à l'écran, appelé point d'insertion, indique l'endroit où s'inscrira le texte saisi.

1 Cliquez là où vous désirez placer le point d'insertion.

Note. Vous pouvez également appuyer sur les touches fléchées ←, →, ↑ *ou* ↓ *pour déplacer le point d'insertion d'un caractère ou d'une ligne à la fois dans une direction donnée.*

AFFICHER LA PAGE PRÉCÉDENTE
OU SUIVANTE

1 Cliquez l'un des boutons suivants.

⬆ Affiche la page précédente

⬇ Affiche la page suivante

Comment faire défiler un document avec une souris dotée d'une roulette ?

Certaines souris possèdent une roulette entre leurs boutons gauche et droit. Faire tourner cette roulette permet de se déplacer rapidement dans un document. L'IntelliMouse de Microsoft est un exemple connu de souris à roulette.

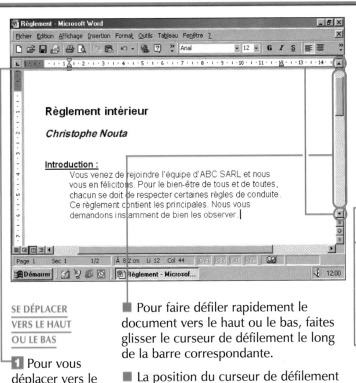

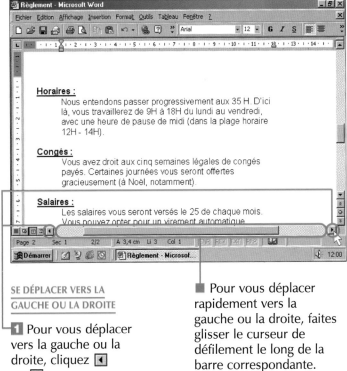

SE DÉPLACER VERS LE HAUT OU LE BAS

1 Pour vous déplacer vers le haut ou le bas, cliquez ▲ ou ▼.

■ Pour faire défiler rapidement le document vers le haut ou le bas, faites glisser le curseur de défilement le long de la barre correspondante.

■ La position du curseur de défilement dans sa barre indique la partie du document actuellement affichée. Pour visualiser le milieu de ce document, faites glisser le curseur de défilement à mi-hauteur dans la barre correspondante.

SE DÉPLACER VERS LA GAUCHE OU LA DROITE

1 Pour vous déplacer vers la gauche ou la droite, cliquez ◄ ou ►.

■ Pour vous déplacer rapidement vers la gauche ou la droite, faites glisser le curseur de défilement le long de la barre correspondante.

CHANGER LE MODE D'AFFICHAGE

> Word propose quatre manières d'afficher un document. Vous pouvez choisir celle qui répond le mieux à vos besoins.

Modes d'affichage

- ☐ Normal
- ☐ Web
- ☑ Page
- ☐ Plan

CHANGER LE MODE D'AFFICHAGE

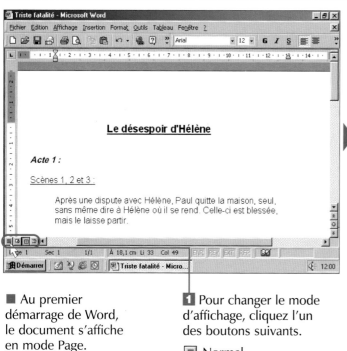

■ Au premier démarrage de Word, le document s'affiche en mode Page.

1 Pour changer le mode d'affichage, cliquez l'un des boutons suivants.

- ▤ Normal
- ▣ Web
- ▣ Page
- ▤ Plan

■ Le document apparaît dans le nouveau mode d'affichage.

LES QUATRE MODES D'AFFICHAGE

Mode Normal

C'est un mode qui simplifie l'affichage du document, de façon que vous puissiez rapidement saisir, modifier et mettre en forme du texte. Il ne fait apparaître ni les marges ni les numéros de page.

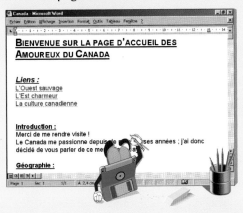

Mode Web

Ce mode d'affichage présente le document de la même manière que sur le Web. Il peut rendre service si vous utilisez Word pour créer une page Web.

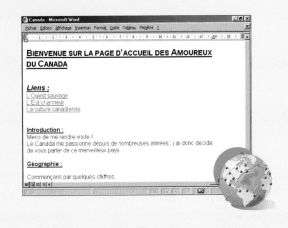

Mode Page

Ce mode d'affichage présente le document tel qu'il sera à l'impression d'une page. Il fait apparaître les marges et les numéros de page.

Mode Plan

Ce mode d'affichage vous permet de travailler sur la structure de votre document, notamment pour le réviser. Il permet de réduire un document de façon à n'en voir que les titres principaux ou de le développer, afin d'afficher l'ensemble de ces titres et du texte. Ce mode se révèle utile lors d'un travail avec de longs documents.

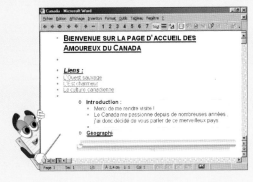

Vous pouvez enregistrer votre document, en vue de le conserver pour une utilisation ultérieure. Cela permet de le consulter et de le modifier par la suite.

Enregistrez régulièrement les modifications apportées à votre document, afin d'éviter de perdre votre travail.

ENREGISTRER UN DOCUMENT

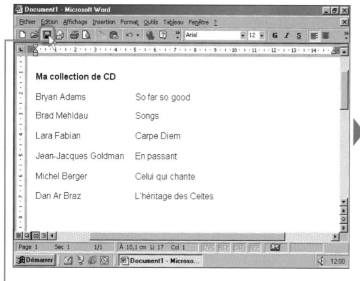

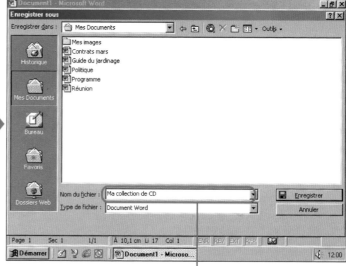

1 Cliquez 🖫 pour enregistrer votre document.

Note. Si 🖫 n'est pas affiché, cliquez 🖫 dans la barre d'outils Standard, afin de faire apparaître tous les boutons.

■ La boîte de dialogue Enregistrer sous apparaît.

Note. Si vous avez enregistré votre document auparavant, la boîte de dialogue Enregistrer sous ne s'affiche pas, car vous avez déjà nommé le fichier.

2 Entrez un nom pour le document.

À quels dossiers couramment employés ai-je accès ?

Historique

Donne accès aux dossiers et documents récemment utilisés.

Mes Documents

Constitue un lieu de stockage pratique pour un document.

Bureau

Permet de stocker un document sur le bureau Windows.

Favoris

Constitue un lieu de stockage pour les documents fréquemment utilisés.

Dossiers Web

Facilite le stockage d'un document sur le Web.

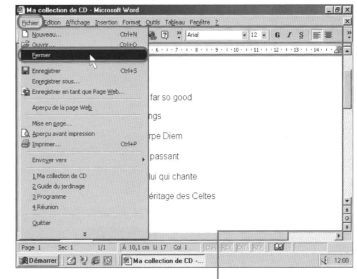

■ Cette zone indique l'endroit où Word stockera le document. Vous pouvez la cliquer pour modifier cet emplacement.

■ Cette zone permet d'accéder aux dossiers couramment employés. Pour afficher le contenu de l'un d'entre eux, cliquez le dossier voulu.

3 Cliquez **Enregistrer**.

■ Word enregistre le document.

FERMER UN DOCUMENT

Après avoir fini de travailler avec un document, vous pouvez le fermer et le faire ainsi disparaître de l'écran.

1 Cliquez **Fichier**.

2 Cliquez **Fermer**, afin de fermer le document.

OUVRIR UN DOCUMENT

Vous pouvez ouvrir un document enregistré et l'afficher à l'écran, afin de le revoir et d'y apporter des modifications.

OUVRIR UN DOCUMENT

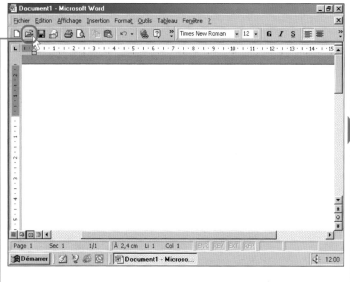

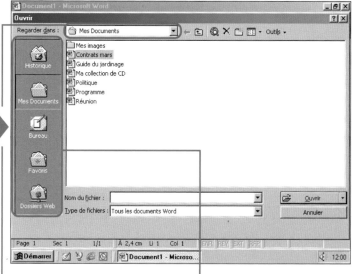

1 Cliquez 📂 pour ouvrir un document.

Note. Si 📂 n'est pas affiché, cliquez ⏵ dans la barre d'outils Standard, afin de faire apparaître tous les boutons.

■ La boîte de dialogue Ouvrir s'affiche.

■ Cette zone indique l'emplacement des documents affichés. Vous pouvez la cliquer pour changer d'endroit.

■ Cette zone permet d'accéder aux dossiers couramment employés. Pour afficher le contenu de l'un d'entre eux, cliquez le dossier voulu.

Note. Pour plus d'informations sur les dossiers fréquemment utilisés, consultez le haut de la page 257.

258

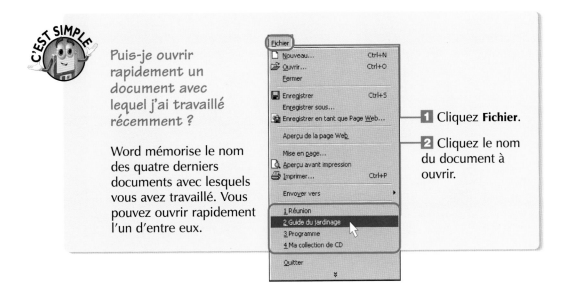

Puis-je ouvrir rapidement un document avec lequel j'ai travaillé récemment ?

Word mémorise le nom des quatre derniers documents avec lesquels vous avez travaillé. Vous pouvez ouvrir rapidement l'un d'entre eux.

1 Cliquez **Fichier**.

2 Cliquez le nom du document à ouvrir.

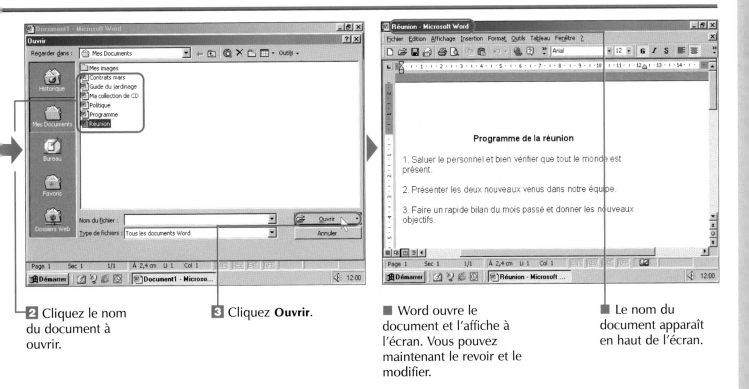

2 Cliquez le nom du document à ouvrir.

3 Cliquez **Ouvrir**.

■ Word ouvre le document et l'affiche à l'écran. Vous pouvez maintenant le revoir et le modifier.

■ Le nom du document apparaît en haut de l'écran.

Vous pouvez utiliser la fonction Aperçu avant impression pour voir comment se présentera votre document une fois imprimé. Vous vous assurez ainsi qu'il se présente bien comme le voulez.

Le Paradis des Enfants

Article	Total des ventes	
Jouets	FF	12 540 000
Puzzles	FF	999 000
Jeux électroniques	FF	45 741 000
Vêtements	FF	30 214 000
Poupées	FF	440 500
Matériel scolaire	FF	25 887 000
Peluches	FF	759 000
Maquettes	FF	454 000

OBTENIR UN APERÇU D'UN DOCUMENT

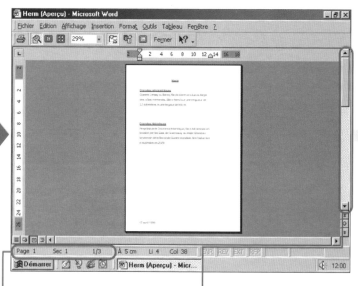

1 Cliquez 🔍 pour obtenir un aperçu du document.

Note. Si 🔍 n'est pas affiché, cliquez ⟩⟩ dans la barre d'outils Standard, afin de faire apparaître tous les boutons.

■ La fenêtre Aperçu avant impression s'affiche.

■ Cette zone indique la page affichée et le nombre total de pages du document.

■ Si votre document s'étend sur plusieurs pages, vous pouvez utiliser la barre de défilement pour voir les autres pages.

Comment puis-je modifier
mon document dans la
fenêtre Aperçu avant
impression ?

Si, placé sur le document, le
pointeur de la souris se
présente sous la forme I,
vous pouvez modifier le
document.

S'il apparaît sous la forme ⊕
ou ⊖ , vous pouvez
agrandir ou réduire la taille
de la page affichée à l'écran.

Pour changer
l'apparence du
pointeur, effec-
tuez l'étape 3
ci-dessous.

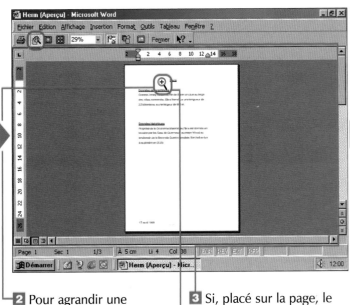

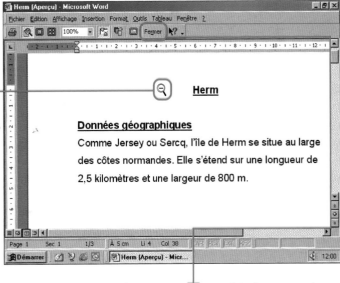

2 Pour agrandir une
zone de la page, placez
le pointeur ⊗ dessus
(⊗ devient ⊕).

3 Si, placé sur la page, le
pointeur se présente sous
la forme I, et non ⊕,
cliquez 🔍.

4 Cliquez la zone, afin
de l'agrandir.

■ Une version agrandie
de la zone s'affiche à
l'écran.

5 Pour faire réapparaître
la page entière, cliquez
n'importe où dans cette
page.

6 Une fois l'examen du
document terminé, cliquez
Fermer, afin de fermer la
fenêtre Aperçu avant
impression.

> Vous pouvez sortir une version papier du document affiché à l'écran.

Avant d'imprimer votre document, assurez-vous que l'imprimante est allumée et qu'elle dispose de la quantité de papier nécessaire.

IMPRIMER UN DOCUMENT

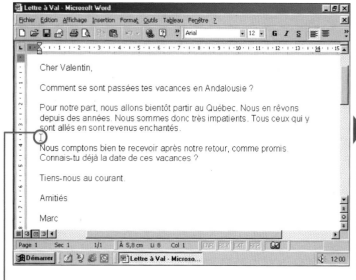

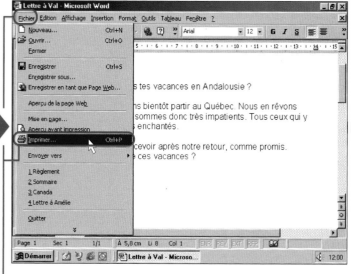

1 Cliquez n'importe où dans le document ou la page à imprimer.

■ Pour n'imprimer qu'une partie du texte du document, sélectionnez le passage voulu. Pour sélectionner du texte, consultez la page 246.

2 Cliquez **Fichier**.

3 Cliquez **Imprimer**.

■ La boîte de dialogue Imprimer apparaît.

Quelle option d'impression
dois-je utiliser ?

Tout

Imprime toutes
les pages du
document.

Page en cours

Imprime la page
où se trouve le
point d'insertion.

Pages

Imprime les pages
indiquées par leur
numéro.

Sélection

Imprime le texte
sélectionné.

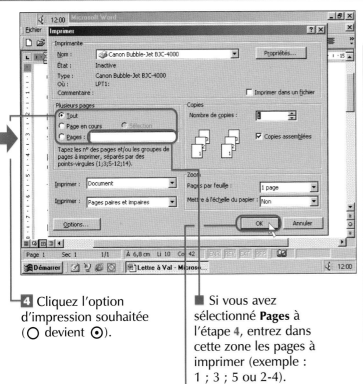

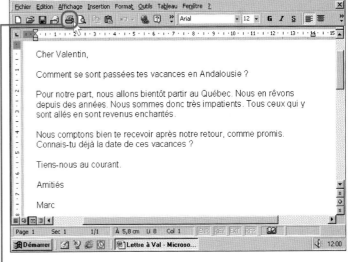

4 Cliquez l'option
d'impression souhaitée
(○ devient ◉).

■ Si vous avez
sélectionné **Pages** à
l'étape **4**, entrez dans
cette zone les pages à
imprimer (exemple :
1 ; 3 ; 5 ou 2-4).

5 Cliquez **OK**.

**IMPRIMER RAPIDEMENT
TOUT LE DOCUMENT**

1 Cliquez 🖨 pour
imprimer rapidement
l'intégralité de votre
document.

*Note. Si 🖨 n'est pas affiché,
cliquez ⬛ dans la barre d'outils
Standard, afin de faire apparaître
tous les boutons.*

Vous pouvez créer un nouveau document, en vue de commencer l'écriture d'une lettre, d'un mémo ou d'un rapport.

Considérez chaque document comme une feuille de papier distincte. Créer un nouveau document revient à placer une nouvelle feuille à l'écran.

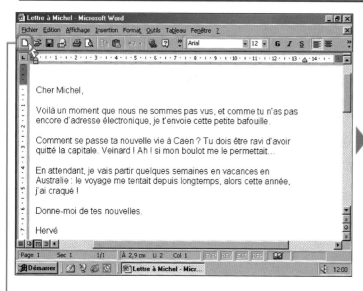

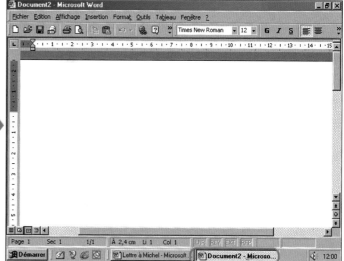

1 Cliquez ⬜ pour créer un nouveau document.

Note. Si ⬜ n'est pas affiché, cliquez ⟩ dans la barre d'outils Standard, afin de faire apparaître tous les boutons.

■ Un nouveau document s'affiche, masquant le précédent.

■ Un bouton correspondant au nouveau document apparaît dans la barre des tâches.

PASSER D'UN DOCUMENT À L'AUTRE

> Word permet d'ouvrir plusieurs documents simultanément. Vous pouvez passer facilement de l'un à l'autre.

PASSER D'UN DOCUMENT À L'AUTRE

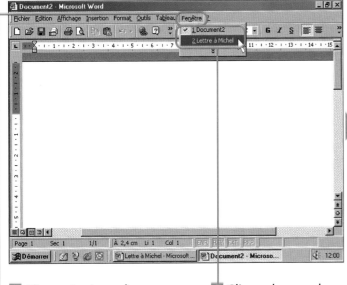

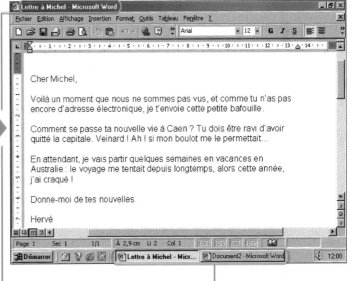

1 Cliquez **Fenêtre**, afin d'afficher la liste de tous les documents ouverts.

2 Cliquez le nom du document auquel vous désirez accéder.

■ Le document apparaît.

■ Word affiche le nom du document courant en haut de l'écran.

■ Dans la barre des tâches figure un bouton pour chaque document ouvert. Vous pouvez facilement accéder à l'un d'entre eux en cliquant son bouton.

METTRE EN FORME DU TEXTE

Chère Madame Sornet

C'est le dixième a

l'école Saint

le 8 se

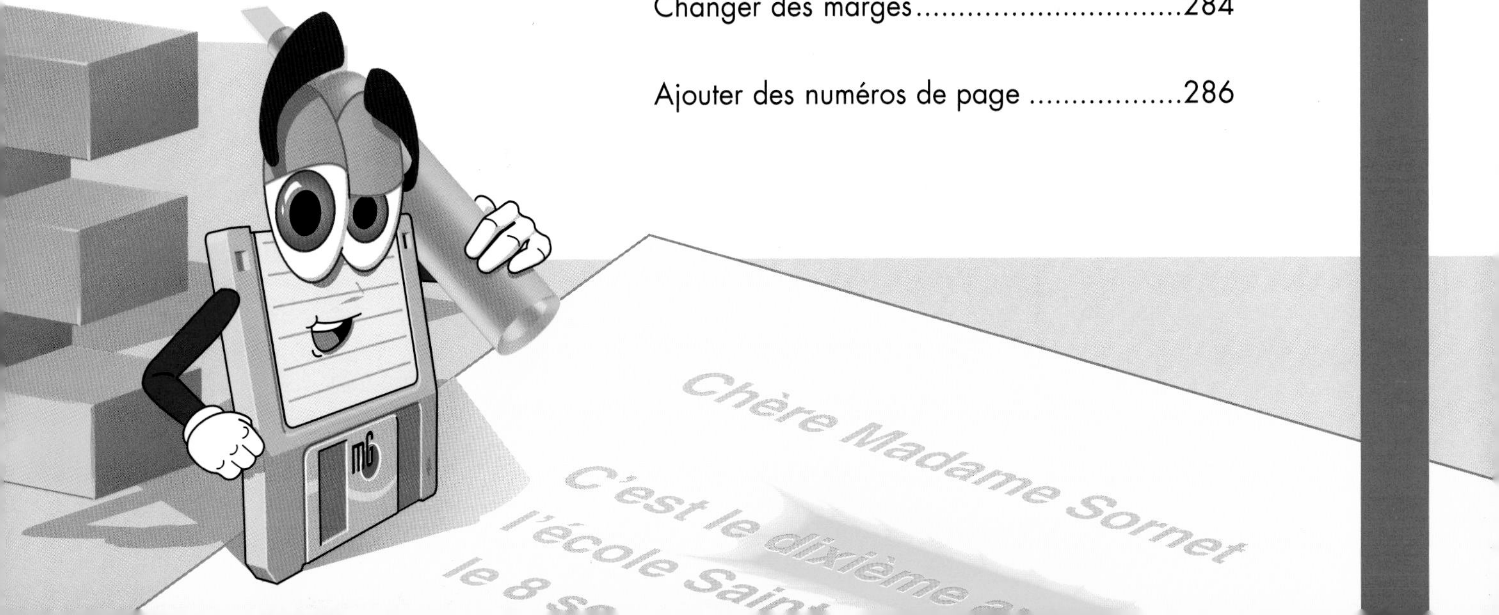

> Vous pouvez améliorer la présentation de votre document en changeant l'aspect des caractères du texte, c'est-à-dire la police.

CHANGER LA POLICE D'UN TEXTE

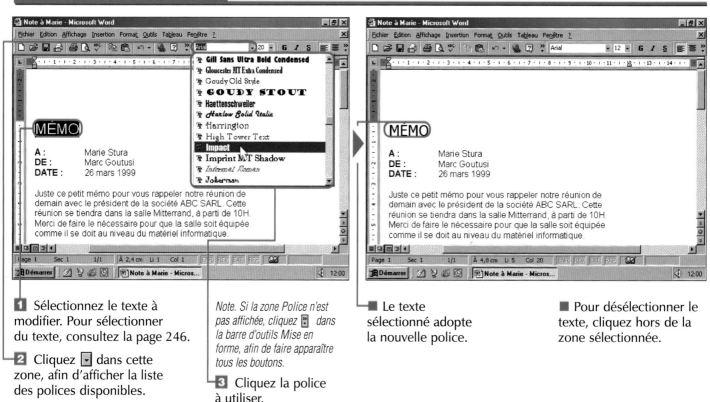

1 Sélectionnez le texte à modifier. Pour sélectionner du texte, consultez la page 246.

2 Cliquez 🔽 dans cette zone, afin d'afficher la liste des polices disponibles.

Note. Si la zone Police n'est pas affichée, cliquez 📄 dans la barre d'outils Mise en forme, afin de faire apparaître tous les boutons.

3 Cliquez la police à utiliser.

■ Le texte sélectionné adopte la nouvelle police.

■ Pour désélectionner le texte, cliquez hors de la zone sélectionnée.

Vous pouvez augmenter ou réduire la taille des caractères dans votre document.

Word mesure la taille des caractères en points. Il y en a environ 28 dans un centimètre.

Les grands caractères sont plus faciles à lire, mais un texte plus petit permet de faire figurer plus d'informations sur une page.

MODIFIER LA TAILLE DES CARACTÈRES D'UN TEXTE

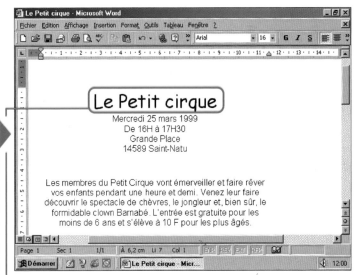

1 Sélectionnez le texte à modifier. Pour sélectionner du texte, consultez la page 246.

2 Cliquez ⬚ dans cette zone, afin d'afficher la liste des tailles disponibles.

Note. Si la zone Taille de la police n'est pas affichée, cliquez ⬚ dans la barre d'outils Mise en forme, afin de faire apparaître tous les boutons.

3 Cliquez la taille à utiliser.

■ Le texte sélectionné adopte la nouvelle taille.

■ Pour désélectionner le texte, cliquez hors de la zone sélectionnée.

Vous pouvez modifier la couleur d'un texte, afin d'attirer l'attention sur des titres ou sur des informations importantes dans votre document.

CHANGER LA COULEUR D'UN TEXTE

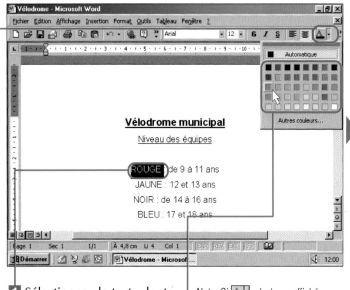

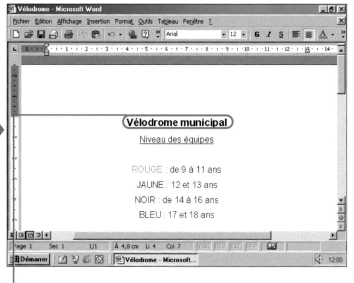

1 Sélectionnez le texte dont vous voulez changer la couleur. Pour sélectionner du texte, consultez la page 246.

2 Cliquez ⬚ dans cette zone, afin de choisir une teinte.

Note. Si ⬚ n'est pas affiché, cliquez ⬚ dans la barre d'outils Mise en forme, afin de faire apparaître tous les boutons.

3 Cliquez la couleur à appliquer.

■ Le texte adopte la teinte choisie.

■ Pour désélectionner le texte, cliquez hors de la zone sélectionnée.

■ Pour retirer la couleur d'un texte, répétez les étapes **1** à **3**, en sélectionnant cette fois **Automatique** à l'étape **3**.

SURLIGNER UN TEXTE

Vous pouvez surligner un texte que vous désirez mettre en valeur dans votre document. Cette mise en forme se révèle utile pour baliser des informations que vous souhaitez revoir ou vérifier ultérieurement.

SURLIGNER UN TEXTE

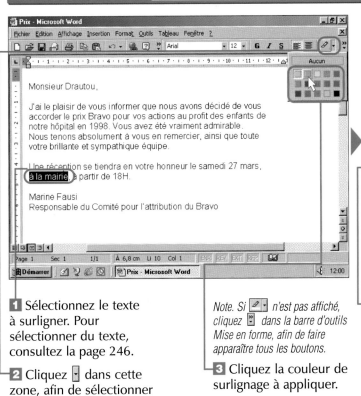

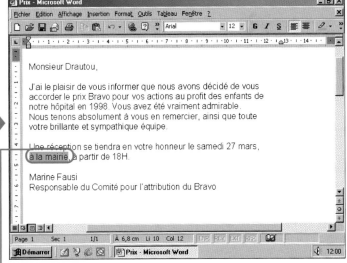

1 Sélectionnez le texte à surligner. Pour sélectionner du texte, consultez la page 246.

2 Cliquez ⬝ dans cette zone, afin de sélectionner une teinte de surlignage.

Note. Si ✏⬝ n'est pas affiché, cliquez » dans la barre d'outils Mise en forme, afin de faire apparaître tous les boutons.

3 Cliquez la couleur de surlignage à appliquer.

■ Le texte est désormais surligné dans la teinte choisie.

■ Pour retirer un surlignage, répétez les étapes **1** à **3**, en sélectionnant cette fois **Aucun** à l'étape **3**.

METTRE UN TEXTE EN GRAS OU EN ITALIQUE, OU LE SOULIGNER

Vous pouvez utiliser les options Gras, Italique et Souligné pour mettre du texte en valeur dans votre document.

METTRE UN TEXTE EN GRAS, EN ITALIQUE OU LE SOULIGNER

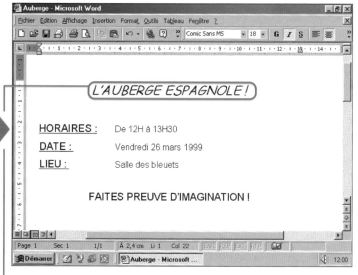

1 Sélectionnez le texte à modifier. Pour sélectionner du texte, consultez la page 246.

2 Cliquez l'un des boutons suivants.

G Gras

I Italique

S Souligné

Note. Si le bouton souhaité n'est pas affiché, cliquez **?** *dans la barre d'outils Mise en forme, afin de faire apparaître tous les boutons.*

■ Le texte sélectionné adopte le nouveau style.

■ Pour désélectionner le texte, cliquez hors de la zone sélectionnée.

■ Pour retirer une mise en gras, en italique ou un soulignement, répétez les étapes **1** et **2**.

Word mémorise les dernières modifications apportées à votre document. Si vous regrettez ces changements, vous pouvez les annuler grâce à la commande Annuler.

La fonction Annuler permet d'annuler vos dernières modifications touchant le texte et sa mise en forme.

ANNULER DES MODIFICATIONS

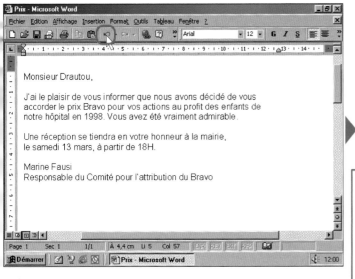

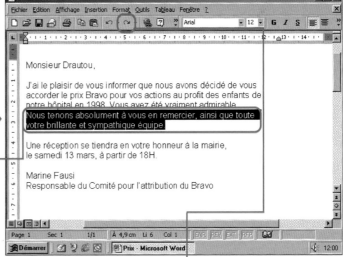

1 Cliquez 🔄 pour annuler la dernière modification apportée au document.

Note. Si 🔄 n'est pas affiché, cliquez ⟫ dans la barre d'outils Standard, afin de faire apparaître tous les boutons.

■ Word annule le dernier changement effectué dans le document.

■ Vous pouvez répéter l'étape **1** pour annuler de précédentes modifications.

■ Pour annuler les effets de la fonction Annuler, cliquez 🔄.

Note. Si 🔄 n'est pas affiché, cliquez ⟫ dans la barre d'outils Standard, afin de faire apparaître tous les boutons.

Vous pouvez améliorer la présentation de votre document en alignant le texte de diverses manières.

Aligné à droite

Centré

Aligné à gauche

Justifié

CHANGER L'ALIGNEMENT D'UN TEXTE

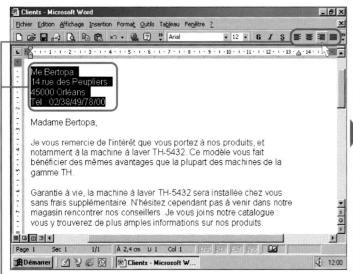

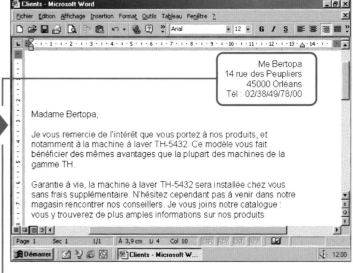

AU MOYEN DES BOUTONS DE LA BARRE D'OUTILS

1 Sélectionnez le texte à aligner différemment. Pour sélectionner du texte, consultez la page 246.

2 Cliquez l'un des boutons suivants.

■ Aligné à gauche

■ Centré

■ Aligné à droite

■ Justifié

Note. Si le bouton souhaité n'est pas affiché, cliquez 🔡 *dans la barre d'outils Mise en forme, afin de faire apparaître tous les boutons.*

■ Le texte adopte le nouvel alignement.

■ Pour désélectionner le texte, cliquez hors de la zone sélectionnée.

Puis-je appliquer différents alignements à une seule ligne de texte ?

Vous pouvez utiliser la fonction Cliquer-taper pour obtenir des alignements différents à l'intérieur d'une ligne de texte. Il est ainsi possible d'aligner votre nom à gauche et la date à droite sur la même ligne.

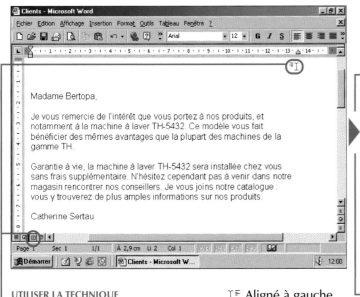

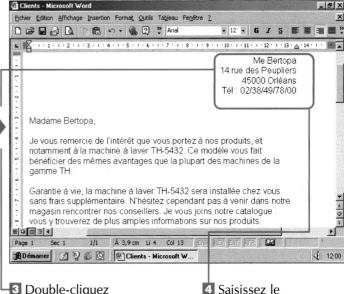

UTILISER LA TECHNIQUE DU CLIQUER-TAPER

1 Cliquez ▣, afin d'afficher le document en mode Page.

2 Placez le pointeur I là où vous désirez faire apparaître le texte. L'aspect du pointeur I indique comment Word alignera le texte.

I⁼ Aligné à gauche

I Centré

⁼I Aligné à droite

Note. Si le pointeur I ne change pas d'apparence, cela signifie qu'il se trouve dans une zone d'alignement à gauche par défaut.

3 Double-cliquez l'emplacement, afin de positionner le point d'insertion.

4 Saisissez le texte à ajouter.

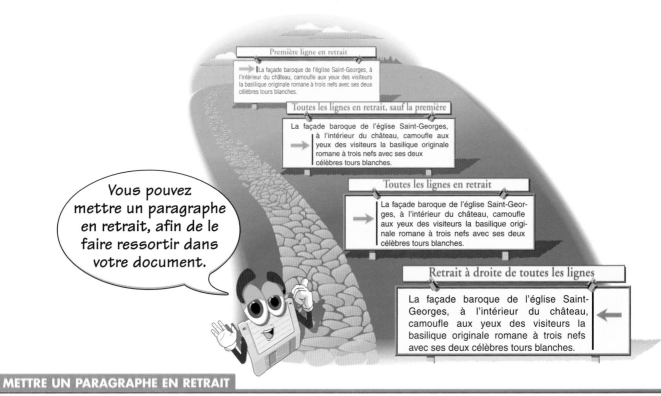

Première ligne en retrait

La façade baroque de l'église Saint-Georges, à l'intérieur du château, camoufle aux yeux des visiteurs la basilique originale romane à trois nefs avec ses deux célèbres tours blanches.

Toutes les lignes en retrait, sauf la première

La façade baroque de l'église Saint-Georges, à l'intérieur du château, camoufle aux yeux des visiteurs la basilique originale romane à trois nefs avec ses deux célèbres tours blanches.

Toutes les lignes en retrait

La façade baroque de l'église Saint-Georges, à l'intérieur du château, camoufle aux yeux des visiteurs la basilique originale romane à trois nefs avec ses deux célèbres tours blanches.

Retrait à droite de toutes les lignes

La façade baroque de l'église Saint-Georges, à l'intérieur du château, camoufle aux yeux des visiteurs la basilique originale romane à trois nefs avec ses deux célèbres tours blanches.

> *Vous pouvez mettre un paragraphe en retrait, afin de le faire ressortir dans votre document.*

METTRE UN PARAGRAPHE EN RETRAIT

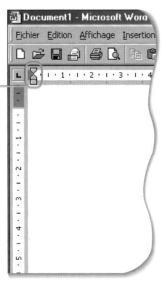

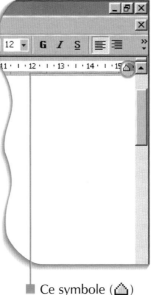

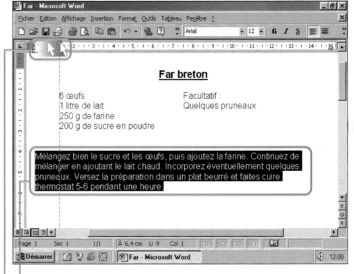

■ Ces symboles permettent d'appliquer un retrait à gauche à un paragraphe.

▽ Retrait de la première ligne

⌂ Retrait de toutes les lignes sauf la première

▭ Retrait de toutes les lignes

■ Ce symbole (⌂) permet d'affecter un retrait à droite à toutes les lignes d'un paragraphe.

1 Sélectionnez le(s) paragraphe(s) à mettre en retrait. Pour sélectionner du texte, consultez la page 246.

2 Faites glisser l'un des symboles de retrait vers un nouvel emplacement.

■ Une ligne indique la nouvelle position du retrait.

Qu'est-ce qu'un retrait négatif de première ligne ?

Un retrait négatif de première ligne décale toutes les lignes d'un paragraphe vers la droite, à l'exception de la première. Cette mise en forme se révèle utile dans les CV, les glossaires ou les bibliographies.

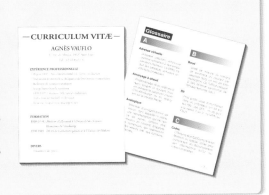

METTRE RAPIDEMENT TOUTES LES LIGNES D'UN PARAGRAPHE EN RETRAIT

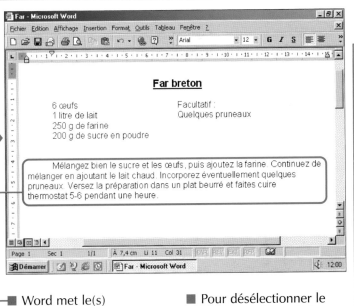

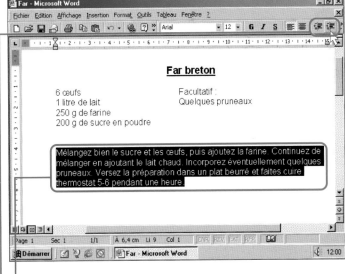

■ Word met le(s) paragraphe(s) sélectionné(s) en retrait.

■ Pour désélectionner le texte, cliquez hors de la zone sélectionnée.

1 Sélectionnez le paragraphe à mettre en retrait. Pour sélectionner du texte, consultez la page 246.

2 Cliquez l'un des boutons suivants.

Décale le paragraphe vers la gauche

Décale le paragraphe vers la droite

Note. Si le bouton souhaité n'est pas affiché, cliquez dans la barre d'outils Mise en forme, afin de faire apparaître tous les boutons.

Vous pouvez utiliser des tabulations pour aligner des informations en colonnes dans votre document. Word met plusieurs types de tabulations à votre disposition.

Dans une page, Word place automatiquement des tabulations distantes de 1,25 cm.

MODIFIER LES TABULATIONS

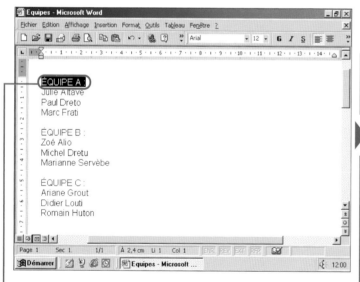

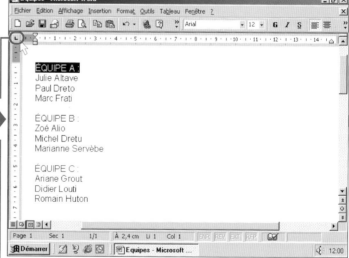

AJOUTER UNE TABULATION

1 Sélectionnez le texte auquel vous souhaitez affecter la nouvelle tabulation. Pour sélectionner du texte, consultez la page 246.

■ Pour ajouter une tabulation applicable au texte que vous allez saisir, cliquez là où vous voulez taper ce texte.

2 Cliquez cette zone jusqu'à faire apparaître le type de tabulation à ajouter.

- └ Tabulation Gauche
- ┴ Tabulation Centré
- ┘ Tabulation Droite
- ┴ Tabulation de type Décimal

C'EST SIMPLE

Comment déplacer une tabulation ?

Pour déplacer une tabulation, sélectionnez le texte auquel elle est affectée. Pour sélectionner du texte, consultez la page 246. Placez le pointeur ☐ sur la tabulation à déplacer et faites glisser cette dernière vers sa nouvelle position, sur la règle.

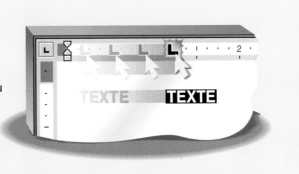

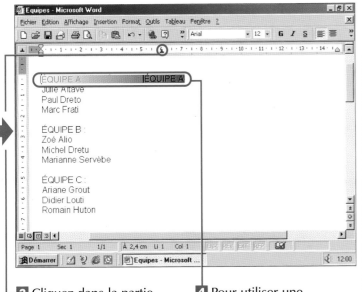

3 Cliquez dans la partie inférieure de la règle, à l'endroit où vous désirez ajouter la tabulation.

■ La nouvelle tabulation apparaît sur la règle.

4 Pour utiliser une tabulation, cliquez au début de la ligne à décaler et appuyez sur la touche Tab. Le point d'insertion et le texte s'alignent sur la tabulation préalablement définie.

RETIRER UNE TABULATION

1 Sélectionnez le texte auquel est affectée la tabulation à retirer. Pour sélectionner du texte, consultez la page 246.

2 Faites glisser la tabulation vers le bas, à l'extérieur de la règle.

■ La tabulation disparaît de la règle.

■ Pour aligner de nouveau le texte sur la marge de gauche, cliquez à gauche du premier caractère, puis appuyez sur la touche +Retour Arr.

Vous pouvez distinguer les éléments d'une liste en commençant chacun d'eux par une puce ou un numéro.

Les puces conviennent bien à des éléments sans ordre particulier, tels que les articles d'une liste de commissions. Les numéros se révèlent utiles devant des éléments soumis à un ordre précis, comme les instructions d'une recette.

AJOUTER DES PUCES OU DES NUMÉROS

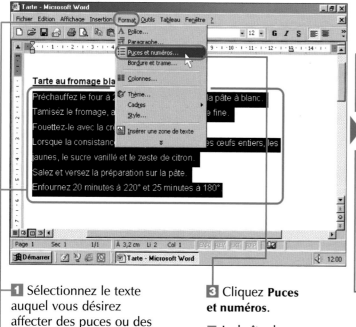

1 Sélectionnez le texte auquel vous désirez affecter des puces ou des numéros. Pour sélectionner du texte, consultez la page 246.

2 Cliquez **Format**.

3 Cliquez **Puces et numéros**.

■ La boîte de dialogue Puces et numéros apparaît.

4 Cliquez l'onglet correspondant au type de liste à créer.

5 Cliquez le style à employer.

6 Cliquez **OK**.

Comment créer une liste à
puces ou à numéros au cours
de la saisie ?

1 Tapez * ou **1**. suivi d'un espace.
Saisissez ensuite le premier
élément de la liste.

2 Appuyez sur la touche Entrée :
Word fait automatiquement
précéder l'élément suivant
d'une puce ou d'un numéro.

■ Pour mettre fin à la liste
à puces ou numérotée, appuyez
deux fois sur la touche Entrée .

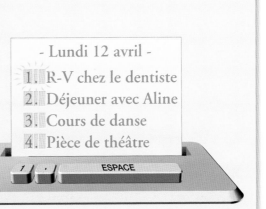

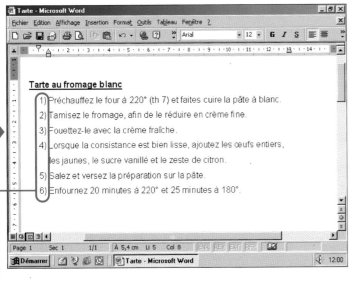

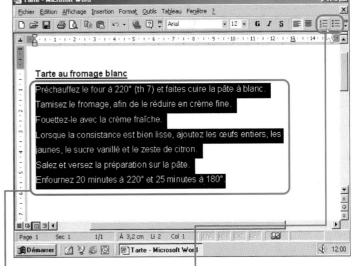

■ Les puces ou numéros
apparaissent dans votre
document.

■ Pour désélectionner le
texte, cliquez hors de la
zone sélectionnée.

■ Pour retirer des puces
ou des numéros de votre
document, répétez les
étapes **1** à **6**, en
choisissant cette fois
Aucun(e) à l'étape **5**.

**AJOUTER RAPIDEMENT DES
PUCES OU DES NUMÉROS**

1 Sélectionnez le texte
auquel vous désirez
affecter des puces ou
des numéros. Pour
sélectionner du texte,
consultez la page 246.

2 Cliquez l'un des boutons
suivants.

Ajoute des numéros

Ajoute des puces

*Note. Si le bouton souhaité n'est pas
affiché, cliquez dans la barre
d'outils Mise en forme, afin de faire
apparaître tous les boutons.*

INSÉRER UN SAUT DE PAGE

Si vous désirez commencer une nouvelle page à un endroit précis de votre document, vous pouvez insérer un saut de page. Ce dernier matérialise la fin d'une page et le début d'une autre.

INSÉRER UN SAUT DE PAGE

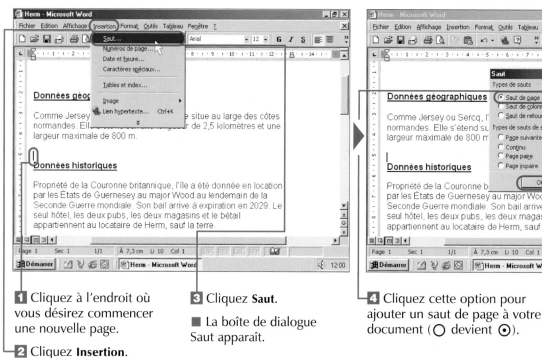

1 Cliquez à l'endroit où vous désirez commencer une nouvelle page.

2 Cliquez **Insertion**.

3 Cliquez **Saut**.

■ La boîte de dialogue Saut apparaît.

4 Cliquez cette option pour ajouter un saut de page à votre document (○ devient ⊙).

5 Cliquez **OK**.

■ Word insère le saut de page dans votre document.

Word insère-t-il toujours des sauts de pages automatiquement ?

Lorsque votre texte arrive à la fin d'une page, Word commence automatiquement une nouvelle page en insérant un saut de page à votre place.

SUPPRIMER UN SAUT DE PAGE

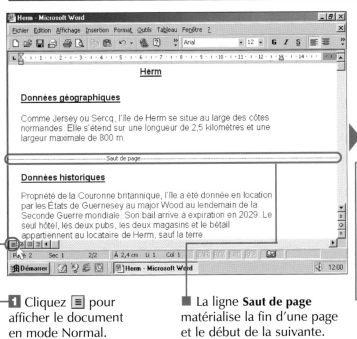

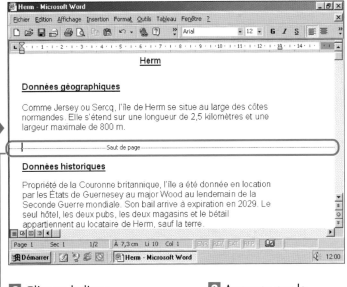

1 Cliquez ▤ pour afficher le document en mode Normal.

■ La ligne **Saut de page** matérialise la fin d'une page et le début de la suivante. Elle n'apparaît pas dans le document imprimé.

Note. Pour voir cette ligne, vous devrez peut-être faire défiler votre document.

2 Cliquez la ligne **Saut de page**.

3 Appuyez sur la touche Suppr, afin de supprimer le saut de page.

Une marge correspond à l'espace qui sépare le texte de votre document et le bord du papier. Vous pouvez changer les marges en fonction de vos besoins.

Word applique automatiquement des marges de 2,5 cm en haut, en bas, à gauche et à droite.

Changer les marges permet d'adapter votre texte à du papier à en-tête et à d'autres papiers spéciaux.

CHANGER DES MARGES

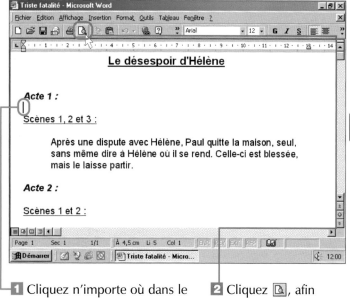

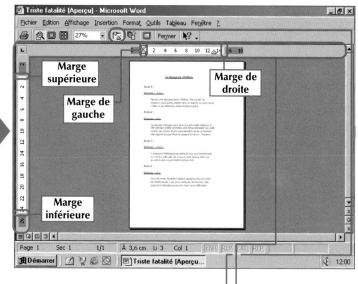

1 Cliquez n'importe où dans le document ou la section dont vous voulez modifier les marges.

2 Cliquez 🔍, afin d'afficher votre document dans la fenêtre Aperçu avant impression.

Note. Si 🔍 n'est pas affiché, cliquez 🔽 dans la barre d'outils Standard, afin de faire apparaître tous les boutons.

■ Le document apparaît dans la fenêtre Aperçu avant impression.

Note. Pour plus d'informations sur le mode Aperçu avant impression, consultez la page 260.

■ Dans cette zone figure la règle.

■ Si la règle n'est pas affichée, cliquez 🔽.

Comment changer rapidement les marges de gauche et de droite pour une partie seulement de mon document ?

Modifier le retrait de paragraphes permet de changer rapidement les marges de gauche et de droite d'une partie, seulement, de votre document. Pour mettre des paragraphes en retrait, consultez la page 276.

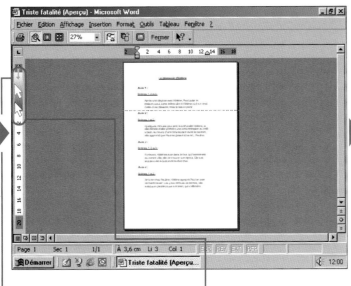

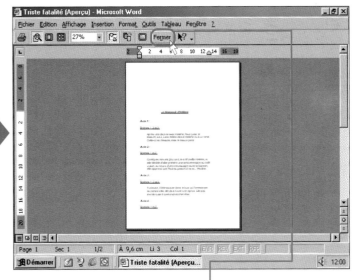

3 Placez le pointeur ⍇ sur une marge à modifier (⍇ devient ↕ ou ↔).

4 Faites glisser la marge vers un nouvel endroit. Une ligne matérialise le nouvel emplacement.

Note. Pour afficher la mesure exacte d'une marge, appuyez sur la touche **Alt** *et maintenez-la enfoncée au moment de faire glisser la marge.*

■ La marge est déplacée au nouvel endroit.

5 Répétez les étapes 3 et 4 pour chaque marge à modifier.

6 Une fois les marges modifiées, cliquez **Fermer**, afin de fermer la fenêtre Aperçu avant impression.

Si vous le souhaitez, Word peut numéroter les pages de votre document.

Les numéros de page n'apparaissent à l'écran qu'en mode d'affichage Page. Pour plus d'informations sur les modes d'affichage, consultez la page 254.

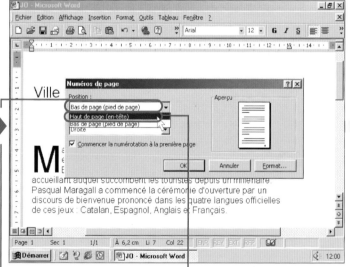

1 Cliquez **Insertion**.

2 Cliquez **Numéros de page**.

■ La boîte de dialogue Numéros de page apparaît.

3 Cliquez cette zone, afin de sélectionner un emplacement pour les numéros de page.

4 Cliquez l'endroit où vous souhaitez faire apparaître les numéros de page.

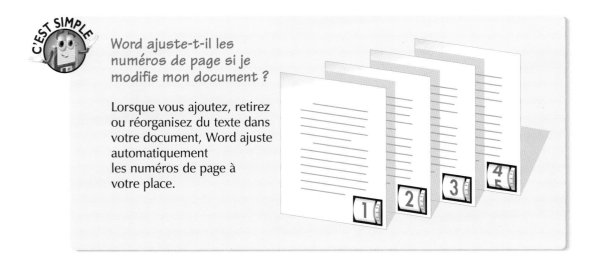

Word ajuste-t-il les numéros de page si je modifie mon document ?

Lorsque vous ajoutez, retirez ou réorganisez du texte dans votre document, Word ajuste automatiquement les numéros de page à votre place.

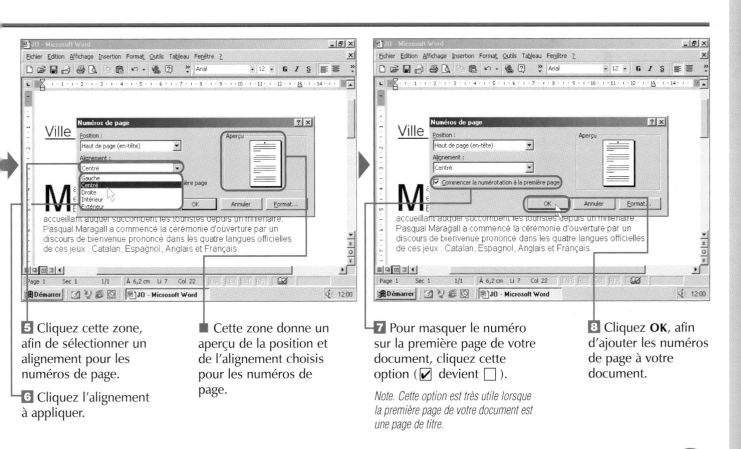

5 Cliquez cette zone, afin de sélectionner un alignement pour les numéros de page.

6 Cliquez l'alignement à appliquer.

■ Cette zone donne un aperçu de la position et de l'alignement choisis pour les numéros de page.

7 Pour masquer le numéro sur la première page de votre document, cliquez cette option (☑ devient ☐).

Note. Cette option est très utile lorsque la première page de votre document est une page de titre.

8 Cliquez **OK**, afin d'ajouter les numéros de page à votre document.

CHAPITRE 15

UTILISER LES TABLEAUX

Voudriez-vous apprendre à utiliser des tableaux pour aligner des données ou des informations ? Dans ce chapitre vous apprendrez à intégrer des tableaux dans vos documents et à soigner leur présentation.

CRÉER UN TABLEAU

Vous pouvez créer un tableau, afin de présenter clairement des informations dans votre document.

CRÉER UN TABLEAU

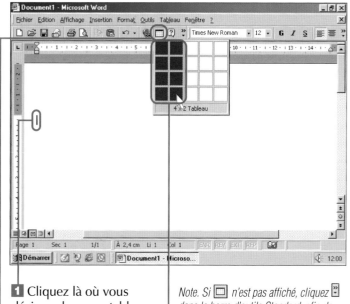

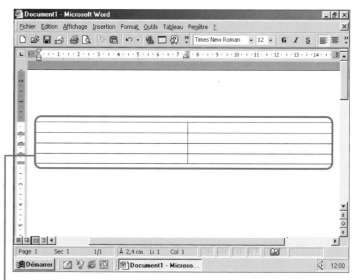

1 Cliquez là où vous désirez placer un tableau dans votre document.

2 Cliquez 🔲, afin de créer un tableau.

Note. Si 🔲 n'est pas affiché, cliquez ⠿ dans la barre d'outils Standard, afin de faire apparaître tous les boutons.

3 Faites glisser le pointeur ⬚, afin de mettre en surbrillance le nombre de colonnes et de lignes qui devront composer le tableau.

■ Le tableau apparaît dans votre document.

C'EST SIMPLE

À quoi correspondent
les colonnes, lignes et
cellules d'un tableau ?

■ Une colonne est une
rangée verticale de cases.

■ Une ligne est une rangée
horizontale de cases.

■ Une cellule correspond à
une case.

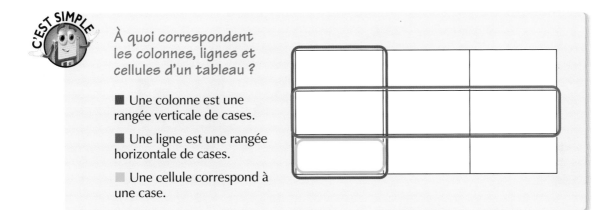

SUPPRIMER UN TABLEAU

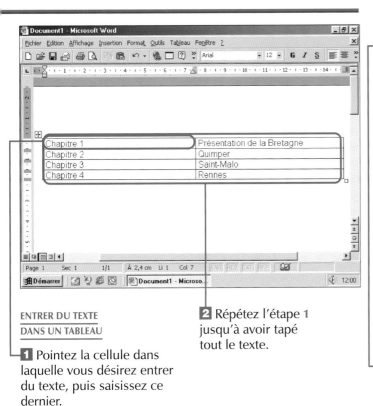

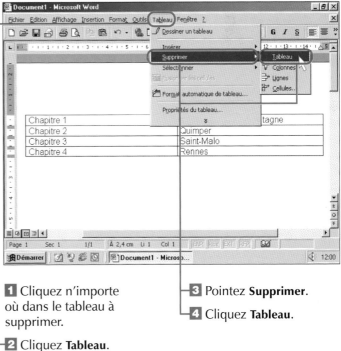

**ENTRER DU TEXTE
DANS UN TABLEAU**

1 Pointez la cellule dans
laquelle vous désirez entrer
du texte, puis saisissez ce
dernier.

2 Répétez l'étape **1**
jusqu'à avoir tapé
tout le texte.

1 Cliquez n'importe
où dans le tableau à
supprimer.

2 Cliquez **Tableau**.

3 Pointez **Supprimer**.

4 Cliquez **Tableau**.

CHANGER LA LARGEUR DES COLONNES OU LA HAUTEUR DES LIGNES

Après avoir créé un tableau, vous pouvez modifier la largeur des colonnes et la hauteur des lignes.

CHANGER LA LARGEUR DES COLONNES

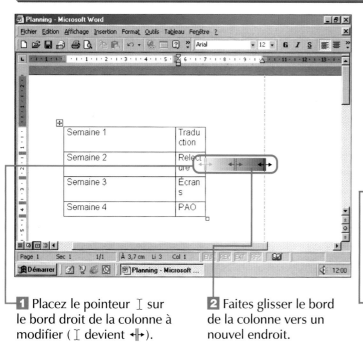

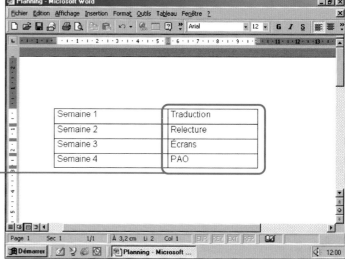

1 Placez le pointeur I sur le bord droit de la colonne à modifier (I devient ◄╟►).

2 Faites glisser le bord de la colonne vers un nouvel endroit.

■ Une ligne indique la nouvelle position.

■ La colonne adopte la nouvelle largeur.

C'EST SIMPLE

Word ajuste-t-il toujours automatiquement la largeur des colonnes et la hauteur des lignes ?

Lorsque vous entrez du texte dans un tableau, Word agrandit parfois automatiquement la largeur d'une colonne ou la hauteur d'une ligne, afin de l'adapter à votre saisie.

CHANGER LA HAUTEUR DES LIGNES

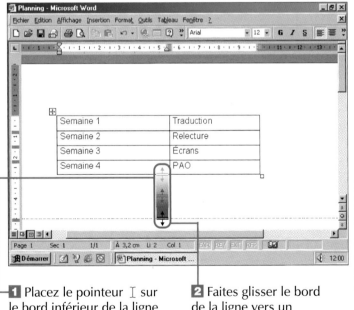

1 Placez le pointeur I sur le bord inférieur de la ligne à modifier (I devient ÷).

2 Faites glisser le bord de la ligne vers un nouvel endroit.

■ Une ligne indique la nouvelle position.

■ La ligne adopte la nouvelle hauteur.

Note. Il est impossible de changer la hauteur des lignes en mode d'affichage Normal ou Plan. Pour plus d'informations sur les modes d'affichage, consultez la page 254.

AJOUTER UNE LIGNE OU UNE COLONNE

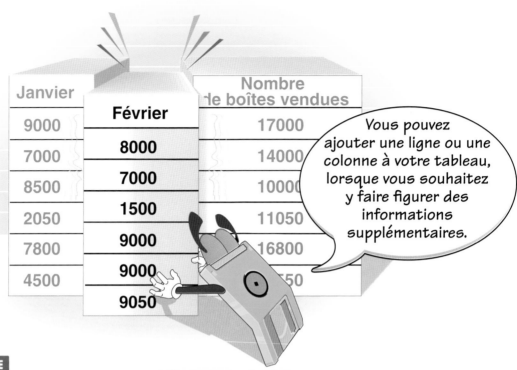

Vous pouvez ajouter une ligne ou une colonne à votre tableau, lorsque vous souhaitez y faire figurer des informations supplémentaires.

AJOUTER UNE LIGNE

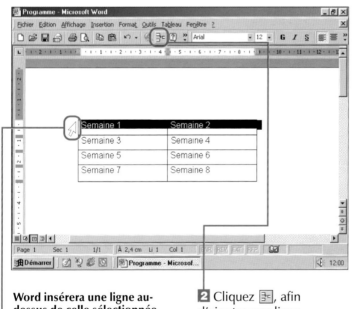

Word insérera une ligne au-dessus de celle sélectionnée.

1 Pour sélectionner une ligne, placez le pointeur I à sa gauche (I devient ⟋), puis cliquez le bouton gauche de la souris.

2 Cliquez ⊟, afin d'ajouter une ligne.

Note. Si ⊟ n'est pas affiché, cliquez ⟩ dans la barre d'outils Standard, afin de faire apparaître tous les boutons.

■ Une nouvelle ligne apparaît.

Puis-je ajouter une ligne
au bas d'un tableau ?

Oui. Pour insérer une ligne
au bas d'un tableau, cliquez
la cellule inférieure droite
du tableau et appuyez sur
la touche Tab .

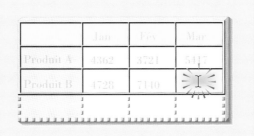

AJOUTER UNE COLONNE

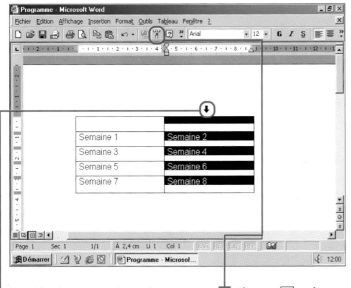

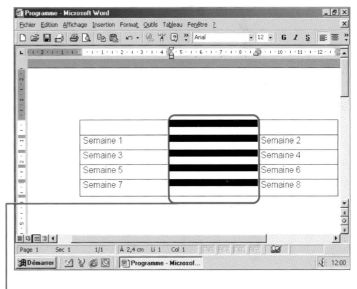

**Word insérera une colonne à
gauche de celle sélectionnée.**

1 Pour sélectionner une
colonne, placez le pointeur I
au-dessus de cette colonne
(I devient ↓), puis cliquez
le bouton gauche de la
souris.

2 Cliquez 🕀 , afin
d'ajouter une colonne.

*Note. Si 🕀 n'est pas affiché,
cliquez 🔽 dans la barre d'outils
Standard, afin de faire apparaître
tous les boutons.*

■ Une nouvelle colonne
apparaît.

SUPPRIMER UNE LIGNE OU UNE COLONNE

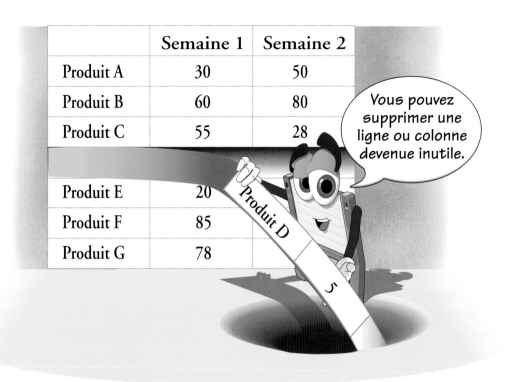

Vous pouvez supprimer une ligne ou colonne devenue inutile.

SUPPRIMER UNE LIGNE OU UNE COLONNE

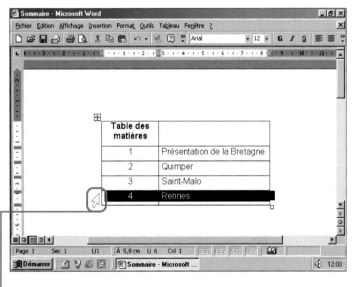

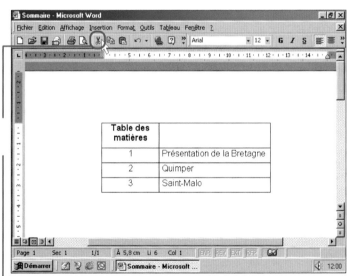

1 Pour sélectionner la ligne à supprimer, placez le pointeur I à sa gauche (I devient ⇗), puis cliquez le bouton gauche de la souris.

■ Pour sélectionner la colonne à supprimer, placez le pointeur I au-dessus de cette colonne (I devient ↓), puis cliquez le bouton gauche de la souris.

2 Cliquez [✗] , afin de supprimer la ligne ou la colonne.

Note. Si [✗] n'est pas affiché, cliquez [»] dans la barre d'outils Standard, afin de faire apparaître tous les boutons.

■ La ligne ou la colonne disparaît.

FUSIONNER DES CELLULES

> Vous pouvez associer au moins deux cellules de votre tableau, afin d'en créer une plus grande. Fusionner des cellules se révèle utile lorsque vous souhaitez afficher un titre en haut d'un tableau.

FUSIONNER DES CELLULES

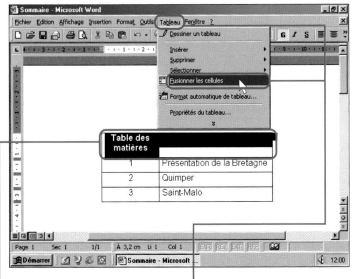

1 Placez le pointeur I sur la première cellule à fusionner avec les autres.

2 Faites glisser le pointeur I autant que nécessaire pour mettre toutes les cellules à fusionner en surbrillance.

3 Cliquez **Tableau**.

4 Cliquez **Fusionner les cellules**.

■ Les cellules s'associent pour en créer une plus grande.

■ Pour désélectionner des cellules, cliquez hors de la zone sélectionnée.

297

DÉPLACER UN TABLEAU

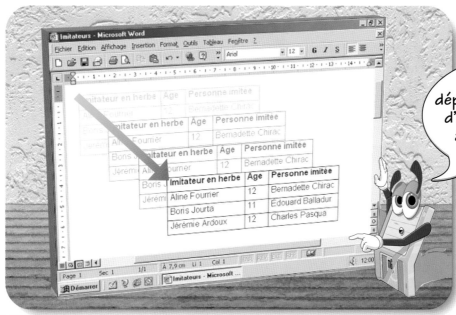

> Vous pouvez déplacer un tableau d'un endroit à un autre de votre document.

Un tableau ne peut être déplacé qu'en mode d'affichage Page ou Web. Pour changer le mode d'affichage, consultez la page 254.

DÉPLACER UN TABLEAU

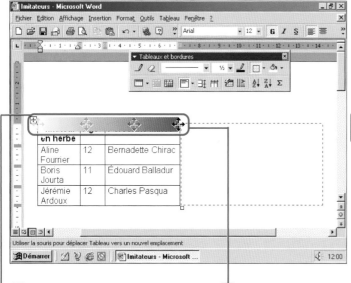

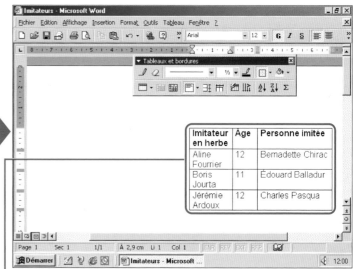

1 Placez le pointeur I sur le tableau à déplacer. Une poignée (⊞) apparaît.

Note. Vous devrez peut-être vous décaler vers la gauche pour voir la poignée.

2 Placez le pointeur I sur la poignée (I devient ✛).

3 Glissez-Déposez le tableau à un nouvel endroit.

■ Un cadre en pointillés indique le nouvel emplacement.

■ Le tableau apparaît au nouvel endroit.

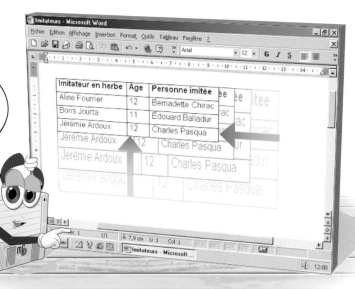

Vous pouvez changer la taille d'un tableau, afin d'en améliorer la présentation.

Un tableau ne peut être redimensionné qu'en mode Page ou Web. Pour changer le mode d'affichage, consultez la page 254.

REDIMENSIONNER UN TABLEAU

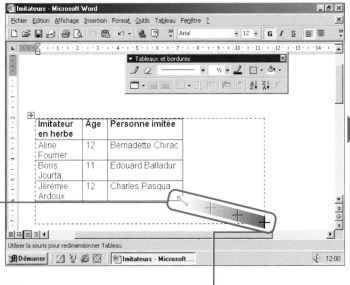

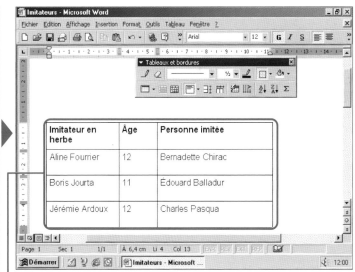

1 Placez le pointeur I sur le tableau à redimensionner. Une poignée (□) apparaît.

Note. Vous devrez peut-être vous décaler vers la droite pour voir la poignée.

2 Placez le pointeur I sur la poignée (I devient ↖).

3 Faites glisser la poignée jusqu'à ce que le tableau ait la taille souhaitée.

■ Un cadre en pointillés indique les nouvelles dimensions.

■ Le tableau adopte la nouvelle taille.

METTRE EN FORME UN TABLEAU

Word met à votre disposition de nombreux modèles prédéfinis, qui permettent de changer la présentation de votre tableau.

METTRE EN FORME UN TABLEAU

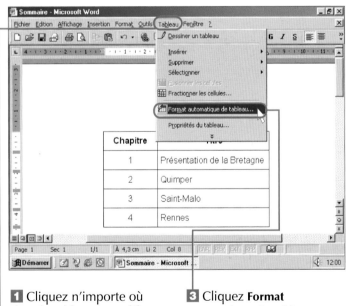

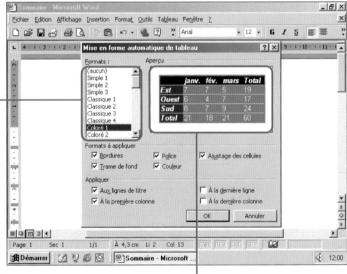

■ **1** Cliquez n'importe où dans le tableau à modifier.

■ **2** Cliquez **Tableau**.

■ **3** Cliquez **Format automatique de tableau**.

■ La boîte de dialogue Mise en forme automatique de tableau apparaît.

■ Cette zone affiche la liste des modèles de tableaux disponibles.

■ Cette zone donne une illustration du modèle de tableau mis en surbrillance.

■ **4** Appuyez sur les touches ↓ ou ↑ jusqu'à ce que vous voyiez le modèle de tableau souhaité.

Quel est le rôle de l'option Ajustage des cellules ?

L'option Ajustage des cellules adapte la taille du tableau à la quantité de texte qui y est entrée. Vous pouvez la désactiver à l'étape **5** ci-dessous (☑ devient ☐), si vous ne voulez pas que Word modifie les dimensions de votre tableau.

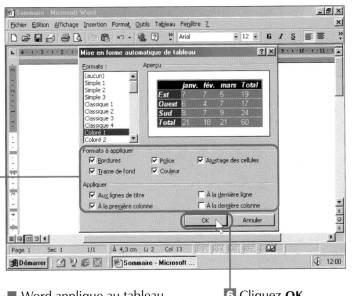

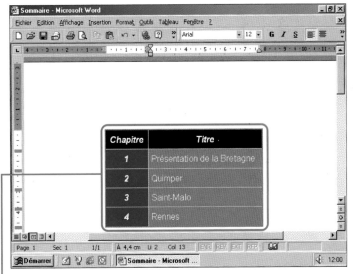

■ Word applique au tableau toute option précédée d'une coche (☑).

5 Cliquez une option pour cocher (☑) ou décocher (☐) sa case.

6 Cliquez **OK**, afin d'appliquer le modèle à votre tableau.

■ Le tableau adopte le modèle choisi.

■ Pour retirer un modèle de tableau, répétez les étapes **1** à **4**, en sélectionnant cette fois **Quadrillage 1** à l'étape **4**. Appuyez ensuite sur la touche Entrée .

CHAPITRE 16

DÉMARRER AVEC EXCEL

Par où commencer ? Ce chapitre vous apporte les notions de base pour démarrer avec Excel 2000.

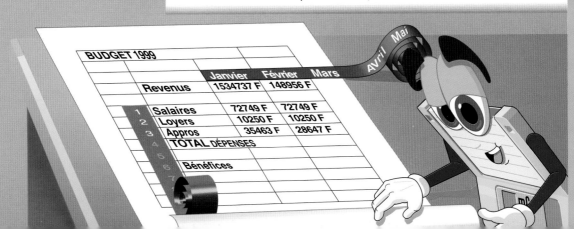

L'écran d'Excel comprend divers éléments qui vous permettent d'effectuer efficacement différentes tâches.

Barre de menus

Fournit un accès aux commandes disponibles dans Excel.

Barre d'outils Mise en forme

Propose des boutons qui facilitent la sélection de commandes de mise en forme courantes, comme Gras et Souligné.

Barre d'outils Standard

Contient les boutons permettant de sélectionner les commandes courantes, par exemple Enregistrer et Imprimer.

Cellule active

Se signale par une bordure épaisse. Vous saisissez les données dans la cellule active.

Cellule

Correspond à la zone située à l'intersection d'une ligne et d'une colonne.

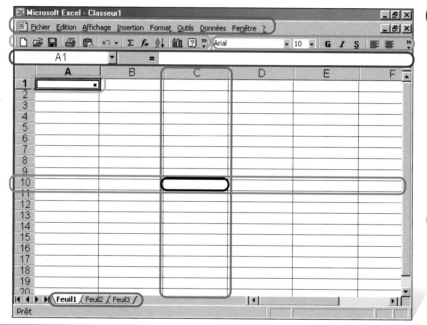

Barre de formule

Affiche la référence et le contenu de la cellule active. La référence indique l'emplacement de la cellule dans la feuille de calcul, elle se compose de la lettre de la colonne suivie du numéro de ligne, par exemple A1.

Ligne

Correspond à une rangée horizontale de cellules. Chaque ligne est désignée par un numéro.

Onglets des feuilles de calcul

Un fichier Excel s'appelle un classeur. Chaque classeur est divisé en plusieurs feuilles de calcul, Excel affichant un onglet pour chacune d'entre elles.

Un classeur est semblable à un classeur à anneaux qui contiendrait plusieurs feuilles de papier.

Colonne

Correspond à une rangée verticale de cellules. Chaque colonne est désignée par une lettre.

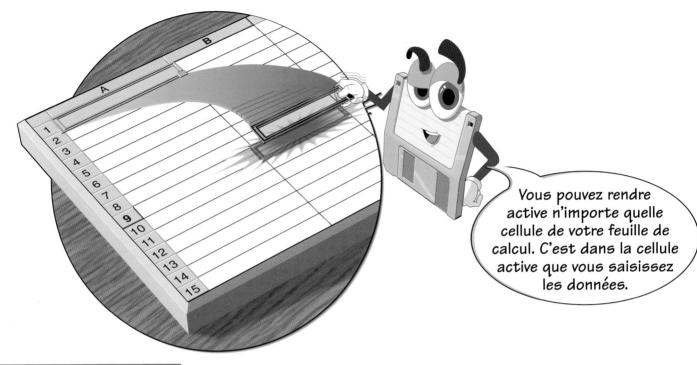

Vous pouvez rendre active n'importe quelle cellule de votre feuille de calcul. C'est dans la cellule active que vous saisissez les données.

MODIFIER LA CELLULE ACTIVE

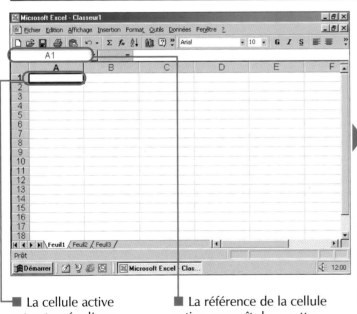

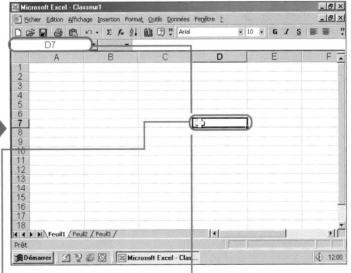

■ La cellule active est entourée d'une bordure épaisse.

■ La référence de la cellule active apparaît dans cette zone. Une référence de cellule indique l'emplacement de la cellule dans la feuille de calcul ; elle est constituée d'une lettre de colonne, suivie d'un numéro de ligne (par exemple, **A1**).

1 Cliquez la cellule que vous souhaitez activer.

Note. Vous pouvez également appuyer sur les touches ←, →, ↑ *ou* ↓ *pour changer de cellule active.*

■ La référence de la nouvelle cellule active apparaît dans cette zone.

Vous pouvez entrer des données rapidement et efficacement dans votre feuille de calcul.

RAPPORT DES VENTES

	1995	1996	1997	1998
Janvier	10500	8850	9000	10400
Février	9400	9750	9500	9850
Mars	6450	8450	8950	9900
Avril	7890	9000	9400	10850
Mai	8920	7359	8700	11500
Juin				

SAISIR DES DONNÉES

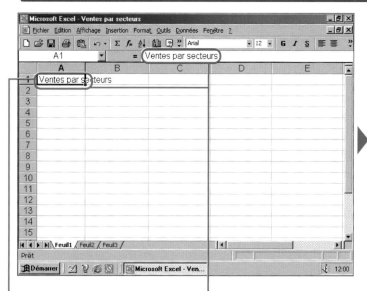

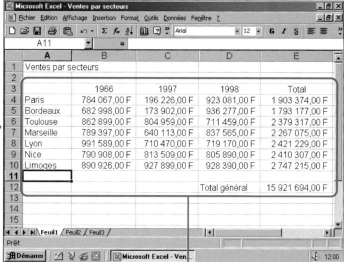

1 Cliquez la cellule dans laquelle vous souhaitez entrer des données. Puis saisissez ces données.

Note. Dans cet exemple, la taille des caractères a été modifiée de 10 points en 12 points pour faciliter la lecture des données.

■ Si vous faites une faute de frappe, appuyez sur la touche **Retour Arr** pour supprimer la saisie incorrecte. Puis entrez les bonnes données.

■ Les éléments que vous saisissez apparaissent dans la cellule active et dans la barre de formule.

2 Appuyez sur la touche **Entrée** pour valider les données et vous déplacer d'une cellule vers le bas.

Note. Pour saisir les données et vous déplacer d'une cellule dans n'importe quelle direction, appuyez sur les touches ←, →, ↑ ou ↓.

3 Répétez les étapes **1** et **2** pour terminer de saisir toutes vos données.

Comment utiliser les chiffres du pavé numérique à droite du clavier ?

Lorsque **NUM** s'affiche au bas de votre écran (ou si le voyant Num Lock est allumé en haut et à droite de votre clavier), vous pouvez utiliser le pavé numérique pour saisir les chiffres.

■ Pour activer ou désactiver **NUM**, appuyez sur la touche Verr Num .

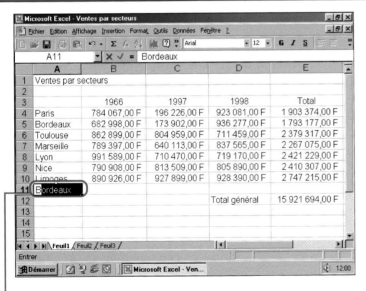

	A	B	C	D	E
1	Ventes par secteurs				
2					
3		1966	1997	1998	Total
4	Paris	784 067,00 F	196 226,00 F	923 081,00 F	1 903 374,00 F
5	Bordeaux	682 998,00 F	173 902,00 F	936 277,00 F	1 793 177,00 F
6	Toulouse	862 899,00 F	804 959,00 F	711 459,00 F	2 379 317,00 F
7	Marseille	789 397,00 F	640 113,00 F	837 565,00 F	2 267 075,00 F
8	Lyon	991 589,00 F	710 470,00 F	719 170,00 F	2 421 229,00 F
9	Nice	790 908,00 F	813 509,00 F	805 890,00 F	2 410 307,00 F
10	Limoges	890 926,00 F	927 899,00 F	928 390,00 F	2 747 215,00 F
11	Bordeaux				
12				Total général	15 921 694,00 F
13					
14					
15					

4	TOTAL DÉPENSES	
5		
6		

4	TOTAL DÉ	227
5		
6		

Texte long

Si le texte est trop long pour entrer dans une cellule, il est automatiquement affiché dans la cellule voisine.

Au cas où la cellule voisine contiendrait des données, Excel affiche autant de texte que le permet la largeur de la cellule. Pour modifier la largeur d'une cellule afin d'afficher tout le texte, consultez la page 350.

4	1,22E+10
5	
6	

4	#####
5	
6	

Nombre long

Si le nombre est trop long pour être contenu dans une cellule, Excel l'affiche sous forme scientifique ou avec des signes dièses (#). Pour modifier la largeur d'une colonne afin d'afficher le nombre, consultez la page 350.

SAISIE AUTOMATIQUE

■ Si les premières lettres saisies correspondent à une autre cellule de la colonne, Excel peut compléter le texte à votre place.

1 Pour valider le texte proposé par Excel, appuyez sur la touche Entrée .

■ Pour saisir un texte différent, continuez la frappe.

307

SÉLECTIONNER DES CELLULES

Avant d'effectuer une tâche dans Excel, vous devez sélectionner les cellules avec lesquelles vous souhaitez travailler. Les cellules sélectionnées apparaissent en surbrillance à l'écran.

SÉLECTIONNER DES CELLULES

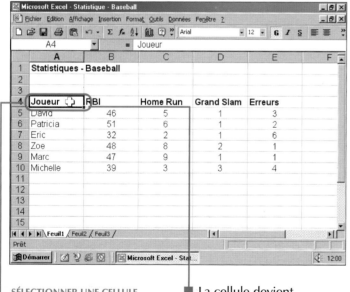

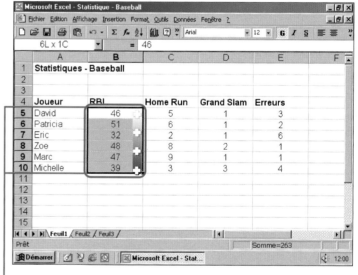

SÉLECTIONNER UNE CELLULE

1 Cliquez la cellule que vous souhaitez sélectionner.

■ La cellule devient active et une bordure épaisse marque son contour.

SÉLECTIONNER UN GROUPE DE CELLULES

1 Placez le pointeur de la souris ⟱ sur la première cellule que vous souhaitez sélectionner.

2 Faites glisser le pointeur ⟱ jusqu'à ce que toutes les cellules que vous souhaitez sélectionner s'affichent en surbrillance.

■ Pour sélectionner plusieurs groupes de cellules, appuyez sur la touche **Ctrl** et maintenez-la enfoncée tout en répétant les étapes **1** et **2**.

■ Pour désélectionner, cliquez sur n'importe quelle cellule.

Comment puis-je sélectionner toutes les cellules de ma feuille de calcul ?

	A	B	C	D	E	F
1	ÉTAT DES RECETTES					
2						
3		Janvier	Février	Mars		
4	REVENUS	87 000	115 000	136 700		
5						
6	Salaire	38 500	48 500	52 500		
7	Loyer	17 500	17 500	17 500		
8	Matériel	19 200	19 800	20 300		
9	TOTAL DES DÉPENSES					
10						

■ Pour sélectionner toutes les cellules de votre feuille de calcul, cliquez la case (▢) située dans le coin supérieur gauche de votre feuille de calcul, à l'endroit ou se croisent les en-têtes de lignes et de colonnes.

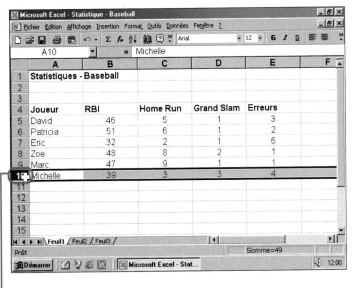

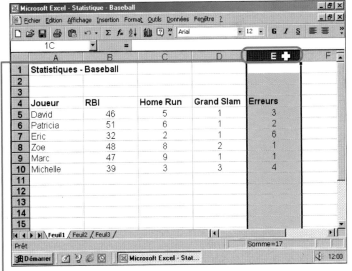

SÉLECTIONNER UNE LIGNE

1 Cliquez le numéro de la ligne que vous souhaitez sélectionner.

■ Pour sélectionner plusieurs lignes, placez le pointeur ⊕ de la souris sur le numéro de la première ligne à sélectionner. Faites ensuite glisser le pointeur ⊕ jusqu'à ce que toutes les lignes à sélectionner s'affichent en surbrillance.

SÉLECTIONNER UNE COLONNE

1 Cliquez la lettre de la colonne que vous souhaitez sélectionner.

■ Pour sélectionner plusieurs colonnes, placez le pointeur ⊕ de la souris sur la lettre de la première colonne à sélectionner. Faites ensuite glisser le pointeur ⊕ jusqu'à ce que toutes les colonnes à sélectionner s'affichent en surbrillance.

Si votre feuille de calcul contient de nombreuses données, l'écran de votre ordinateur ne pourra pas toutes les afficher en même temps. Vous devez vous déplacer dans la feuille de calcul pour en afficher les différentes zones.

SE DÉPLACER DANS UNE FEUILLE DE CALCUL

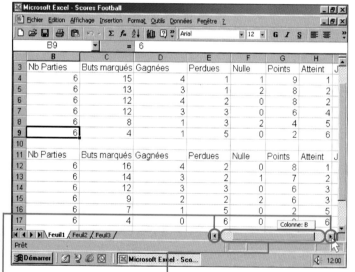

DÉPLACEMENT VERS LE HAUT OU LE BAS

1 Pour vous déplacer vers le haut ou le bas, cliquez ▲ ou ▼.

■ Pour vous déplacer rapidement vers n'importe quelle ligne de votre feuille de calcul, faites glisser le curseur de défilement le long de la barre de défilement verticale, jusqu'à ce que l'encadré jaune affiche le numéro de la ligne que vous souhaitez voir apparaître à l'écran.

DÉPLACEMENT VERS LA GAUCHE OU LA DROITE

1 Pour vous déplacer d'une colonne vers la gauche ou la droite, cliquez ◄ ou ►.

■ Pour vous déplacer rapidement vers n'importe quelle colonne de votre feuille de calcul, faites glisser le curseur de défilement le long de la barre de défilement horizontale, jusqu'à ce que l'encadré jaune affiche la lettre de la colonne que vous souhaitez voir apparaître à l'écran.

La feuille de calcul affichée sur votre écran n'est que l'une des feuilles de calcul de votre classeur. Vous pouvez facilement basculer d'une feuille à l'autre.

Les feuilles de calcul vous permettent d'organiser les informations dans votre classeur. Par exemple, il est possible de stocker les données concernant chaque service d'une société dans des feuilles de calcul séparées.

BASCULER ENTRE FEUILLES DE CALCUL

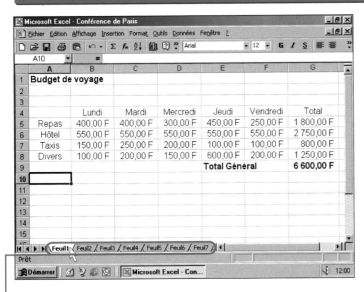

■1 Pour afficher le contenu d'une feuille de calcul, cliquez l'onglet de cette feuille de calcul.

■ La feuille de calcul que vous avez sélectionnée affiche un onglet blanc.

■ Le contenu de la feuille de calcul apparaît. Celui des autres feuilles est masqué.

DÉPLACEMENT
DANS LES ONGLETS

■ Si vous disposez de nombreuses feuilles de calcul dans votre classeur, il est possible que vous ne voyiez pas la totalité des onglets.

Note. Pour insérer des feuilles de calcul supplémentaires, consultez la page 312.

■1 Cliquez l'un des boutons suivants pour vous déplacer dans les onglets :

⏮ Affiche le premier onglet

◀ Affiche l'onglet situé à gauche

▶ Affiche l'onglet situé à droite

⏭ Affiche le dernier onglet

311

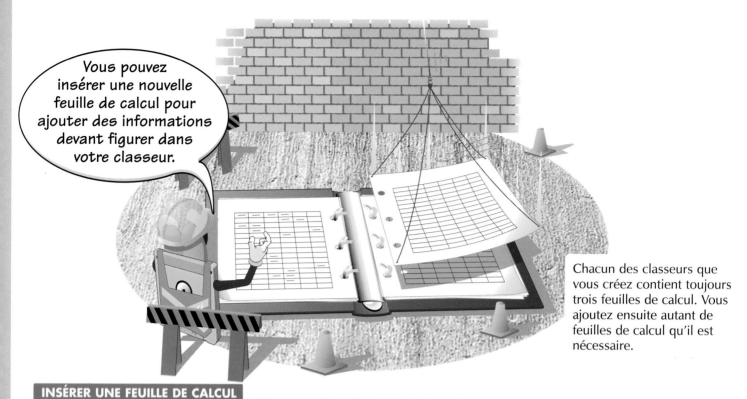

Vous pouvez insérer une nouvelle feuille de calcul pour ajouter des informations devant figurer dans votre classeur.

Chacun des classeurs que vous créez contient toujours trois feuilles de calcul. Vous ajoutez ensuite autant de feuilles de calcul qu'il est nécessaire.

INSÉRER UNE FEUILLE DE CALCUL

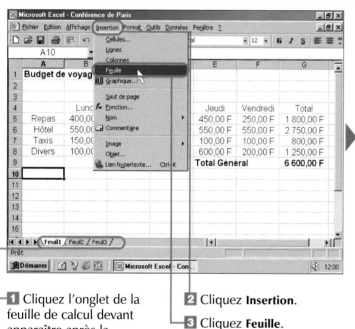

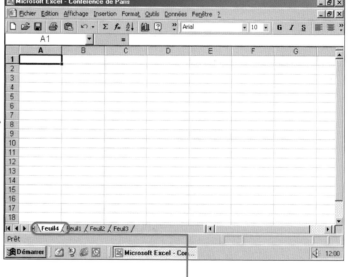

■1 Cliquez l'onglet de la feuille de calcul devant apparaître après la nouvelle feuille de calcul.

■2 Cliquez **Insertion**.

■3 Cliquez **Feuille**.

■ La nouvelle feuille de calcul apparaît.

■ Excel affiche un onglet pour la nouvelle feuille de calcul.

SUPPRIMER UNE FEUILLE DE CALCUL

SUPPRIMER UNE FEUILLE DE CALCUL

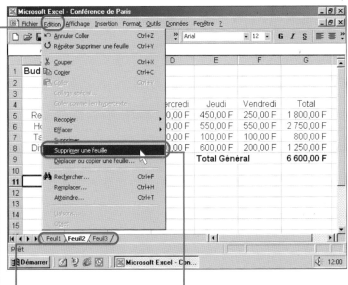

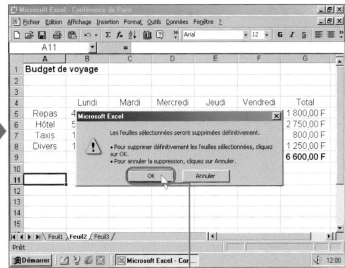

1 Cliquez l'onglet de la feuille de calcul à supprimer.

2 Cliquez **Edition**.

3 Cliquez **Supprimer une feuille**.

Note. Si la commande, Supprimer une feuille, n'apparaît pas dans le menu, placez le pointeur ⌖ au bas du menu pour en afficher toutes les commandes.

■ Une boîte de dialogue d'avertissement apparaît.

4 Cliquez **OK** pour supprimer définitivement la feuille de calcul.

> Vous pouvez attribuer un nom décrivant chaque feuille de calcul de votre classeur. Les noms explicites permettent de trouver rapidement l'information qui vous intéresse.

RENOMMER UNE FEUILLE DE CALCUL

1 Double-cliquez l'onglet de la feuille de calcul à renommer.

■ Le nom actuel s'affiche en surbrillance.

2 Saisissez le nouveau nom, puis appuyez sur la touche **Entrée**.

Note. Le nom d'une feuille de calcul peut contenir jusqu'à 31 caractères, espaces compris.

DÉPLACER UNE FEUILLE DE CALCUL

> Vous pouvez organiser vos données en déplaçant une feuille de calcul dans le classeur.

DÉPLACER UNE FEUILLE DE CALCUL

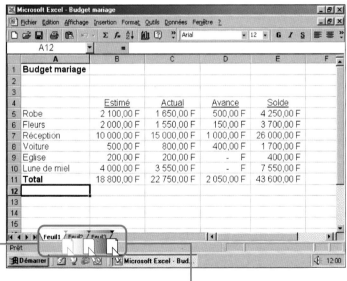

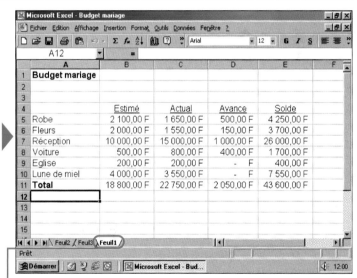

1 Placez le pointeur ⟨ de la souris sur l'onglet de la feuille de calcul à déplacer.

2 Faites glisser le pointeur.

■ Une flèche (▼) indique l'endroit où apparaîtra la feuille de calcul.

■ La feuille de calcul apparaît à son nouvel emplacement.

Une formule vous permet de calculer et d'analyser des données dans votre feuille de calcul.

Une formule commence toujours par le signe égal (=).

INTRODUCTION AUX FORMULES

=A1+A2+A3*A4
=10+20+30*40 = 1230

=A1+(A2+A3)*A4
=10+(20+30)*40 = 2010

=A1*(A3-A2)+A4
=10*(30-20)+40 = 140

=A3/(A1+A2)+A4
=30/(10+20)+40 = 41

Ordre de calcul

Excel effectue les opérations dans l'ordre suivant :

1 Exposants (^)

2 Multiplication (*) et Division (/)

3 Addition (+) et Soustraction (-)

Vous pouvez utiliser des parenthèses ( ) pour changer l'ordre dans lequel Excel effectue les calculs. Excel commencera par les calculs se trouvant dans les parenthèses.

Référence des cellules

Lorsque vous saisissez une formule, utilisez, aussi souvent que possible, les références des cellules plutôt que les valeurs qu'elles contiennent. Par exemple, saisissez la formule **=A1+A2** plutôt que **=10+20**.

Lorsque vous utilisez les références des cellules et que vous modifiez un nombre utilisé dans une formule, Excel recalcule automatiquement à votre place.

ERREURS DANS LES FORMULES

Un message d'erreur apparaît quand Excel ne peut pas effectuer le calcul correctement ou quand le résultat ne peut pas s'afficher.

Les erreurs dans les formules proviennent le plus souvent de fautes de frappe. Vous pouvez corriger une erreur en modifiant la formule. Pour modifier une formule, consultez la page 289.

#####

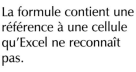

La colonne est trop étroite pour afficher le résultat du calcul. Vous pouvez modifier la largeur de la colonne pour afficher ce résultat. Pour modifier la largeur d'une colonne, voyez la page 142.

■ Cette cellule contient la formule :

$=A1*A2$

#NOM?

La formule contient une référence à une cellule qu'Excel ne reconnaît pas.

■ Cette cellule contient la formule :

$=AQ+A2+A3$

Dans cet exemple, la référence à la cellule A1 a été mal saisie.

#REF!

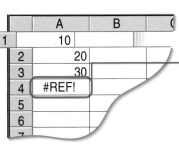

Cette formule fait référence à une cellule qui n'est pas valide.

■ Cette cellule contient la formule :

$=A1+A2+A3$

Dans cet exemple, la formule contient une référence à une cellule d'une ligne qui a été effacée.

#VALEUR!

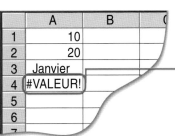

La formule fait référence à une cellule qu'Excel ne peut pas utiliser dans le calcul.

■ Cette cellule contient la formule :

$=A1+A2+A3$

Dans cet exemple, une cellule utilisée dans la formule contient du texte.

SAISIR UNE FORMULE

Vous pouvez saisir une formule dans n'importe quelle cellule de votre feuille de calcul. Une formule vous permet de calculer et d'analyser les données de votre feuille de calcul.

SAISIR UNE FORMULE

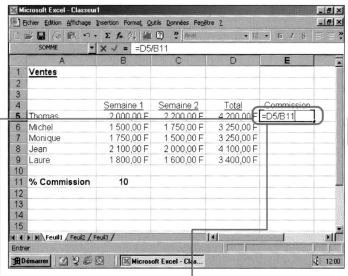

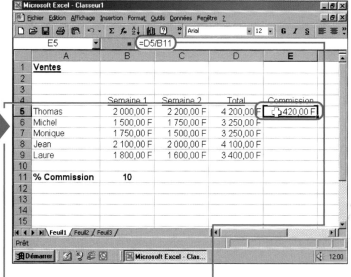

1 Cliquez la cellule dans laquelle vous souhaitez saisir la formule.

2 Tapez le signe égal (=) pour commencer la formule.

3 Saisissez la formule, puis appuyez sur la touche Entrée.

■ Le résultat de la formule apparaît dans la cellule.

4 Pour afficher la formule que vous avez saisie, cliquez la cellule contenant cette formule.

■ La formule appliquée à cette cellule apparaît dans la barre de formule.

Que se passe-t-il si je change un nombre utilisé dans une formule ?

Si vous changez un nombre utilisé dans une formule, Excel refait automatiquement le calcul pour vous.

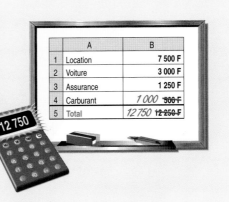

	A	B
1	Location	7 500 F
2	Voiture	3 000 F
3	Assurance	1 250 F
4	Carburant	*1 000* ~~500 F~~
5	Total	*12 750* ~~12 250 F~~

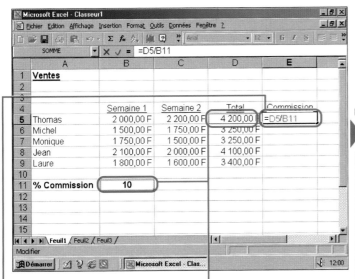

MODIFIER UNE FORMULE

1 Double-cliquez la cellule contenant la formule que vous souhaitez modifier.

■ La formule apparaît dans la cellule.

■ Excel utilise différentes couleurs pour mettre en évidence les cellules utilisées dans la formule.

2 Appuyez sur les touches ← ou → pour déplacer le point d'insertion clignotant à l'emplacement où vous souhaitez supprimer ou ajouter des caractères.

3 Pour supprimer des caractères à gauche du point d'insertion, appuyez sur la touche ←Retour Arr .

4 Pour ajouter des caractères à l'endroit où le point d'insertion clignote, saisissez-les.

5 Lorsque vous avez terminé de modifier la formule, appuyez sur la touche Entrée .

319

ADDITIONNER DES CHIFFRES

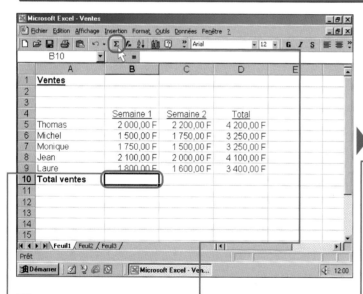

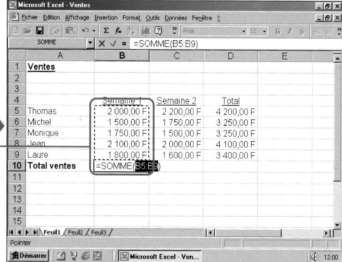

1 Cliquez la cellule se trouvant en dessous ou à droite des cellules contenant les chiffres que vous souhaitez additionner.

2 Cliquez Σ pour additionner les chiffres.

Note. Si Σ n'est pas affiché, cliquez ⟩ dans la barre d'outils Standard, afin de faire apparaître tous les boutons.

■ Excel entoure avec une ligne en pointillé les cellules utilisées pour le calcul.

■ Si Excel n'entoure pas les bonnes cellules, sélectionnez celles contenant les chiffres que vous souhaitez additionner. Pour sélectionner des cellules, consultez la page 308.

Comment puis-je calculer
simultanément une somme
de données en lignes et en
colonnes ?

1 Sélectionnez les cellules
contenant les chiffres que vous
souhaitez additionner et
sélectionnez également une ligne
et une colonne vierge pour les
résultats. Pour sélectionner des
cellules, consultez la page 308.

2 Cliquez ∑ pour effectuer
les calculs.

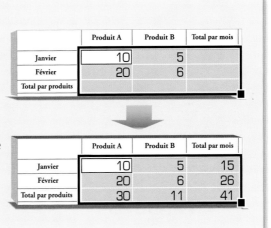

	Produit A	Produit B	Total par mois
Janvier	10	5	
Février	20	6	
Total par produits			

	Produit A	Produit B	Total par mois
Janvier	10	5	15
Février	20	6	26
Total par produits	30	11	41

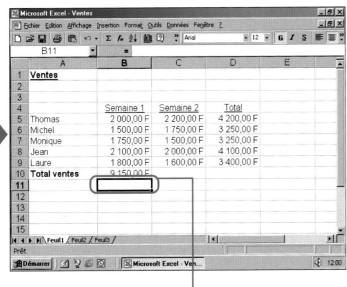

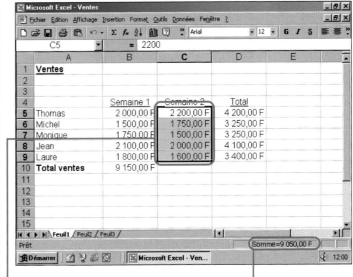

3 Appuyez sur la touche
`Entrée` pour effectuer le
calcul.

■ Le résultat du
calcul apparaît.

UTILISATION DE LA SOMME AUTOMATIQUE

Vous pouvez afficher la somme
d'une liste de chiffres sans saisir
de formule dans votre feuille de
calcul.

1 Sélectionnez les cellules
contenant les chiffres que vous
souhaitez inclure dans le calcul.

■ Cette zone
affiche la somme
des cellules
sélectionnées.

COPIER UNE FORMULE

Si vous souhaitez utiliser plusieurs fois la même formule dans votre feuille de calcul, vous pouvez gagner du temps en la recopiant.

COPIER UNE FORMULE – EN UTILISANT DES RÉFÉRENCES RELATIVES

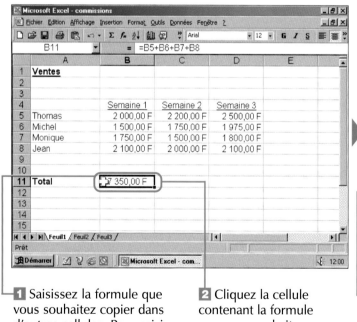
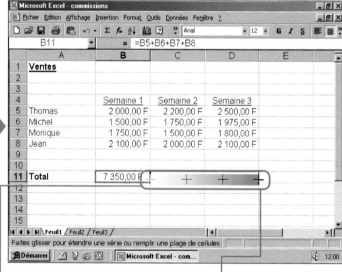

1 Saisissez la formule que vous souhaitez copier dans d'autres cellules. Pour saisir une formule, consultez la page 318.

*Note. Dans cet exemple la cellule **B10** contient la formule **=B5+B6+B7+B8**.*

2 Cliquez la cellule contenant la formule que vous souhaitez copier.

3 Placer le pointeur ⇨ sur le coin inférieur gauche de la cellule (⇨ devient +).

4 Faites glisser le pointeur + sur les cellules qui doivent contenir la copie de la formule.

Qu'est-ce qu'une référence relative ?

Une référence relative est une référence de cellule qui change lorsque l'on copie une formule.

	A	B	C
1	10	20	5
2	20	30	10
3	30	40	20
4	60	90	35
5			

=A1+A2+A3 → =B1+B2+B3 =C1+C2+C3

Cette cellule contient la formule =A1+A2+A3.

Si vous copiez la formule dans d'autres cellules de votre feuille de calcul, Excel change automatiquement les références de cellule dans les nouvelles formules.

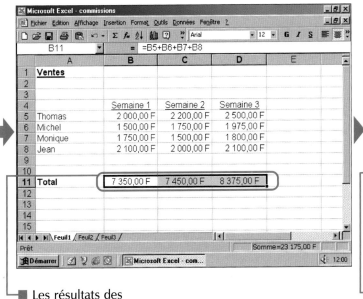

■ Les résultats des formules apparaissent.

5 Pour afficher l'une des nouvelles formules, cliquez la cellule contenant une copie de la formule.

■ La barre de formule affiche la formule avec les nouvelles références.

COPIER UNE FORMULE

Vous pouvez copier une formule dans d'autres cellules de votre feuille de calcul pour gagner du temps. Si vous ne souhaitez pas qu'Excel change une référence de cellule lors de cette copie, vous utiliserez des références absolues.

COPIER UNE FORMULE – EN UTILISANT DES RÉFÉRENCES ABSOLUES

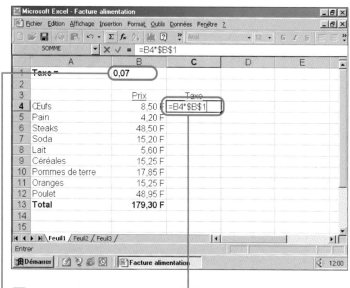

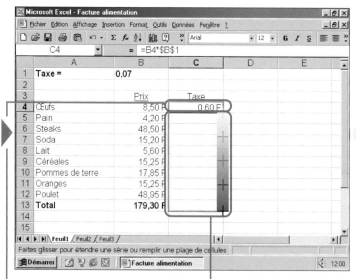

1 Saisissez les données que vous souhaitez utiliser dans toutes les formules.

2 Saisissez la formule que vous souhaitez copier dans d'autres cellules. Pour saisir une formule, consultez la page 318.

Note. Dans cet exemple, la cellule **C4** *contient la formule* **=B4*$B$1**.

3 Cliquez la cellule contenant la formule que vous souhaitez copier.

4 Placer le pointeur ⟲ sur le coin inférieur droit de la cellule (⟲ devient +).

5 Faites glisser le pointeur + sur les cellules devant contenir une copie de la formule.

324

Qu'est-ce qu'une référence absolue ?

Une référence absolue est une référence à une cellule qui ne change pas lorsque l'on copie une formule. Pour qu'une référence à une cellule soit absolue, saisissez un signe dollar ($) avant la lettre de colonne et le numéro de ligne, par exemple $A$7.

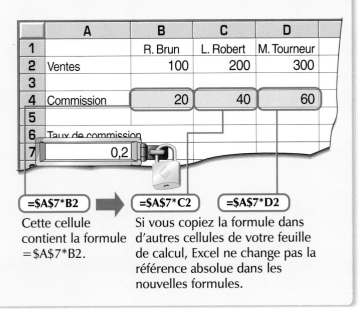

=$A$7*B2 ➜ **=$A$7*C2**   **=$A$7*D2**

Cette cellule contient la formule =$A$7*B2.

Si vous copiez la formule dans d'autres cellules de votre feuille de calcul, Excel ne change pas la référence absolue dans les nouvelles formules.

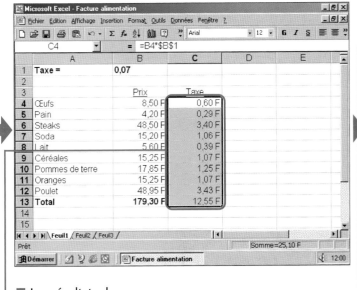

■ Les résultats des formules apparaissent.

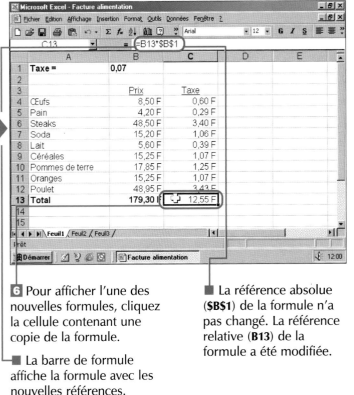

6 Pour afficher l'une des nouvelles formules, cliquez la cellule contenant une copie de la formule.

■ La barre de formule affiche la formule avec les nouvelles références.

■ La référence absolue (**$B$1**) de la formule n'a pas changé. La référence relative (**B13**) de la formule a été modifiée.

Vous pouvez créer un diagramme pour représenter graphiquement les données de votre feuille de calcul.

CRÉER UN GRAPHIQUE

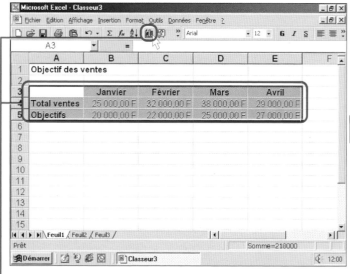

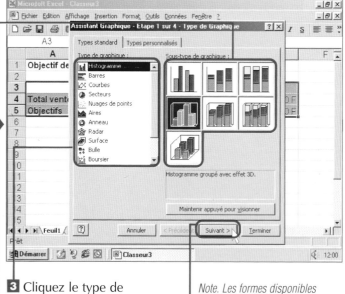

1 Sélectionnez les cellules contenant les données que vous souhaitez afficher dans le graphique, incluez également les étiquettes des lignes et des colonnes. Pour sélectionner des cellules, consultez la page 308.

2 Cliquez 🏛 pour créer le graphique.

Note. Si 🏛 n'est pas affiché, cliquez 🗀 dans la barre d'outils Standard, afin de faire apparaître tous les boutons.

■ L'Assistant Graphique apparaît.

3 Cliquez le type de graphique que vous souhaitez créer.

4 Cliquez le sous-type de graphique que vous souhaitez utiliser.

Note. Les formes disponibles dépendent du type de graphique sélectionné à l'étape 3.

5 Cliquez **Suivant** pour continuer.

Quels titres puis-je ajouter à mon graphique ?

Titre du graphique

Indique le sujet de votre graphique.

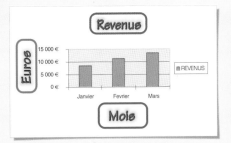

Axe des abscisses

Indique l'unité de mesure utilisée dans votre graphique.

Axe des ordonnées

Indique les catégories utilisées dans votre graphique.

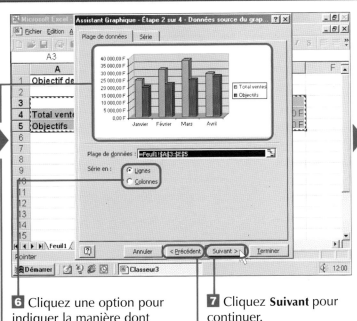

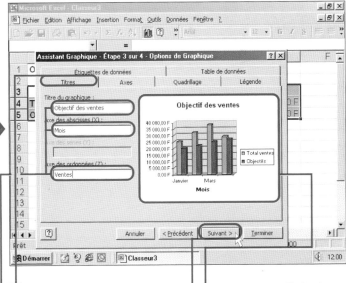

6 Cliquez une option pour indiquer la manière dont vous souhaitez qu'Excel représente les données de votre feuille de calcul (○ devient ⊙).

■ Cette zone affiche un exemple du graphique.

7 Cliquez **Suivant** pour continuer.

■ À tout instant, vous pouvez cliquer **Précédent** pour revenir à une étape précédente et modifier vos choix.

8 Pour ajouter des titres au graphique, cliquez l'onglet **Titres**.

9 Cliquez la zone du titre que vous souhaitez ajouter, puis saisissez le titre. Répétez cette opération pour chacun des titres à ajouter.

■ Cette zone affiche la manière dont les titres apparaîtront dans le graphique.

10 Cliquez **Suivant** pour continuer.

SUITE

CRÉER UN GRAPHIQUE

Lorsque vous créez un graphique, vous pouvez l'afficher sur la même feuille de calcul que les données ou sur sa propre feuille de calcul, appelée feuille graphique.

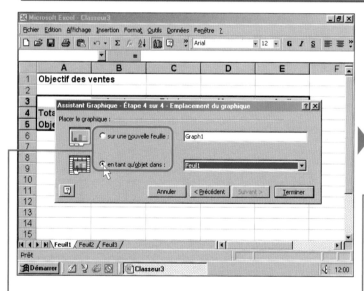

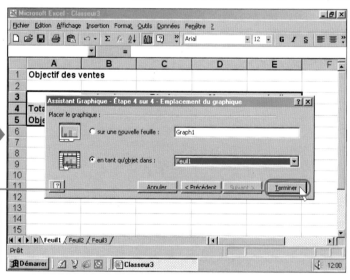

11 Cliquez une option pour indiquer où vous souhaitez afficher le graphique (○ devient ◉).

Sur une nouvelle feuille

Affiche le graphique sur sa propre feuille de calcul, appelée feuille graphique.

En tant qu'objet dans

Affiche le graphique sur la même feuille de calcul que les données.

12 Cliquez **Terminer** pour achever le graphique.

Dois-je créer un nouveau graphique chaque fois que je change les données dans ma feuille de calcul ?

Non, lorsque vous modifiez les données utilisées lors de la création du graphique, Excel met automatiquement à jour le graphique pour représenter les changements.

■ Le graphique s'affiche.

■ La barre d'outils Graphique apparaît également, elle affiche des boutons vous permettant de modifier ce graphique.

■ Les poignées (■) autour du graphique vous permettent d'en changer la taille. Pour masquer ces poignées, cliquez à l'extérieur du graphique.

Note. Pour déplacer un graphique, consultez la page 330.

SUPPRIMER UN GRAPHIQUE

■1 Cliquez une zone vierge du graphique. Les poignées (■) apparaissent autour du graphique.

2 Appuyez sur la touche Suppr .

Note. Pour supprimer un graphique affiché dans une feuille graphique, vous devez supprimer cette feuille. Pour supprimer une feuille de calcul, consultez la page 283.

Lorsque vous avez créé un graphique, vous pouvez modifier sa position ou sa taille.

– Déplacer –

– Dimensionner –

DÉPLACER UN GRAPHIQUE

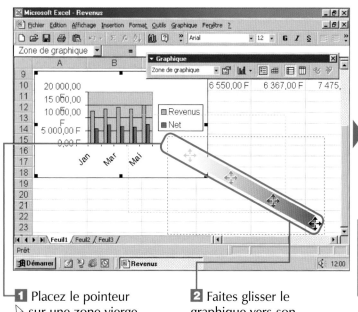

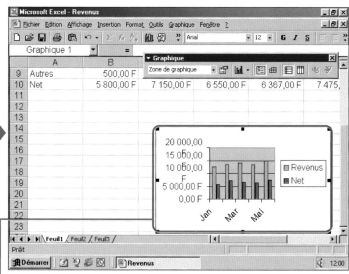

1 Placez le pointeur sur une zone vierge du graphique.

2 Faites glisser le graphique vers son nouvel emplacement.

■ Une ligne pointillée indique le nouvel emplacement.

■ Le graphique apparaît dans sa nouvelle destination.

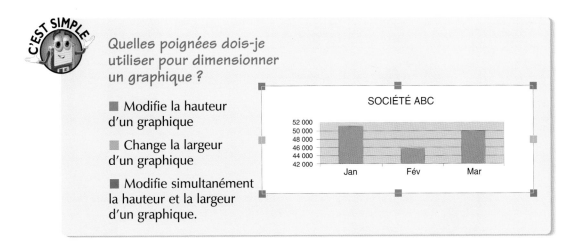

Quelles poignées dois-je utiliser pour dimensionner un graphique ?

■ Modifie la hauteur d'un graphique

■ Change la largeur d'un graphique

■ Modifie simultanément la hauteur et la largeur d'un graphique.

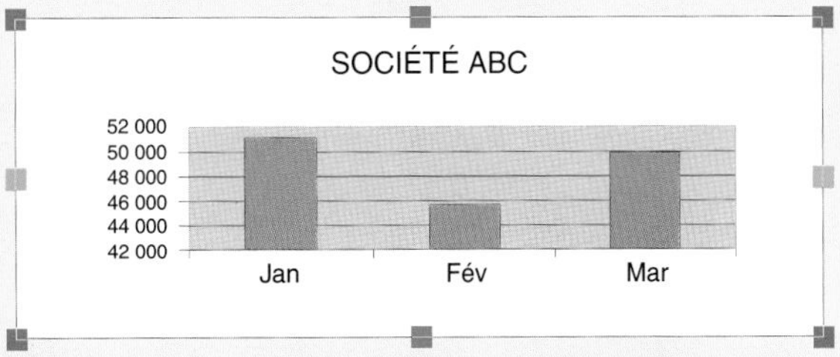

DIMENSIONNER UN GRAPHIQUE

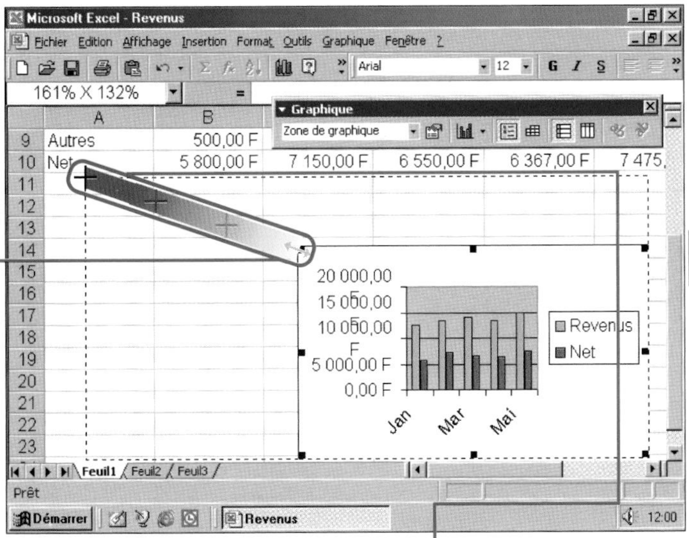

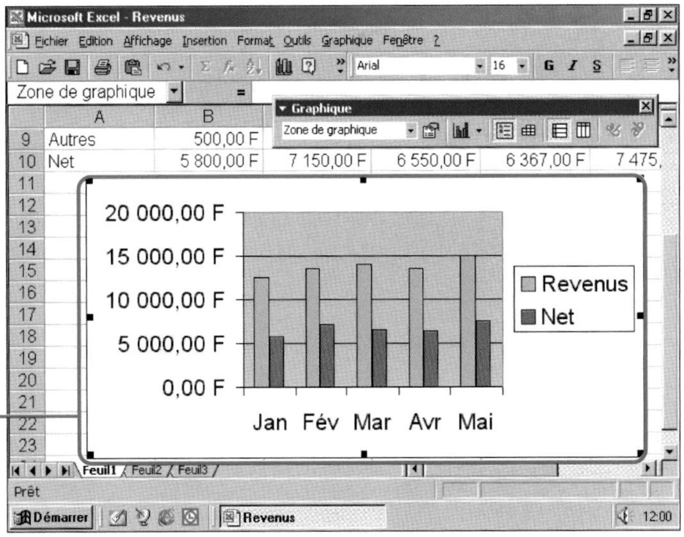

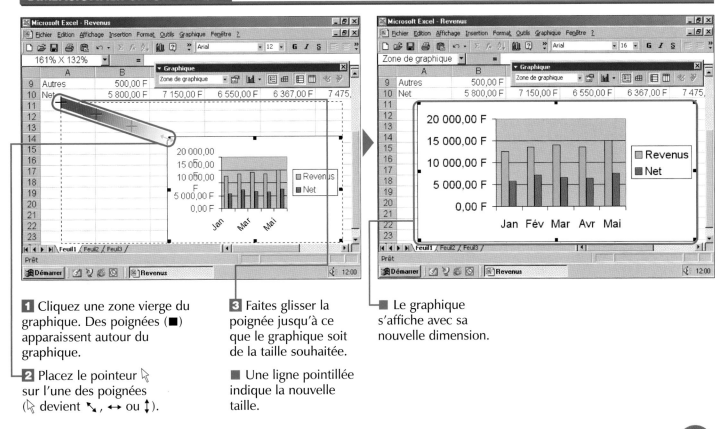

1 Cliquez une zone vierge du graphique. Des poignées (■) apparaissent autour du graphique.

2 Placez le pointeur ↖ sur l'une des poignées (↖ devient ↘, ↔ ou ↕).

3 Faites glisser la poignée jusqu'à ce que le graphique soit de la taille souhaitée.

■ Une ligne pointillée indique la nouvelle taille.

■ Le graphique s'affiche avec sa nouvelle dimension.

Vous pouvez utiliser la fonction Aperçu avant impression pour voir l'aspect de votre feuille de calcul avant de l'imprimer. Ceci vous permet d'être certain que votre feuille de calcul s'imprimera de la manière dont vous le souhaitez.

APERÇU D'UNE FEUILLE DE CALCUL

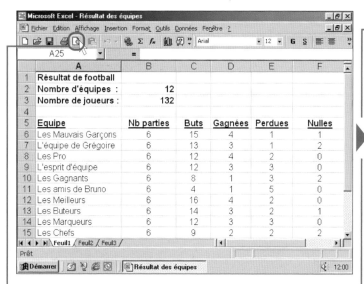

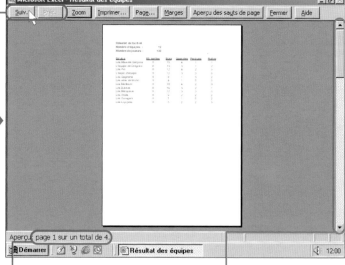

1 Cliquez 🔍 pour obtenir un aperçu de votre feuille de calcul.

Note. Si 🔍 n'est pas affiché, cliquez ▸ dans la barre d'outils Standard, afin de faire apparaître tous les boutons.

■ La fenêtre Aperçu avant impression apparaît.

■ Cette zone indique la page affichée et le nombre total de pages de votre feuille de calcul.

2 Si votre feuille de calcul contient plusieurs pages, cliquez **Suiv.** ou **Préc.** pour afficher respectivement la page suivante ou la page précédente.

■ Vous pouvez également utiliser la barre de défilement pour afficher les autres pages.

C'EST SIMPLE

Pourquoi ma feuille de calcul apparaît-elle en noir et blanc dans la fenêtre Aperçu avant impression ?

Si vous utilisez une imprimante noir et blanc, la feuille de calcul apparaît en noir et blanc dans l'Aperçu avant impression. Si vous utilisez une imprimante couleur, votre feuille de calcul apparaît en couleurs.

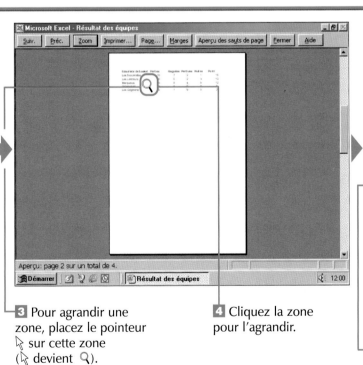

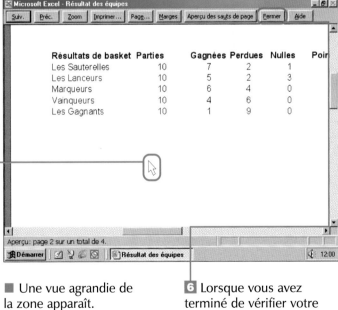

3 Pour agrandir une zone, placez le pointeur ⇖ sur cette zone (⇖ devient ⌕).

4 Cliquez la zone pour l'agrandir.

■ Une vue agrandie de la zone apparaît.

5 Pour afficher de nouveau la totalité de la page, cliquez n'importe où sur la page.

6 Lorsque vous avez terminé de vérifier votre feuille de calcul, cliquez **Fermer** pour que la fenêtre Aperçu avant impression disparaisse de l'écran.

IMPRIMER UNE FEUILLE DE CALCUL

Vous pouvez produire une copie papier de la feuille de calcul affichée sur votre écran.

Avant d'imprimer votre feuille de calcul, assurez-vous que l'imprimante est sous tension et qu'elle contient suffisamment de papier.

IMPRIMER UNE FEUILLE DE CALCUL

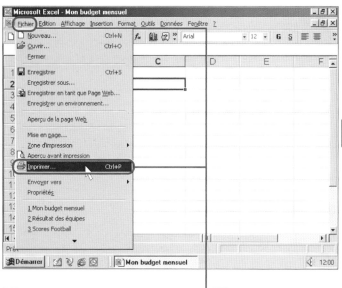

1 Cliquez n'importe quelle cellule de la feuille de calcul à imprimer.

Note. Pour n'imprimer que certaines cellules de la feuille de calcul, sélectionnez les cellules que vous souhaitez imprimer. Pour sélectionner des cellules, consultez la page 308.

2 Cliquez **Fichier**.

3 Cliquez **Imprimer**.

■ La boîte de dialogue Imprimer apparaît.

4 Cliquez la partie du classeur que vous souhaitez imprimer (○ devient ⊙).

5 Si la partie du classeur que vous avez sélectionnée contient plusieurs pages, cliquez une option pour indiquer quelles pages vous souhaitez imprimer (○ devient ⊙).

Quelle partie du classeur puis-je imprimer ?

Sélection

Imprime les cellules que vous avez sélectionnées.

Feuilles sélectionnées

Imprime les feuilles de calcul sélectionnées.

Classeur entier

Imprime toutes les feuilles de calcul du classeur.

Pour plus d'informations sur l'utilisation de plusieurs feuilles de calcul dans un classeur, consultez les pages 311 à 315.

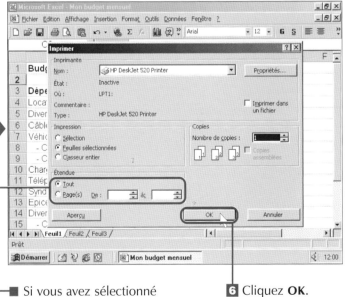

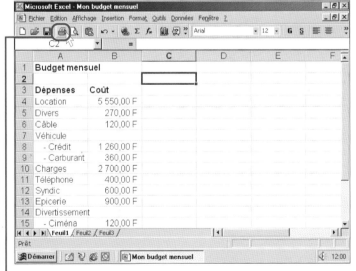

■ Si vous avez sélectionné **Page(s)** à l'étape **5**, saisissez le numéro de la première page à imprimer. Appuyez sur la touche `Tab` puis saisissez le numéro de la dernière page à imprimer.

6 Cliquez **OK**.

IMPRIMER RAPIDEMENT LA TOTALITÉ DE LA FEUILLE DE CALCUL

1 Cliquez 🖨 pour imprimer rapidement la totalité de la feuille de calcul affichée à l'écran.

Note. Si 🖨 n'est pas affiché, cliquez 🔽 dans la barre d'outils Standard, afin de faire apparaître tous les boutons.

MODIFIER LES MARGES

HAUT

Joueurs	Jeux	Buts	Assistés	Points
G. Pantin	60	50	35	85
H. Bouquin	60	52	24	76
J. Villard	60	49	20	69
T. Renaud	60	44	20	64
D. Tailleur	60	43	21	64
F. Jean	55	24	38	62
G. Georges	60	33	29	62
B. Laid	59	19	30	49
A. Tain	40	22	20	42
P. Philippe	58	19	21	40
R. Olivier	45	21	19	40
L. Portier	35	15	23	38
H. Robert	60	25	12	37
S. Desert	40	13	21	34
M. Leblanc	60	21	12	33
C. Colline	40	13	20	33
T. David	60	10	22	32
S. Tonner	40	22	10	32
J. Canne	60	12	19	31
L. Bertrand	60	10	18	28
R. Roy	30	10	17	27
T. Lapin	56	12	10	22
A. Cosquer	33	10	7	17
D. Saladin	60	4	12	16
B. Mille	60	5	10	15
E. Pelle	35	10	4	14
G. Carnin	60	2	10	12
J. Carmes	60	2	5	7

GAUCHE

DROITE

BAS

> Une marge correspond à l'espace situé entre les données et le bord de la feuille de papier. Vous pouvez modifier les marges de votre feuille de calcul.

Excel règle automatiquement les marges supérieure et inférieure à 2,5 cm et les marges gauche et droite à 2 cm.

MODIFIER LES MARGES

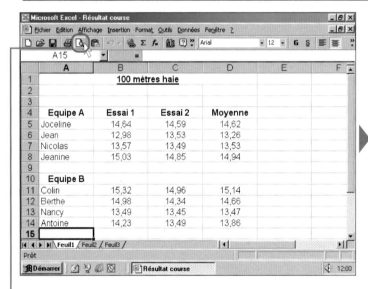

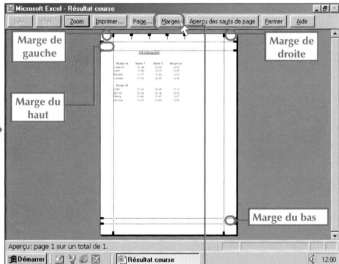

1 Cliquez 🔍 pour afficher votre feuille de calcul dans la fenêtre Aperçu avant impression. Cette fenêtre vous permet de modifier les marges.

Note. Si 🔍 n'est pas affiché, cliquez 》 dans la barre d'outils Standard, afin de faire apparaître tous les boutons.

■ La feuille de calcul apparaît dans la fenêtre Aperçu avant impression.

Note. Pour plus d'informations sur la fonction Aperçu avant impression, consultez la page 332.

2 Si les marges ne sont pas affichées, cliquez **Marges**.

336

Pourquoi modifierais-je les marges ?

La modification des marges vous permet d'utiliser du papier à en-tête ou tout autre papier spécial.

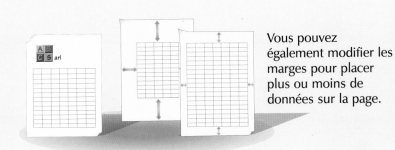

Vous pouvez également modifier les marges pour placer plus ou moins de données sur la page.

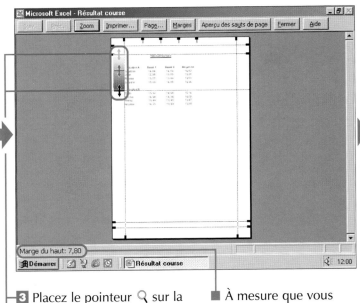

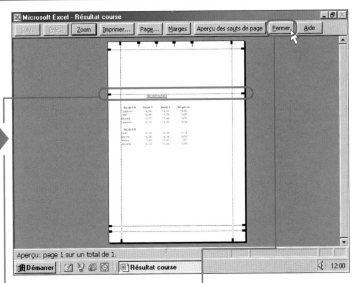

■3 Placez le pointeur ⬚ sur la marge que vous souhaitez modifier (⬚ devient ╈ or ╈).

■4 Faites glisser la marge vers son nouvel emplacement, indiqué par une ligne.

■ À mesure que vous déplacez la marge, cette zone affiche la distance en centimètres entre la marge et le bord de la page.

■ La marge s'est déplacée jusqu'au nouvel emplacement.

■5 Répétez les étapes 3 et 4 pour chaque marge que vous souhaitez changer.

■6 Lorsque vous avez fini de modifier les marges, cliquez **Fermer** pour que la fenêtre Aperçu avant impression disparaisse de l'écran.

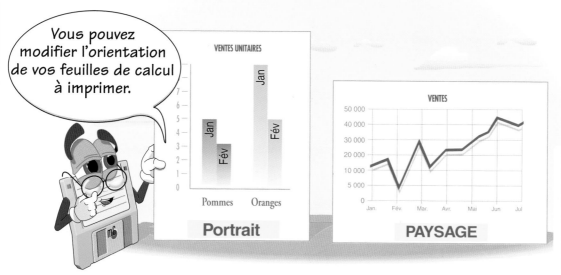

> Vous pouvez modifier l'orientation de vos feuilles de calcul à imprimer.

Excel imprime automatiquement les feuilles de calcul avec l'orientation Portrait. L'orientation Paysage se révèle utile lorsque vous avez beaucoup de données à placer dans une page imprimée.

MODIFIER L'ORIENTATION DE LA PAGE

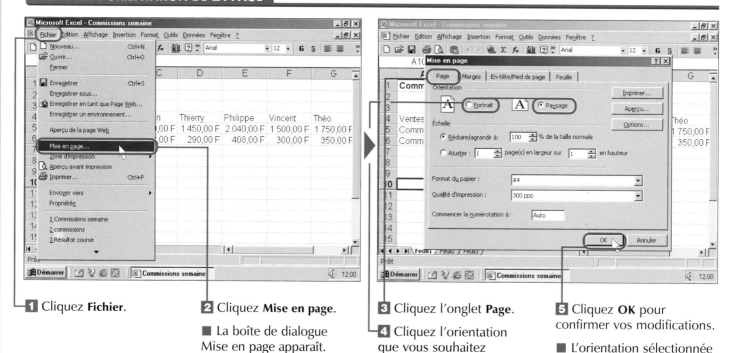

1 Cliquez **Fichier**.

2 Cliquez **Mise en page**.

■ La boîte de dialogue Mise en page apparaît.

3 Cliquez l'onglet **Page**.

4 Cliquez l'orientation que vous souhaitez utiliser (○ devient ⊙).

5 Cliquez **OK** pour confirmer vos modifications.

■ L'orientation sélectionnée modifie la manière dont la feuille de calcul s'imprime. Cela n'affecte toutefois pas la manière dont la feuille de calcul s'affiche à l'écran.

MODIFIER LES OPTIONS D'IMPRESSION

Excel fournit différentes options d'impression qui vous permettent de modifier la manière dont la feuille de calcul apparaît sur la page imprimée.

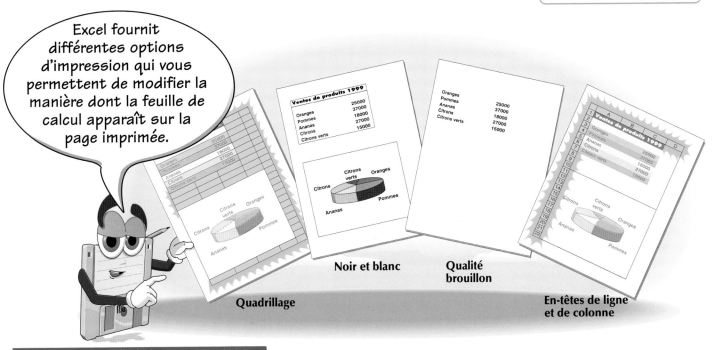

Quadrillage

Noir et blanc

Qualité brouillon

En-têtes de ligne et de colonne

MODIFIER LES OPTIONS D'IMPRESSION

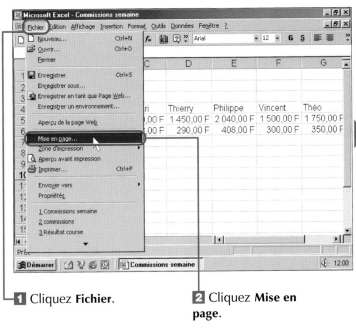

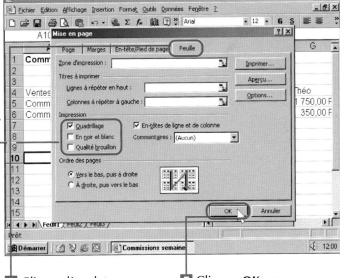

1 Cliquez **Fichier**.

2 Cliquez **Mise en page**.

■ La boîte de dialogue Mise en page apparaît.

3 Cliquez l'onglet **Feuille**.

4 Cliquez chaque option d'impression que vous souhaitez utiliser (☐ devient ☑).

5 Cliquez **OK** pour confirmer vos changements.

■ Les options d'impression que vous avez sélectionnées modifient la manière dont la feuille de calcul s'imprime. Cela n'affecte toutefois pas la manière dont la feuille de calcul s'affiche à l'écran.

CHAPITRE 17

MODIFIER DES FEUILLES DE CALCUL

Voulez-vous modifier les données de vos feuilles de calcul ? Ce chapitre vous montre comment faire.

MODIFIER DES DONNÉES

Vous pouvez modifier les données de votre feuille de calcul pour corriger une erreur ou supprimer des informations devenues inutiles.

MODIFIER DES DONNÉES

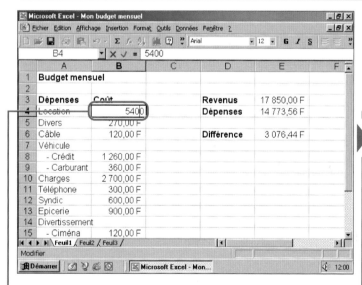

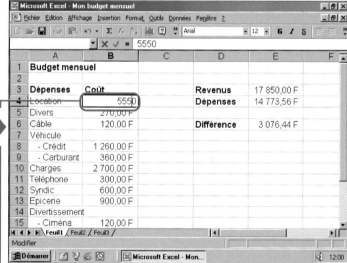

1 Double-cliquez la cellule contenant les données que vous souhaitez modifier.

■ Un point d'insertion clignotant apparaît dans la cellule.

2 Appuyez sur les touches ← ou → pour déplacer le point d'insertion à l'endroit où vous souhaitez supprimer ou ajouter des caractères.

3 Pour supprimer les caractères à gauche du point d'insertion, appuyez sur la touche ←Retour Arr .

4 Pour ajouter des données là où clignote le point d'insertion, saisissez-les.

5 Lorsque vous avez terminé de modifier les données, appuyez sur la touche Entrée .

C'EST SIMPLE

Excel peut-il corriger automatiquement mes erreurs ?

Excel corrige automatiquement les fautes de frappe les plus courantes.

accompte	➡ acompte
àce	➡ à ce
afaires	➡ affaires
amorticement	➡ amortissement
anonce	➡ annonce
dnas	➡ dans
curiculum	➡ curriculum
gestionaire	➡ gestionnaire
rapels	➡ rappels

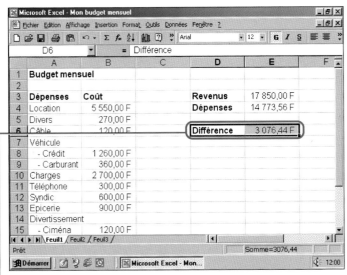

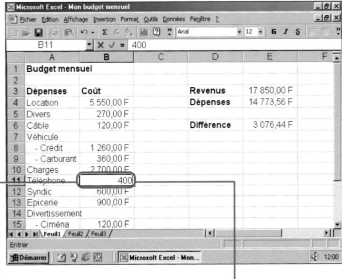

SUPPRIMER DES DONNÉES

1 Sélectionnez les cellules contenant les données que vous souhaitez supprimer. Pour sélectionner des cellules, consultez la page 308.

2 Appuyez sur la touche Suppr.

■ Les données des cellules sélectionnées disparaissent.

REMPLACER TOUTES LES DONNÉES D'UNE CELLULE

1 Cliquez la cellule contenant les données que vous souhaitez remplacer.

2 Saisissez les nouvelles données, puis appuyez sur la touche Entrée.

DÉPLACER OU COPIER DES DONNÉES

Vous pouvez copier ou déplacer des données vers un nouvel emplacement de votre feuille de calcul.

Déplacer des données vous permet de réorganiser votre feuille de calcul.

Copier des données vous permet de répéter des données dans votre feuille de calcul sans avoir à les saisir à nouveau.

DÉPLACER OU COPIER DES DONNÉES

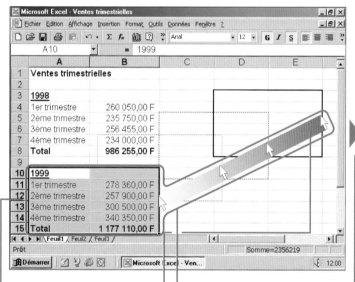

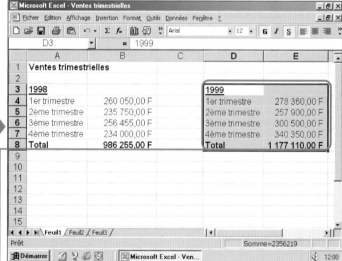

UTILISATION DU GLISSER-DÉPOSER

1 Sélectionnez les cellules contenant les données que vous souhaitez déplacer. Pour sélectionner des cellules, consultez la page 308.

2 Placez le pointeur ⊕ de la souris sur l'une des bordures de la sélection (⊕ devient ⇘).

3 Pour déplacer les données, faites glisser le pointeur ⇘ à l'emplacement où vous souhaitez insérer les données.

Note. Un encadré gris indique l'endroit où apparaîtront les données.

■ Les données apparaissent au nouvel endroit.

■ Pour copier des données, effectuez les étapes 1 à 3, mais en maintenant enfoncée la touche **Ctrl** durant l'étape 3.

C'EST SIMPLE

Pourquoi la barre d'outils Presse-papiers apparaît-elle lorsque je déplace ou copie des données ?

La barre d'outils Presse-papiers peut apparaître lorsque vous déplacez ou copiez des données en utilisant les boutons de la barre d'outils. Chaque icône représente les données que vous avez sélectionnées lors des déplacements ou des copies.

■ Pour connaître les données représentées par une icône, placez le pointeur ▷ sur cette icône. Un encadré jaune apparaît et affiche les données copiées. Cliquez cette icône si vous voulez placer les données dans votre feuille de calcul.

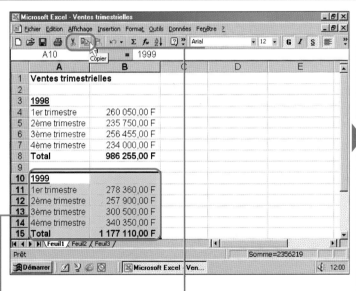

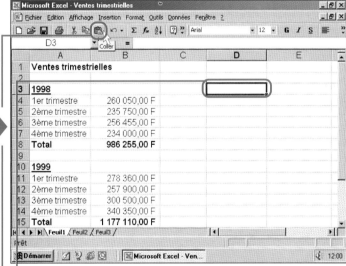

UTILISATION DES BOUTONS DE LA BARRE D'OUTILS

1 Sélectionnez les cellules contenant les données que vous souhaitez copier ou déplacer. Pour sélectionner des cellules, consultez la page 308.

2 Cliquez l'un des boutons suivants :

✂ Déplacer (ou couper) les données

▤ Copier les données

Note. Si le bouton n'est pas affiché, cliquez ⊠ dans la barre d'outils Standard, afin de faire apparaître tous les boutons.

3 Cliquez la cellule où vous souhaitez placer les données. Cette cellule devient le coin supérieur gauche du nouvel emplacement.

4 Cliquez ▤ pour coller les données en ce nouvel emplacement.

Note. Si ▤ n'est pas affiché, cliquez ⊠ dans la barre d'outils Standard, afin de faire apparaître tous les boutons.

■ Les données apparaissent dans ce nouvel emplacement.

Vous pouvez insérer une ligne ou une colonne dans votre feuille de calcul lorsque vous souhaitez ajouter des données supplémentaires.

HORAIRES des EMPLOYÉS

	Semaine 1	Semaine 2	Semaine 3
Jean Bernard	45	32	37
Pierre Bugnot	35	33	37
Clément Claire	20	38	35
Kédémos Louis	30	35	36
Charles Huck	35	36	39
Michel Henry	37	38	41
Guy Boniface	38	42	42

INSÉRER UN LIGNE

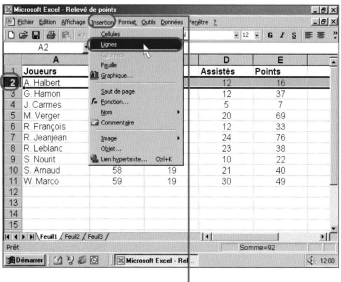

Excel insère une ligne sous la ligne sélectionnée.

1 Pour sélectionner une ligne, cliquez son numéro.

2 Cliquez **Insertion**.

3 Cliquez **Ligne**.

■ La nouvelle ligne apparaît, et les lignes suivantes se décalent vers le bas.

Faut-il que je corrige mes
formules lorsque j'ajoute
une ligne ou une colonne ?

Lorsque vous insérez une
ligne ou une colonne, Excel
met automatiquement à jour
toutes les formules affectées
par cette insertion. Pour
plus d'informations sur les
formules, consultez la
page 316.

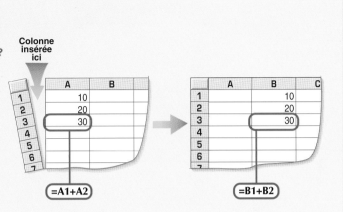

INSÉRER UNE COLONNE

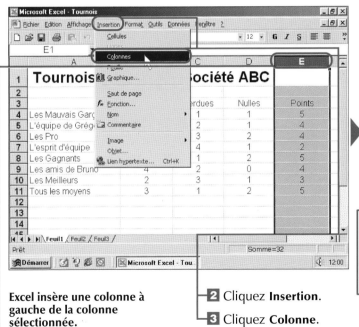

**Excel insère une colonne à
gauche de la colonne
sélectionnée.**

1 Pour sélectionner une
colonne, cliquez sa lettre.

2 Cliquez **Insertion**.

3 Cliquez **Colonne**.

■ La nouvelle colonne
apparaît, et les
colonnes suivantes se
décalent vers la droite.

SUPPRIMER UNE LIGNE OU UNE COLONNE

Vous pouvez supprimer une ligne ou une colonne de votre feuille de calcul pour faire disparaître les cellules et données devenues inutiles.

SUPPRIMER UNE LIGNE

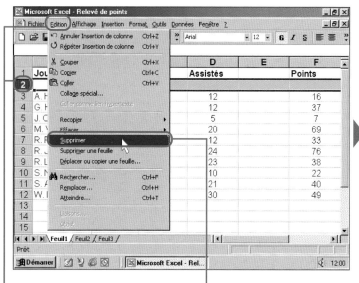

1 Pour sélectionner la ligne que vous souhaitez supprimer, cliquez son numéro.

2 Cliquez **Edition**.

3 Cliquez **Supprimer**.

■ La ligne disparaît, et toutes les lignes suivantes remontent.

Pourquoi #REF! apparaît dans une cellule une fois que j'ai supprimé une ligne ou une colonne ?

Si #REF! apparaît dans une cellule de votre feuille de calcul, c'est que vous avez effacé des données nécessaires à son calcul. Avant d'effacer une ligne ou une colonne, assurez-vous qu'elles ne contiennent aucune donnée utilisée dans une formule. Pour plus d'informations sur les formules, consultez la page 316.

SUPPRIMER UNE COLONNE

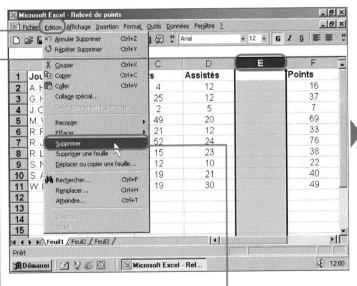

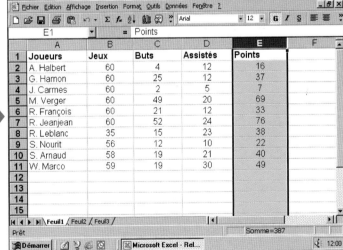

1 Pour sélectionner la colonne que vous souhaitez supprimer, cliquez sa lettre.

2 Cliquez **Edition**.

3 Cliquez **Supprimer**.

■ La colonne disparaît, et toutes les colonnes suivantes se décalent vers la gauche.

Vous pouvez améliorer l'aspect de votre feuille de calcul et afficher les données cachées en modifiant la largeur des colonnes.

MODIFIER LA LARGEUR DES COLONNES

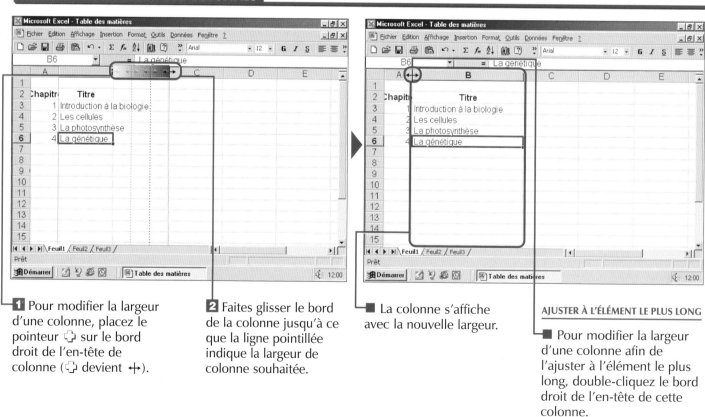

1 Pour modifier la largeur d'une colonne, placez le pointeur ⬚ sur le bord droit de l'en-tête de colonne (⬚ devient ↔).

2 Faites glisser le bord de la colonne jusqu'à ce que la ligne pointillée indique la largeur de colonne souhaitée.

■ La colonne s'affiche avec la nouvelle largeur.

AJUSTER À L'ÉLÉMENT LE PLUS LONG

■ Pour modifier la largeur d'une colonne afin de l'ajuster à l'élément le plus long, double-cliquez le bord droit de l'en-tête de cette colonne.

Vous pouvez modifier la hauteur des lignes pour ajouter de l'espace entre les données de votre feuille de calcul.

MODIFIER LA HAUTEUR DES LIGNES

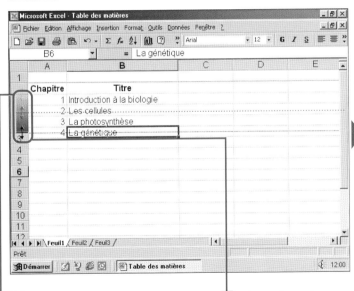

1 Pour modifier la hauteur d'une ligne, placez le pointeur ⇧ sur le bord inférieur de l'en-tête de ligne (⇧ devient ⬍).

2 Faites glisser le bord de la ligne jusqu'à ce que le pointillé indique la hauteur de ligne souhaitée.

■ La ligne s'affiche avec la nouvelle hauteur.

AJUSTER À L'ÉLÉMENT LE PLUS HAUT

■ Pour modifier la hauteur d'une ligne afin de l'ajuster à l'élément le plus haut, double-cliquez le bord inférieur de l'en-tête de cette ligne.

MODIFIER LA MISE EN FORME DES NOMBRES

Vous pouvez modifier rapidement l'aspect des nombres de votre feuille de calcul sans les saisir de nouveau.

Lorsque vous modifiez la mise en forme des nombres, vous n'en changez pas la valeur.

MODIFIER LA MISE EN FORME DES NOMBRES

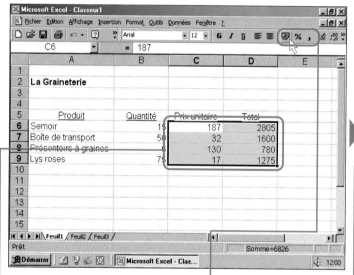

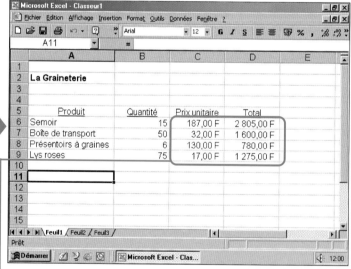

MODIFIER LE STYLE DES NOMBRES

1 Sélectionnez les cellules contenant les nombres que vous souhaitez modifier. Pour sélectionner des cellules, consultez la page 308.

2 Cliquez l'un des boutons suivants :

🖼 Monétaire

% Pourcentage

, Virgule

Note. Si le bouton n'est pas affiché, cliquez ⋮ dans la barre d'outils Mise en forme, afin de faire apparaître tous les boutons.

■ Les nombres s'affichent avec le style sélectionné.

■ Pour désélectionner les cellules, cliquez n'importe quelle autre cellule.

Comment puis-je mettre en forme les nombres de ma feuille de calcul ?

Option	Exemple
🔽 **Change en francs**	10 → 10,00 F
% **Change en pourcentage**	0,15 → 15%
, **Ajoute une virgule et affiche deux décimales**	1000 → 1 000,00
←.0/.00 **Ajoute un chiffre décimal**	10,13 → 10,130
.00/→.0 **Supprime un chiffre décimal**	10,13 → 10,1

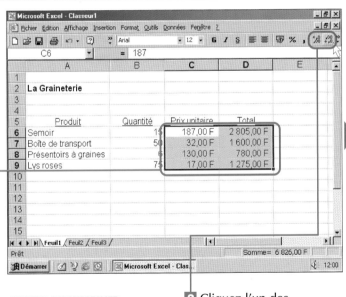

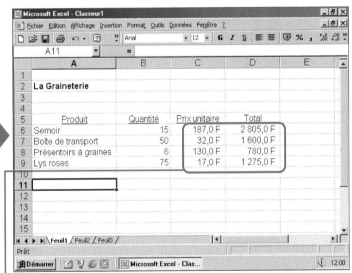

AJOUTER OU SUPPRIMER UN CHIFFRE DÉCIMAL

1 Sélectionnez les cellules contenant les chiffres que vous souhaitez modifier. Pour sélectionner des cellules, consultez la page 308.

2 Cliquez l'un des boutons suivants :

🔳 Ajouter une décimale

🔳 Réduire les décimales

Note. Si le bouton n'est pas affiché, cliquez 🔳 dans la barre d'outils Mise en forme, afin de faire apparaître tous les boutons.

■ Excel augmente ou diminue le nombre de chiffres décimaux.

■ Pour sélectionner des cellules, consultez la page 308.

Vous pouvez rendre votre feuille de calcul plus conviviale en ajoutant des couleurs aux cellules ou aux données.

MODIFIER LA COULEUR D'UNE CELLULE

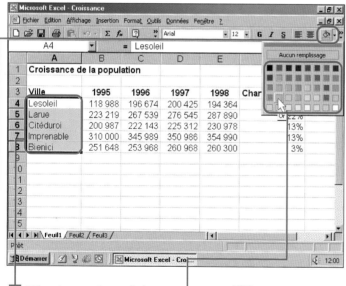

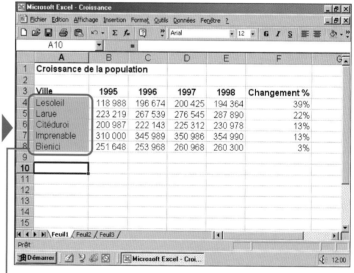

■ **1** Sélectionnez les cellules dont vous souhaitez changer la couleur. Pour sélectionner des cellules, consultez la page 308.

■ **2** Cliquez ⋅ dans cette zone pour sélectionner une couleur.

Note. Si ⬙⋅ *n'est pas affiché, cliquez* ⟫ *dans la barre d'outils Mise en forme, afin de faire apparaître tous les boutons.*

■ **3** Cliquez la couleur de cellule que vous souhaitez utiliser.

■ Les cellules s'affichent avec la nouvelle couleur.

■ Pour désélectionner les cellules, cliquez n'importe quelle autre cellule.

■ Pour retirer la couleur des cellules, répétez les étapes **1** à **3**, toutefois à l'étape **3**, sélectionnez **Aucun remplissage**.

C'EST SIMPLE

Quelles couleurs dois-je utiliser ?

Lorsque vous ajoutez des couleurs à votre feuille de calcul, assurez-vous que la couleur des cellules et celle des données s'harmonisent. Par exemple, des données rouges se lisent difficilement sur un fond bleu.

MODIFIER LA COULEUR DES DONNÉES

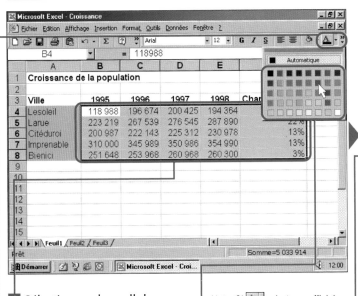

1 Sélectionnez les cellules dont vous souhaitez changer la couleur des données. Pour sélectionner des cellules, consultez la page 308.

2 Cliquez ⊡ dans cette zone pour sélectionner une couleur.

Note. Si A⊡ *n'est pas affiché, cliquez* ⊡ *dans la barre d'outils Mise en forme, afin de faire apparaître tous les boutons.*

3 Cliquez la couleur des données que vous souhaitez utiliser.

■ Les données s'affichent avec la nouvelle couleur.

■ Pour retirer la sélection, cliquez n'importe quelle cellule.

■ Pour retirer la couleur des données, répétez les étapes **1** à **3**, toutefois à l'étape **3**, sélectionnez **Automatique**.

355

MODIFIER L'ALIGNEMENT DES DONNÉES

Vous pouvez modifier la manière dont Excel aligne les données dans les cellules.

Excel aligne automatiquement le texte à gauche, et aligne à droite les chiffres et les dates saisis dans les cellules.

MODIFIER L'ALIGNEMENT DES DONNÉES

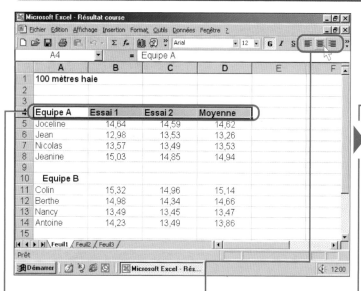

1 Sélectionnez les cellules contenant les données que vous souhaitez aligner différemment. Pour sélectionner des cellules, consultez la page 308.

2 Cliquez l'un des boutons suivants :

▤ Aligné à gauche

▤ Centré

▤ Aligné à droite

Note. Si le bouton que vous désirez n'est pas affiché, cliquez ⁑ dans la barre d'outils Mise en forme, afin de faire apparaître tous les boutons.

■ Excel aligne les données.

■ Pour désélectionner les données, cliquez n'importe quelle autre cellule.

Vous pouvez centrer des données sur plusieurs colonnes de votre feuille de calcul. Cela s'avère utile pour centrer des titres au-dessus des données.

CENTRER DES DONNÉES SUR PLUSIEURS COLONNES

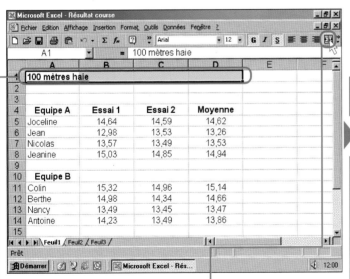

1 Sélectionnez les cellules dont vous souhaitez centrer les données. Pour sélectionner des cellules, consultez la page 308.

Note. La première cellule sélectionnée doit contenir les données à centrer.

2 Cliquez ▦ pour centrer les données.

Note. Si ▦ n'est pas affiché, cliquez ⦚ dans la barre d'outils Mise en forme, afin de faire apparaître tous les boutons.

■ Excel centre les données par rapport aux cellules sélectionnées.

■ Pour désélectionner les cellules, cliquez n'importe quelle autre cellule.

CHAPITRE 18

DÉCOUVRIR L'INTERNET

Qu'est-ce que l'Internet et comment naviguer sur le Web ? Avec ce chapitre vous commencez à explorer l'Internet.

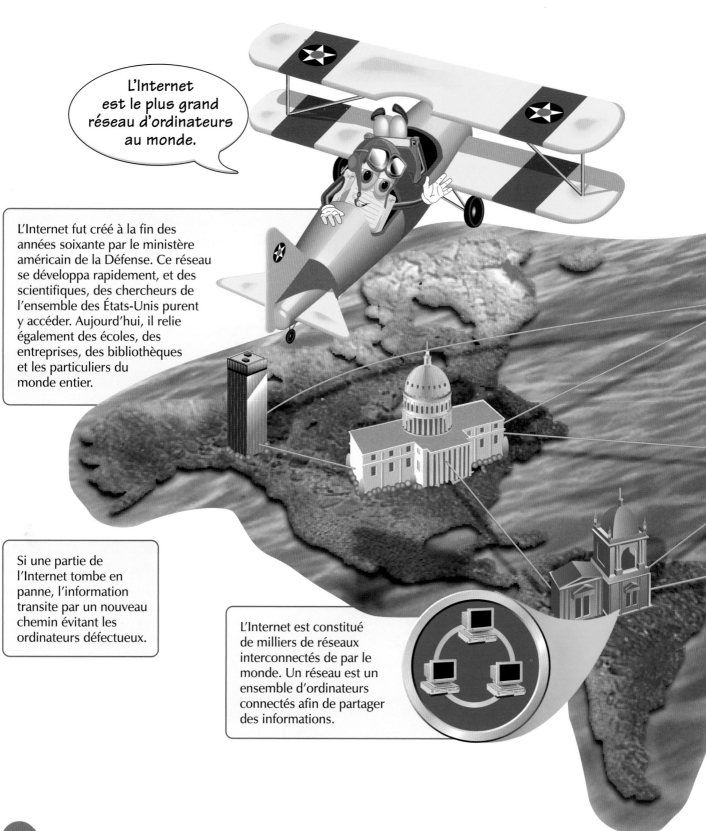

L'Internet est le plus grand réseau d'ordinateurs au monde.

L'Internet fut créé à la fin des années soixante par le ministère américain de la Défense. Ce réseau se développa rapidement, et des scientifiques, des chercheurs de l'ensemble des États-Unis purent y accéder. Aujourd'hui, il relie également des écoles, des entreprises, des bibliothèques et les particuliers du monde entier.

Si une partie de l'Internet tombe en panne, l'information transite par un nouveau chemin évitant les ordinateurs défectueux.

L'Internet est constitué de milliers de réseaux interconnectés de par le monde. Un réseau est un ensemble d'ordinateurs connectés afin de partager des informations.

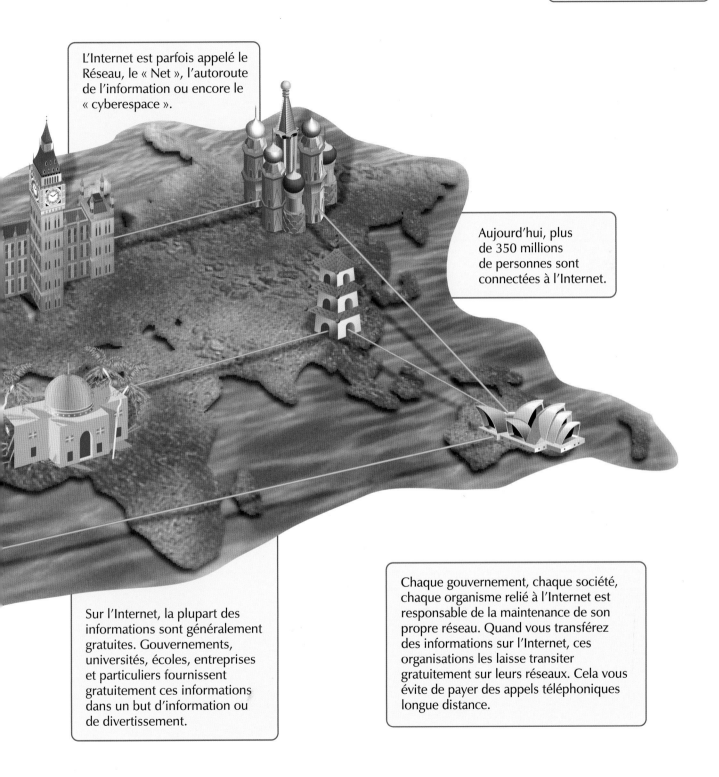

L'Internet est parfois appelé le Réseau, le « Net », l'autoroute de l'information ou encore le « cyberespace ».

Aujourd'hui, plus de 350 millions de personnes sont connectées à l'Internet.

Sur l'Internet, la plupart des informations sont généralement gratuites. Gouvernements, universités, écoles, entreprises et particuliers fournissent gratuitement ces informations dans un but d'information ou de divertissement.

Chaque gouvernement, chaque société, chaque organisme relié à l'Internet est responsable de la maintenance de son propre réseau. Quand vous transférez des informations sur l'Internet, ces organisations les laisse transiter gratuitement sur leurs réseaux. Cela vous évite de payer des appels téléphoniques longue distance.

SERVICES OFFERTS PAR L'INTERNET

COURRIER ÉLECTRONIQUE

La fonction la plus utilisée sur l'Internet est l'échange de courrier électronique (e-mail). Avec des personnes du monde entier, des amis, des collègues, des membres de votre famille, des clients, voire des personnes que vous rencontrez sur Internet, vous pouvez échanger du courrier électronique. Ce mode de communication est rapide, simple, peu coûteux, et il économise le papier.

INFORMATIONS

L'Internet vous donne accès à des informations concernant toutes sortes de sujets imaginables. Vous pouvez consulter entre autres : des journaux, des magazines, des documents universitaires ou gouvernementaux, des retranscriptions d'émissions de télévision, des discours célèbres, des recettes, des offres d'emploi, des horaires d'avion...

DIVERTISSEMENT

Avec l'Internet, vous accédez à différentes formes de divertissement : émissions de radio, clips vidéo et musique. Vous pouvez y trouver des extraits de films récents, regarder en direct des interviews de vos vedettes préférées et écouter des morceaux de musique avant même leur mise en vente dans les magasins de disques. Des milliers de programmes de jeux interactifs sont disponibles gratuitement sur l'Internet et vous pouvez y jouer avec des gens du monde entier.

GROUPES DE DISCUSSION

Sur l'Internet, vous pouvez rejoindre des groupes de discussion pour rencontrer des personnes avec qui vous partagez des centres d'intérêt. Vous posez des questions, discutez de problèmes et lisez des histoires passionnantes.

Il existe des milliers de groupes de discussion sur des sujets tels que l'environnement, l'alimentation, l'humour, la musique, les animaux domestiques, la photographie, la politique, la religion, le sport, la télévision.

CONVERSATION EN LIGNE

La conversation en ligne, également appelée *chat*, permet d'échanger des messages écrits avec une ou plusieurs personnes sur l'Internet. Les messages que vous envoyez apparaissent immédiatement sur l'écran de vos interlocuteurs.

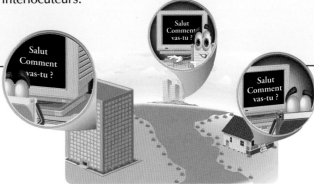

PROGRAMMES

Des milliers de programmes sont disponibles sur l'Internet. On y trouve, entre autres, des traitements de texte, des programmes de dessin et des jeux. Vous pouvez aussi télécharger des versions d'essai de logiciels appelés *shareware*. Si le programme vous intéresse et que vous voulez continuer à l'utiliser après la période d'essai, vous devez alors payer l'auteur de ce programme.

ACHETER EN LIGNE

Sans quitter votre bureau, vous avez la possibilité de commander des produits et des services sur l'Internet. Vous trouvez des articles tels que des livres, des programmes informatiques, des fleurs, des CD audio, des pizzas, des voitures d'occasion.

SE CONNECTER

Pour vous connecter à l'Internet, vous avez besoin de matériels et de logiciels spécifiques ainsi que d'un fournisseur de services Internet.

ORDINATEUR

Vous pouvez utiliser n'importe quel type d'ordinateur, tel qu'un compatible IBM ou un Macintosh, pour vous connecter à l'Internet.

PROGRAMMES

La plupart des ordinateurs sont fournis avec des logiciels qui vous aident à configurer votre connexion à l'Internet. Par exemple, les ordinateurs équipés du système d'exploitation Windows Me incluent l'Assistant de connexion Internet.

Vous avez également besoin d'un navigateur Web pour accéder aux informations sur l'Internet. Ce logiciel de navigation est généralement installé sur tous les ordinateurs récents.

MODEM OU CONNEXION À HAUT DÉBIT

Un modem, ou une connexion à haut débit, est nécessaire pour vous connecter à l'Internet. Pour de plus amples informations sur ces deux types de connexion, consultez les pages 44 à 49.

FOURNISSEUR DE SERVICES INTERNET

Un fournisseur de services Internet (ISP) est une société auprès de laquelle vous prenez un abonnement pour accéder à l'Internet. Choisissez un ISP qui propose un numéro de téléphone local pour éviter de payer de longues connexions hors de votre circonscription locale.

De nombreux fournisseurs de services offrent un abonnement avec un nombre d'heures de connexion limité par mois ou par jour. Si vous le dépassez, vous supportez un coût pour les heures supplémentaires. Certains fournisseurs proposent des abonnements forfaitaires pour un accès illimité. Assurez-vous qu'il n'existe pas de charges ou de restrictions cachées.

Services en ligne

Un fournisseur de services en ligne est un ISP qui propose, en plus de l'accès à l'Internet, un abonnement comprenant de nombreuses informations bien organisées et des services en ligne, tels que nouvelles, bulletins météo et salons de conversation.

Les fournisseurs de services en ligne parmi les plus connus sont America Online (AOL) et Microsoft Network (MSN).

AUTRES TYPES DE CONNEXION

Certains périphériques sans fil, comme des téléphones portables ou des ordinateurs de poche, peuvent être connectés à l'Internet pour accéder à des informations ou échanger du courrier électronique (e-mail).

Il existe aussi des terminaux de télévision Internet qui vous donnent accès à l'Internet directement sur l'écran du téléviseur.

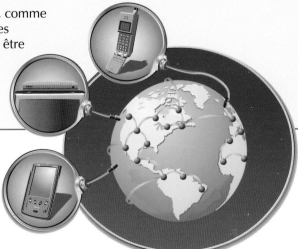

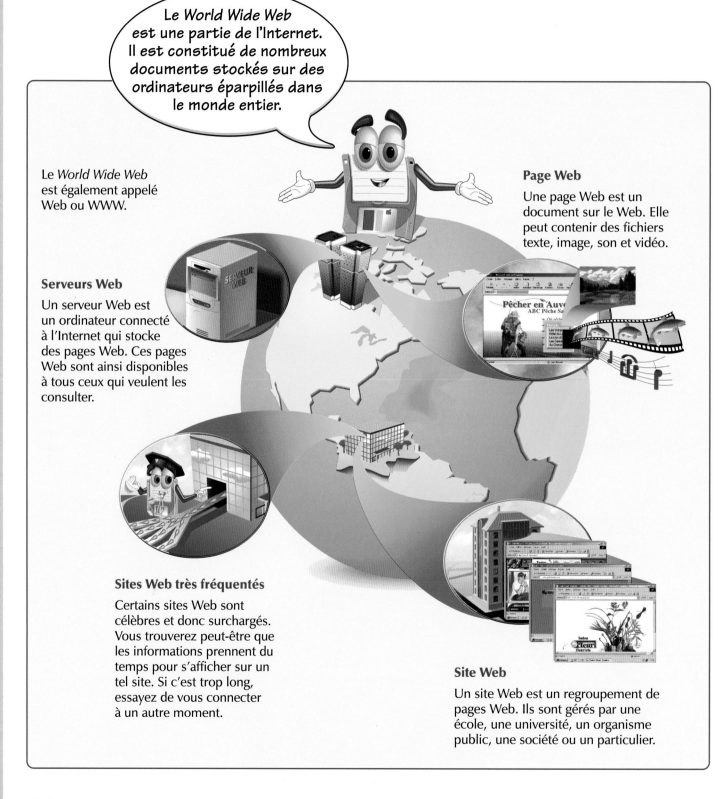

Le *World Wide Web* est une partie de l'Internet. Il est constitué de nombreux documents stockés sur des ordinateurs éparpillés dans le monde entier.

Le *World Wide Web* est également appelé Web ou WWW.

Serveurs Web

Un serveur Web est un ordinateur connecté à l'Internet qui stocke des pages Web. Ces pages Web sont ainsi disponibles à tous ceux qui veulent les consulter.

Page Web

Une page Web est un document sur le Web. Elle peut contenir des fichiers texte, image, son et vidéo.

Sites Web très fréquentés

Certains sites Web sont célèbres et donc surchargés. Vous trouverez peut-être que les informations prennent du temps pour s'afficher sur un tel site. Si c'est trop long, essayez de vous connecter à un autre moment.

Site Web

Un site Web est un regroupement de pages Web. Ils sont gérés par une école, une université, un organisme public, une société ou un particulier.

URL

Chaque page Web possède une adresse unique appelée URL *(Uniform Resource Locator)*. Vous affichez instantanément n'importe quelle page Web en connaissant son adresse.

Toutes les adresses des pages Web (URL) commencent par **http** *(HyperText Transfer Protocol)* et contiennent le **nom de l'ordinateur**, le **nom du répertoire** et le **nom de la page Web**.

LIENS HYPERTEXTE

Les pages Web sont des documents au format hypertexte. Un tel document contient du texte en couleurs et souligné (ou des images), appelé lien hypertexte ou lien. On passe facilement d'une page Web à une autre : il suffit de sélectionner le texte souligné ou l'image, le curseur de la souris apparaît alors sous forme de main.

La sélection du lien hypertexte peut conduire vers une page stockée sur le même ordinateur ou sur un autre ordinateur situé n'importe où dans la ville, le pays ou le monde.

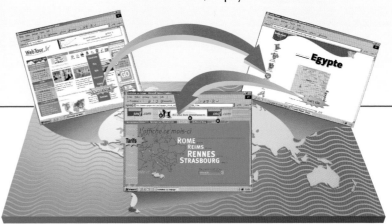

NAVIGATEUR WEB

Un navigateur Web est un programme que vous utiliserez pour afficher et explorer des informations sur le Web.

ÉCRAN DU NAVIGATEUR WEB

La plupart des navigateurs ont le même aspect.

■ Cette zone affiche l'adresse de la page sélectionnée.

■ Cette zone affiche une barre d'outils qui permet d'effectuer rapidement les tâches courantes.

■ Cette zone affiche la page Web.

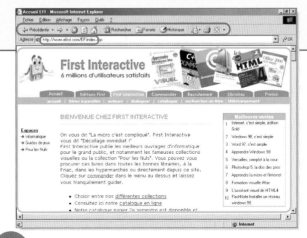

PAGE D'ACCUEIL

La page d'accueil, ou page de démarrage, est la page qui apparaît chaque fois que vous lancez votre navigateur Web.

Vous pouvez choisir n'importe quelle page en tant que page d'accueil. Assurez-vous d'en sélectionner une qui vous fournit un bon point de départ pour l'exploration du Web.

NAVIGATEURS WEB COURANTS

Microsoft Internet Explorer

Microsoft Internet Explorer est actuellement le navigateur Web le plus répandu. Il est fourni avec les systèmes d'exploitation Windows et avec la dernière version du système d'exploitation Macintosh, le Mac OS X.

Vous pouvez également télécharger gratuitement Microsoft Internet Explorer sur le site Web suivant : www.microsoft.com/windows/ie

Netscape Navigator

Netscape Navigator est un navigateur Web qui fonctionne sur la plupart des systèmes d'exploitation, tels que Windows, Macintosh, UNIX ou Linux.

Vous pouvez télécharger gratuitement Netscape Navigator sur le site Web suivant : www.netscape.com

FONCTIONNALITÉS D'UN NAVIGATEUR WEB

Signets

La plupart des navigateurs possèdent une fonction appelée signets ou Favoris. Elle permet de stocker l'adresse de pages Web que vous visitez fréquemment. Les signets vous évitent d'avoir à vous souvenir de l'adresse de vos pages favorites et de devoir les ressaisir.

Liste historique

Lorsque vous parcourez les pages du Web, il peut être difficile de conserver une trace de l'emplacement des pages visitées. La plupart des navigateurs possèdent une liste historique que vous consultez pour retourner rapidement sur n'importe quelle page visitée récemment.

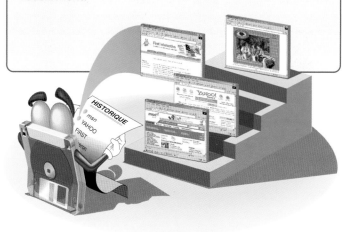

369

MULTIMÉDIA SUR LE WEB

Les procédés multimédias sont très efficaces pour attirer l'attention sur les informations d'une page Web. Le multimédia est une combinaison de textes, d'images, de sons, de vidéos ou d'animations.

Il existe plusieurs types spécialisés de multimédia sur le Web.

MP3

Le sigle MP3 désigne un format de fichiers son qui permet de transférer de la musique de qualité CD audio sur l'Internet.

Certains artistes distribuent des enregistrements de leur musique au format MP3 sur le Web. Plusieurs sites Web vous permettent de télécharger ou de copier des fichiers MP3 sur votre ordinateur. Vous trouverez des fichiers MP3 sur les sites suivants :

www.emusic.com
www.mp3.com
www.mp3place.com

ÉCOUTER DES FICHIERS MP3

Un lecteur MP3 est un logiciel que vous installez sur votre ordinateur pour lire des fichiers MP3. Winamp est un lecteur MP3 très répandu que vous pouvez télécharger sur le site Web www.winamp.com.

Des logiciels vous permettent également d'enregistrer des fichiers MP3 sur un CD audio et de les écouter sur un lecteur de CD. Par exemple, le programme Nero de Ahead Software est disponible sur le site Web www.nero.com.

LECTURE EN FLUX CONTINU

La lecture de fichiers multimédias en flux continu (ou streaming) est une technique de téléchargement qui permet d'écouter de la musique ou de voir un film sur le Web (par exemple un concert en direct ou un événement sportif) au fur et à mesure de leur réception sur l'ordinateur.

Vous devez avoir un lecteur en flux continu pour écouter et regarder du multimédia en direct sur le Web. Vous trouverez de tels lecteurs sur les sites suivants :

RealPlayer
www.real.com

QuickTime
www.apple.com/quicktime

AMÉLIORER LES PAGES WEB

La plupart des navigateurs peuvent utiliser des applications Java, JavaScript et ActiveX.

Java

Java est un langage de programmation complexe qui permet la création de pages Web animées et interactives. Les pages Web utilisant Java peuvent par exemple afficher des animations ou des textes animés et jouer des morceaux de musique.

JavaScript

JavaScript est un langage de programmation simple utilisé essentiellement pour agrémenter les pages Web, par exemple l'affichage de messages déroulants et le fondu entre pages Web.

ActiveX

ActiveX est une technologie utilisée pour améliorer les pages Web. Par exemple, ActiveX s'utilise pour ajouter des menus déroulants qui affichent instantanément les options d'une page Web.

CRÉER ET PUBLIER DES PAGES WEB

Vous pouvez créer et publier des pages sur le Web pour partager des informations avec des personnes du monde entier.

Les particuliers publient des pages Web pour partager des images, des passions et des centres d'intérêt. Les sociétés publient des pages Web pour se faire connaître, promouvoir leurs produits et diffuser des offres d'emploi.

ORGANISER SES IDÉES

Avant de commencer la création de pages Web, réfléchissez aux idées que vous allez développer et aux transitions pour passer de l'une à l'autre. Séparez les informations afin de n'exposer qu'un thème par page. Vous trouverez peut-être plus simple de concevoir une maquette de vos pages sur des feuilles de papier.

LANGAGE HTML

Le HTML *(HyperText Markup Language)* est un langage utilisé pour créer des pages Web. Il existe de nombreux programmes disponibles, appelés des éditeurs HTML, que vous utiliserez pour créer des pages Web sans apprendre le langage. Les éditeurs HTML les plus utilisés sont FrontPage de Microsoft et Dreamweaver de Macromedia. Vous pouvez les télécharger sur les sites suivants :

www.microsoft.com/frontpage
www.macromedia.com/dreamweaver

LIENS

Vous pouvez ajouter des liens à vos pages Web. Ceux-ci permettent aux lecteurs de sélectionner une image ou un texte en couleurs et souligné pour afficher une autre page sur le Web. Les liens sont l'une des fonctionnalités les plus importantes de votre page Web, puisqu'ils permettent aux lecteurs de se déplacer facilement à travers les informations.

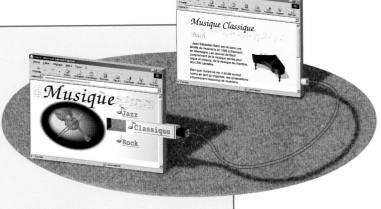

IMAGES

Ajoutez des images à vos pages Web pour les rendre plus attrayantes. Vous pouvez créer vos propres images, utiliser un scanner pour les numériser sur votre ordinateur, en télécharger sur le Web ou en acheter dans des boutiques d'informatique. Lorsque vous copiez des images qui ne vous appartiennent pas, prenez garde aux droits d'auteur.

PUBLIER VOS PAGES WEB

Lorsque vous avez créé vos pages Web, vous les publiez en les transférant sur un serveur Web. La société qui vous fournit un accès à l'Internet vous offre généralement un espace sur son serveur que vous utiliserez pour publier vos pages Web.

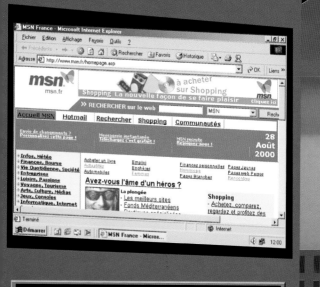

FOURNISSEUR D'ACCÈS INTERNET

CHAPITRE 19

NAVIGUER SUR LE WEB

Le Web vous intéresse ? Découvrez dans ce chapitre comment il fonctionne et comment l'utiliser pour télécharger des informations depuis des sites Web du monde entier vers votre ordinateur.

DÉMARRER INTERNET EXPLORER

> Vous pouvez lancer Internet Explorer pour naviguer au sein des informations disponibles sur le Web.

DÉMARRER INTERNET EXPLORER

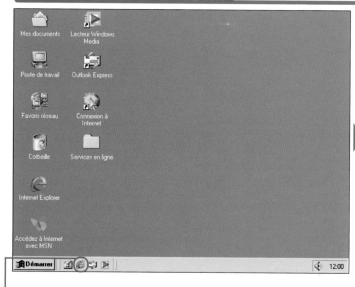

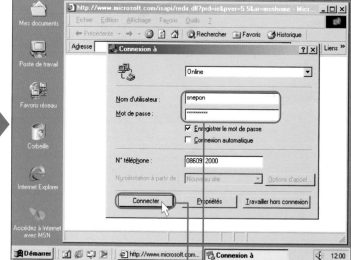

■1 Cliquez 🅮 pour lancer Internet Explorer.

Note. Si l'assistant de connexion Internet apparaît, consultez le haut de la page 377.

■ La fenêtre Microsoft Internet Explorer apparaît.

■ Si vous n'êtes pas encore connecté à l'Internet, la boîte de dialogue Connexion à apparaît.

■ Ces zones affichent votre nom d'utilisateur et votre mot de passe.

Note. Un astérisque (*) apparaît à la place de chacun des caractères de votre mot de passe pour cacher ce dernier aux yeux des autres utilisateurs.

■2 Cliquez **Connecter**, afin de vous connecter à votre fournisseur d'accès.

Pourquoi l'assistant de connexion Internet apparaît-il quand j'essaie de lancer Internet Explorer ?

L'assistant de connexion Internet apparaît au premier démarrage d'Internet Explorer, afin de vous faciliter la connexion à l'Internet. Vous pouvez l'utiliser pour établir une nouvelle connexion à l'Internet ou pour configurer un compte existant. Dans le second cas, adressez-vous à votre fournisseur d'accès pour connaître les informations à saisir.

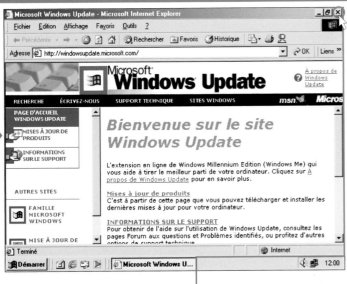

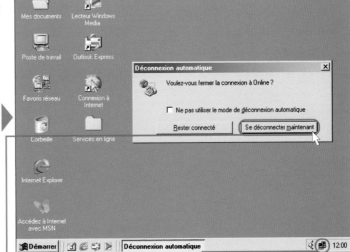

■ Une fois la connexion établie, votre page de démarrage apparaît dans la fenêtre Microsoft Internet Explorer.

Note. Pour agrandir la fenêtre, de façon qu'elle occupe tout l'écran, consultez la page 156.

QUITTER INTERNET EXPLORER

1 Après avoir consulté les informations souhaitées sur le Web, cliquez **X** pour fermer la fenêtre Microsoft Internet Explorer.

■ Une boîte de dialogue apparaît, demandant si vous souhaitez vous déconnecter.

2 Cliquez **Se déconnecter maintenant**.

■ Cette icône (🖳) apparaît dans la barre des tâches pendant que vous êtes connecté à l'Internet. Elle disparaît dès que vous coupez la connexion.

AFFICHER UNE PAGE WEB

Vous pouvez consulter une page Web dont vous avez entendu parler ou sur laquelle vous avez lu un article.

Vous devez connaître l'adresse de la page Web à visiter. Chaque page possède une adresse unique, appelée URL *(Uniform Resource Locator)*.

URL

http://www.golfenfrance.com

AFFICHER UNE PAGE WEB

1 Cliquez cette zone pour sélectionner l'adresse de la page Web actuellement affichée.

2 Saisissez l'adresse de la page Web à consulter, puis appuyez sur la touche `Entrée`.

*Note. Lorsque vous saisissez l'adresse d'une page Web, vous pouvez omettre le préfixe **http://**.*

■ La page Web apparaît à l'écran.

Quelles sont les pages Web françaises
fréquemment visitées ?

Cadres on line	www.cadresonline.com
Chapitre.com	www.chapitre.com
CNED	www.cned.fr
Degriftour	www.degriftour.fr
First Interactive	www.efirst.com
Ibazar	www.ibazar.com
Le Louvre	www.louvre.fr
Le Monde	www.lemonde.fr
Première	www.premiere.fr
SNCF	www.sncf.fr

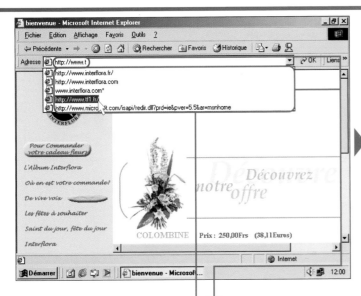

**AFFICHER UNE PAGE WEB
DÉJÀ CONSULTÉE**

**Internet Explorer garde
en mémoire l'adresse des
dernières pages Web
visitées. Il suffit donc de
sélectionner celle souhaitée
pour afficher rapidement la
page voulue.**

1 Quand vous
commencez à saisir
l'adresse d'une page Web
récemment visitée, une
liste d'adresses débutant
ainsi s'affiche.

2 Cliquez l'adresse de la
page Web à consulter.

■ La page Web apparaît
à l'écran.

■ Vous pouvez aussi
cliquer ▾ , afin d'afficher
une liste des adresses
récemment visitées.

SÉLECTIONNER UN LIEN

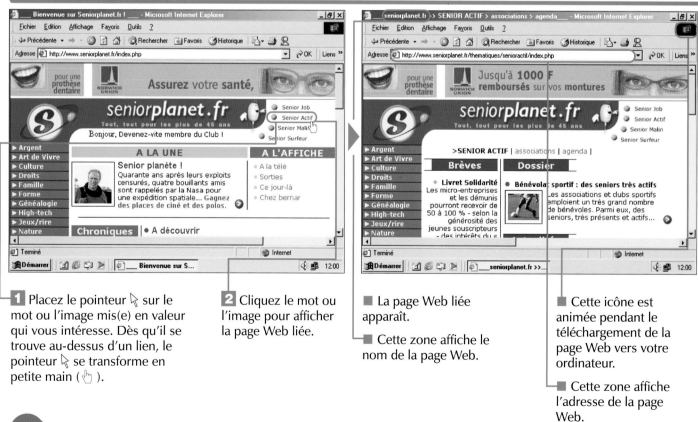

1 Placez le pointeur ᒢ sur le mot ou l'image mis(e) en valeur qui vous intéresse. Dès qu'il se trouve au-dessus d'un lien, le pointeur ᒢ se transforme en petite main (ᕂ).

2 Cliquez le mot ou l'image pour afficher la page Web liée.

■ La page Web liée apparaît.

■ Cette zone affiche le nom de la page Web.

■ Cette icône est animée pendant le téléchargement de la page Web vers votre ordinateur.

■ Cette zone affiche l'adresse de la page Web.

INTERROMPRE UN TRANSFERT D'INFORMATIONS

> Si une page Web met trop longtemps à apparaître à l'écran, vous pouvez interrompre son téléchargement et essayer de vous y reconnecter ultérieurement.

INTERROMPRE UN TRANSFERT D'INFORMATIONS

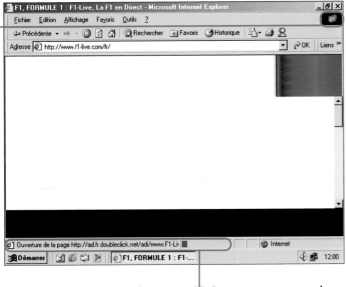

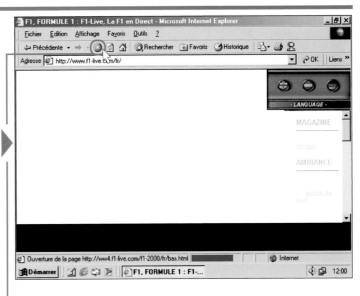

■ Cette icône est animée pendant le téléchargement des informations vers votre ordinateur.

■ Cette zone permet de voir l'état d'avancement du transfert.

1 Cliquez 🔘 pour interrompre le transfert d'informations.

■ Vous pouvez également arrêter le téléchargement d'une page Web si vous vous apercevez que celle-ci ne vous intéresse finalement pas.

> Vous pouvez aisément naviguer vers l'avant ou l'arrière dans la chronologie des pages Web affichées depuis le démarrage d'Internet Explorer.

SE DÉPLACER D'UNE PAGE WEB À L'AUTRE

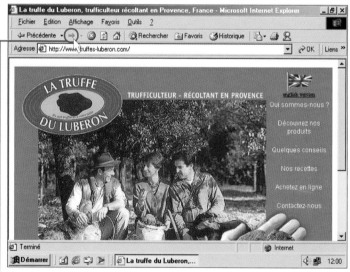

AFFICHER UNE PAGE PRÉCÉDENTE

1 Cliquez **Précédente** pour afficher la dernière page Web visitée.

*Note. Le bouton **Précédente** n'est disponible que si vous avez consulté d'autres pages Web depuis le dernier lancement d'Internet Explorer.*

AFFICHER UNE PAGE SUIVANTE

1 Cliquez ⇨ pour vous déplacer vers l'avant dans la chronologie des pages Web visitées.

*Note. Le bouton ⇨ n'est disponible que si vous avez déjà fait marche arrière en cliquant le bouton **Précédente**.*

ACTUALISER UNE PAGE WEB

Vous pouvez actualiser une page Web pour mettre à jour les informations affichées à l'écran. Internet Explorer télécharge alors la dernière version de la page vers votre ordinateur.

Il est notamment utile de mettre une page Web à jour quand elle présente des bulletins d'informations, des résultats sportifs ou des données boursières.

ACTUALISER UNE PAGE WEB

1 Cliquez 🗐, afin de télécharger vers votre ordinateur une version actualisée de la page Web affichée.

■ La dernière version de la page visitée apparaît.

Vous pouvez indiquer à Internet Explorer la page à afficher à chaque fois que vous le lancez. Cette page est appelée page de démarrage.

AFFICHER ET MODIFIER LA PAGE DE DÉMARRAGE

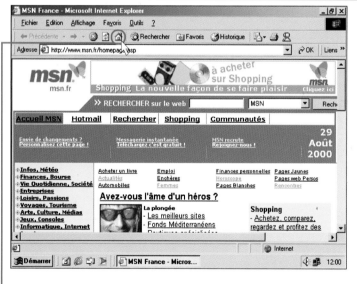

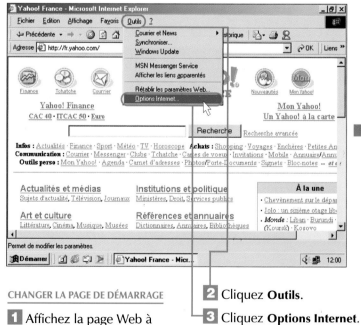

AFFICHER LA PAGE DE DÉMARRAGE

1 Cliquez 🏠 pour afficher la page de démarrage.

■ Votre page de démarrage apparaît.

Note. Votre page de démarrage peut être différente de celle présentée ici.

CHANGER LA PAGE DE DÉMARRAGE

1 Affichez la page Web à utiliser comme page de démarrage.

Note. Pour afficher une page Web, consultez la page 378.

2 Cliquez **Outils**.

3 Cliquez **Options Internet**.

Quelle page faut-il choisir comme page de démarrage ?

Vous pouvez utiliser n'importe quelle page du Web comme page de démarrage. Choisissez par exemple une page que vous visitez souvent ou une qui constitue un bon point de départ pour explorer le Web.

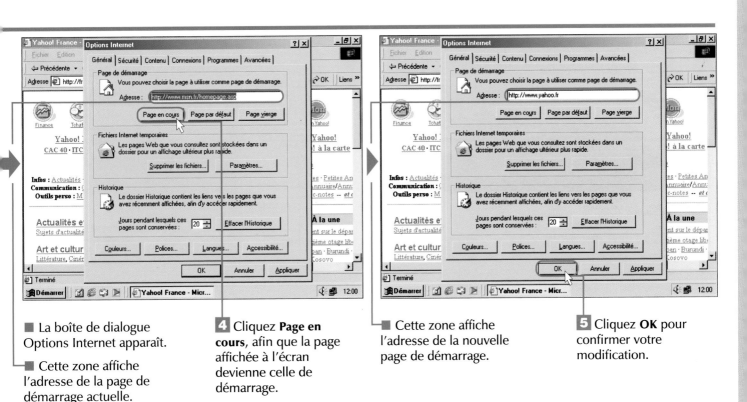

■ La boîte de dialogue Options Internet apparaît.

■ Cette zone affiche l'adresse de la page de démarrage actuelle.

4 Cliquez **Page en cours**, afin que la page affichée à l'écran devienne celle de démarrage.

■ Cette zone affiche l'adresse de la nouvelle page de démarrage.

5 Cliquez **OK** pour confirmer votre modification.

Vous pouvez rechercher sur le Web des pages traitant de sujets qui vous intéressent.

RECHERCHER DES INFORMATIONS SUR LE WEB

1 Cliquez **Rechercher**, afin de rechercher une page traitant d'un sujet qui vous intéresse.

■ La zone de recherche apparaît.

2 Cliquez **Rechercher une page Web** (○ devient ⊙).

3 Cliquez cette zone et saisissez un ou plusieurs mot(s) décrivant le thème qui vous intéresse.

4 Appuyez sur la touche Entrée pour lancer la recherche.

Puis-je rechercher des informations sur le Web d'une autre manière ?

Oui, en utilisant un moteur de recherche. Nombre d'entre eux permettent de limiter votre recherche à certaines catégories, comme les divertissements, l'actualité ou le sport. Voici quelques moteurs de recherche connus :

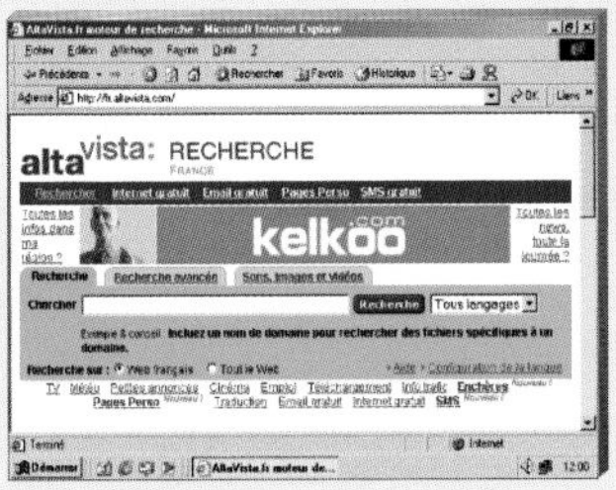

Alta Vista
fr.altavista.com

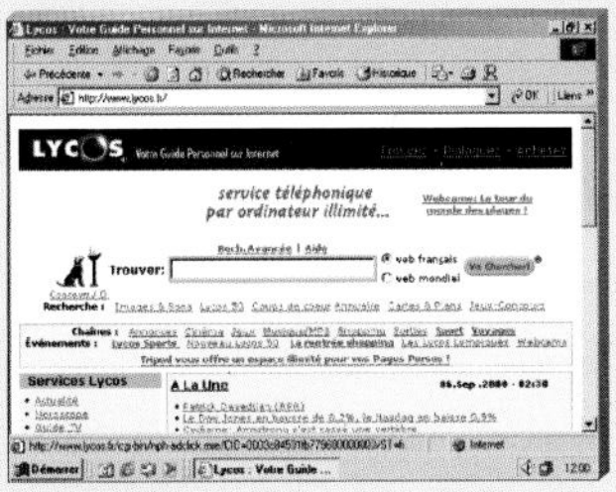

Lycos
www.lycos.fr

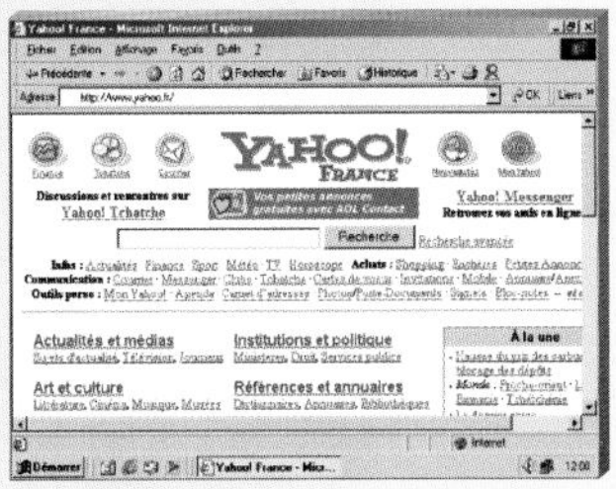

Yahoo!
www.yahoo.fr

■ Une liste de pages Web renfermant le(s) mot(s) spécifié(s) apparaît. Si une partie est masquée, affichez-la grâce à la barre de défilement.

5 Pour afficher une description de l'une des pages, placez le pointeur ⇖ dessus (⇖ devient ☝).

■ Des informations sur la page sélectionnée apparaissent dans une info-bulle.

6 Cliquez la page Web à afficher.

■ La page Web sélectionnée apparaît dans cette zone.

Note. Pour consulter une autre page Web, répétez l'étape ***6****.*

7 Après avoir visité les pages souhaitées, vous pouvez masquer la zone de recherche en cliquant **Rechercher**.

> Vous pouvez utiliser la fonction Favoris pour créer une liste des pages Web que vous visitez régulièrement et qui seront ainsi ensuite affichables rapidement.

AJOUTER UNE PAGE WEB AUX FAVORIS

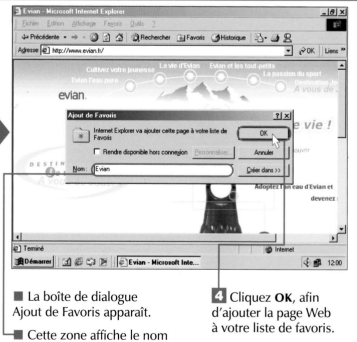

1 Affichez la page Web à ajouter à votre liste de pages favorites.

Note. Pour afficher une page Web, consultez la page 378.

2 Cliquez **Favoris**.

3 Cliquez **Ajouter aux favoris**.

■ La boîte de dialogue Ajout de Favoris apparaît.

■ Cette zone affiche le nom de la page.

4 Cliquez **OK**, afin d'ajouter la page Web à votre liste de favoris.

C'EST SIMPLE

Quel est l'intérêt d'ajouter une page Web à la liste des favoris ?

L'adresse d'une page Web peut être longue et complexe. En sélectionnant la page voulue dans la liste de vos favoris, vous n'avez plus à vous rappeler son adresse ni à saisir sans cesse cette dernière.

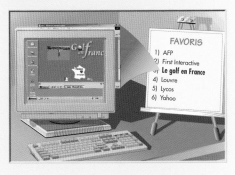

C'EST SIMPLE

Internet Explorer ajoute-t-il automatiquement des pages Web à la liste de mes favoris ?

Oui. Il propose notamment les dossiers Liens et Média, qui renferment les noms de pages Web connues dont vous pouvez avoir besoin et permettent d'accéder rapidement à des pages comme les Guides radio sur Internet ou Europe 2.

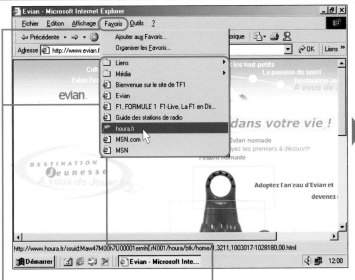

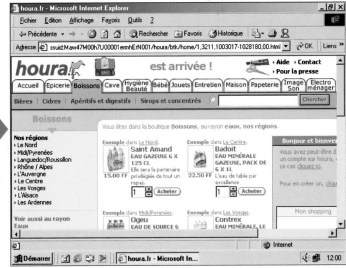

AFFICHER UNE PAGE WEB FAVORITE

1 Cliquez **Favoris**.

■ Une liste de vos pages favorites apparaît.

Note. Si la liste n'apparaît pas en intégralité, positionnez le pointeur sur le bas du menu pour afficher la liste complète.

2 Cliquez la page Web favorite à consulter.

Note. Pour faire apparaître les pages Web favorites contenues dans un dossier, cliquez ce dernier ( ).

■ La page favorite sélectionnée apparaît.

■ Vous pouvez répéter les étapes 1 et 2 pour consulter une autre page favorite.

CHAPITRE 20

ÉCHANGER DU COURRIER ÉLECTRONIQUE

Vous aimeriez échanger des messages électroniques avec des amis, des membres de votre famille et des collègues résidant dans le monde entier ? Ce chapitre explique la marche à suivre.

Vous pouvez utiliser Outlook Express pour échanger des messages électroniques avec d'autres personnes situées dans le monde entier.

Le courrier électronique est un outil rapide, économique et pratique pour échanger des messages entre membres d'une même famille, entre amis et entre collègues.

DÉMARRER OUTLOOK EXPRESS

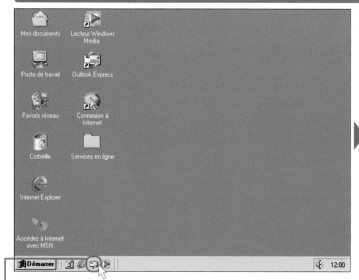

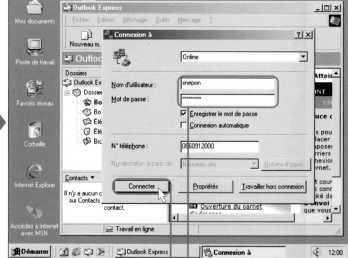

1 Cliquez 🔲 pour lancer Outlook Express.

Note. Si l'assistant de connexion Internet apparaît, consultez le haut de la page 377.

■ La fenêtre Outlook Express apparaît.

■ Si vous n'êtes pas encore connecté à l'Internet, la boîte de dialogue Connexion à apparaît.

■ Ces zones affichent votre nom d'utilisateur et votre mot de passe.

Note. Un astérisque (*) apparaît à la place de chacun des caractères de votre mot de passe pour cacher ce dernier aux yeux des autres utilisateurs.

2 Cliquez **Connecter**, afin de vous connecter à l'Internet.

C'EST SIMPLE

Quels sont les composants d'une adresse électronique ?

Vous pouvez envoyer un message électronique à toute personne dont vous connaissez l'adresse électronique. Cette dernière définit l'emplacement de la boîte aux lettres électronique de chaque internaute sur l'Internet.

pmonnet@abc.fr

Une adresse électronique se compose de deux parties, séparées par une arobase (@). Elle ne peut pas contenir d'espace.

Le **nom d'utilisateur** correspond au nom du compte de l'internaute ; il peut s'agir d'un véritable patronyme ou d'un surnom.

Le **nom de domaine** correspond à l'emplacement du compte de l'utilisateur sur l'Internet. Les différentes composantes de ce nom sont séparées par un point.

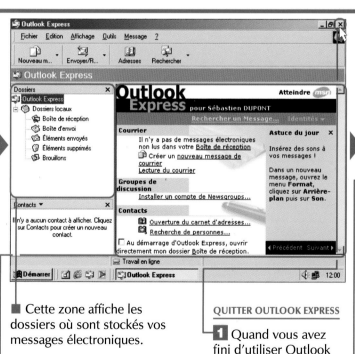

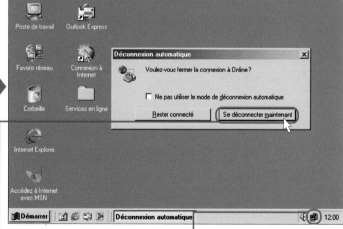

■ Cette zone affiche les dossiers où sont stockés vos messages électroniques.

■ Dans cette zone figurent des liens dédiés à la gestion de vos messages électroniques.

Note. Pour agrandir la fenêtre Outlook Express, de façon qu'elle occupe tout l'écran, consultez la page 156.

QUITTER OUTLOOK EXPRESS

1 Quand vous avez fini d'utiliser Outlook Express, cliquez ☒ pour fermer la fenêtre.

■ Une boîte de dialogue apparaît, demandant si vous souhaitez vous déconnecter.

2 Cliquez **Se déconnecter maintenant**.

■ Cette icône (▣) apparaît dans la barre des tâches pendant que vous êtes connecté à l'Internet. Elle disparaît dès que vous coupez la connexion.

> Il est très facile d'ouvrir un message pour en lire le contenu.

> Vincent,
> Désolée de ne pas vous avoir rencontré à la réunion commerciale de vendredi dernier. Vous en obtiendrez un compte rendu détaillé auprès de Lise.
>
> Valérie

LIRE UN MESSAGE

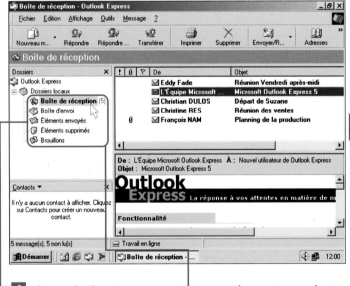

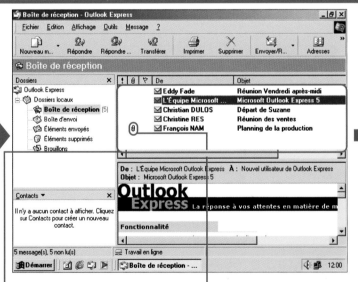

1 Cliquez le dossier contenant les messages à lire. Il apparaît en surbrillance.

■ Le nombre entre crochets à côté du dossier indique la quantité de messages non lus dans le dossier. Il disparaît une fois que vous avez lu tous les messages du dossier.

■ Cette zone affiche les messages du dossier sélectionné. Ceux que vous n'avez pas encore lus sont précédés d'une enveloppe fermée (✉) et apparaissent en **gras**.

■ Les messages auxquels un fichier a été joint sont précédés d'un trombone (📎).

Note. Pour ouvrir un fichier joint à un message, consultez la page 404.

C'EST SIMPLE

Quels dossiers Outlook Express utilise-t-il
pour stocker les messages ?

Boîte de réception	**Boîte d'envoi**	**Éléments envoyés**	**Éléments supprimés**	**Brouillons**
Stocke les messages qui vous ont été envoyés.	Stocke temporairement les messages que vous n'avez pas encore envoyés.	Stocke une copie des messages que vous avez envoyés.	Stocke les messages supprimés.	Stocke les messages qui ne sont pas encore prêts à être envoyés.

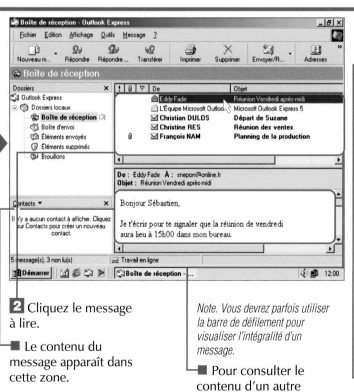

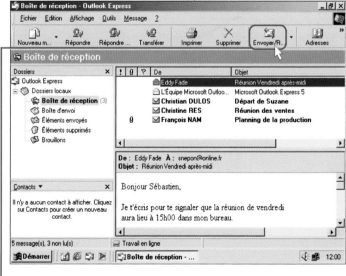

2 Cliquez le message
à lire.

■ Le contenu du
message apparaît dans
cette zone.

*Note. Vous devrez parfois utiliser
la barre de défilement pour
visualiser l'intégralité d'un
message.*

■ Pour consulter le
contenu d'un autre
message, cliquez ce
dernier.

RÉCUPÉRER LES NOUVEAUX MESSAGES

**Outlook Express peut rechercher
les nouveaux messages éventuels
toutes les 30 minutes.**

1 Pour récupérer
immédiatement tout nouveau
message éventuel, cliquez
Envoyer/Recevoir.

*Note. Si une boîte de dialogue
apparaît pour demander votre
mot de passe, saisissez celui
de votre compte de courrier et
appuyez sur la touche* Entrée .

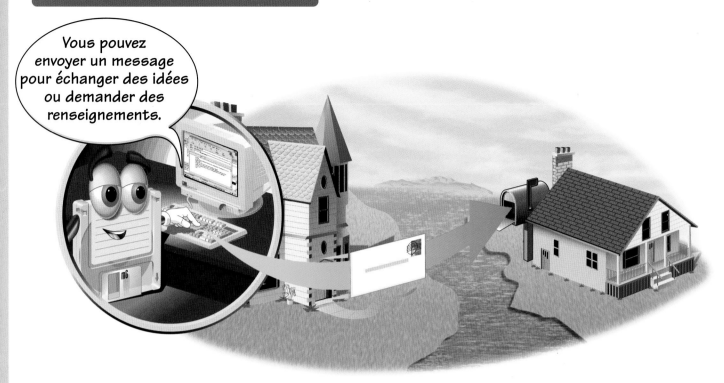

Vous pouvez envoyer un message pour échanger des idées ou demander des renseignements.

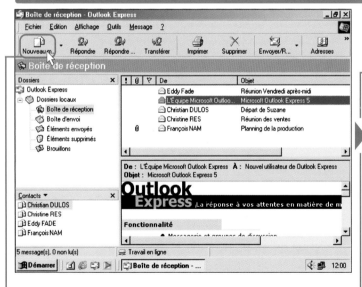

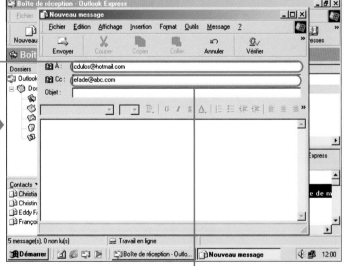

1 Cliquez **Nouveau message**, afin de composer un nouveau message.

■ La fenêtre Nouveau message apparaît.

2 Saisissez l'adresse électronique de la personne à qui vous souhaitez envoyer le message.

3 Pour envoyer une copie du message à une personne qui, sans être directement concernée, pourrait néanmoins être intéressée par le courrier, cliquez cette zone et saisissez l'adresse électronique requise.

Note. Pour envoyer le message à plusieurs personnes, séparez chaque adresse électronique par un point-virgule (;).

C'EST SIMPLE

Comment exprimer des émotions dans un message électronique ?

Vous pouvez utiliser des caractères spéciaux, appelés *smileys* ou émoticons. Orientés verticalement, ces signes ressemblent à des visages humains.

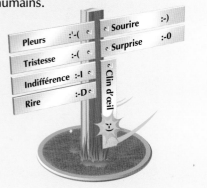

Pleurs	:'-(
Tristesse	:-(
Indifférence	:-l
Rire	:-D
Sourire	:-)
Surprise	:-0
Clin d'œil	;-)

C'EST SIMPLE

À quoi dois-je veiller au moment de composer un message électronique ?

UN MESSAGE ÉCRIT EN MAJUSCULES EST ENNUYEUX ET DIFFICILE À LIRE. IL EST CONSIDÉRÉ COMME UN CRI. Par conséquent, utilisez toujours à la fois des majuscules et des minuscules lorsque vous saisissez un message.

COMMENT ALLEZ-VOUS ?

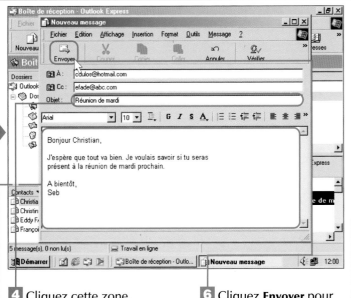

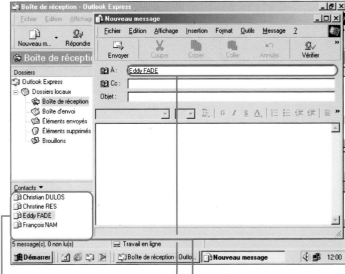

4 Cliquez cette zone, puis entrez l'objet du message.

5 Cliquez cette zone et saisissez le texte du message.

6 Cliquez **Envoyer** pour expédier le message.

■ Outlook Express stocke une copie de chaque message expédié dans le dossier Éléments envoyés.

ADRESSER RAPIDEMENT UN MESSAGE

■ La liste Contacts répertorie le nom de toutes les personnes figurant dans votre carnet d'adresses.

Note. Pour plus d'informations sur le carnet d'adresses, consultez la page 406.

1 Pour adresser rapidement un message à l'une des personnes de la liste Contacts, double-cliquez le nom du contact.

■ La fenêtre Nouveau message apparaît.

■ Outlook Express renseigne le champ À pour vous.

RÉPONDRE À UN MESSAGE

Vous pouvez répondre à un message pour apporter une réponse à une question ou pour faire part de commentaires.

RÉPONDRE À UN MESSAGE

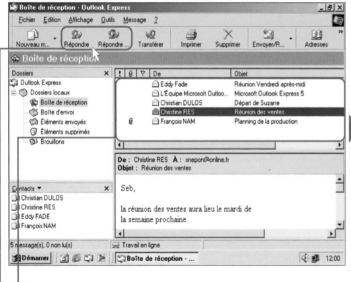

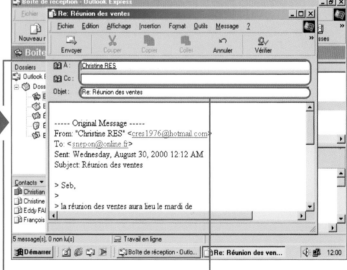

1 Cliquez le message auquel vous souhaitez répondre.

2 Cliquez l'option de réponse à utiliser.

Répondre
La réponse n'est envoyée qu'à l'auteur du message.

Répondre à tous
La réponse est envoyée à l'auteur et à toutes les personnes qui ont reçu le message original.

■ Une fenêtre apparaît pour vous permettre de composer le message.

■ Outlook Express renseigne le(s) champ(s) d'adresse à votre place.

■ Outlook Express spécifie également l'objet, en le faisant précéder de la mention **Re:**.

Comment accélérer la saisie d'un message ?

Il est fréquent d'employer des abréviations de mots et d'expressions pour gagner du temps dans la saisie de messages.

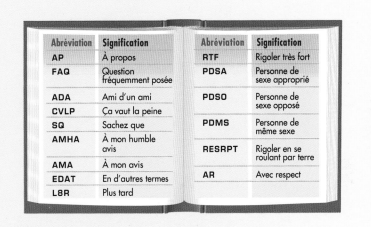

Abréviation	Signification
AP	À propos
FAQ	Question fréquemment posée
ADA	Ami d'un ami
CVLP	Ça vaut la peine
SQ	Sachez que
AMHA	À mon humble avis
AMA	À mon avis
EDAT	En d'autres termes
L8R	Plus tard

Abréviation	Signification
RTF	Rigoler très fort
PDSA	Personne de sexe approprié
PDSO	Personne de sexe opposé
PDMS	Personne de même sexe
RESRPT	Rigoler en se roulant par terre
AR	Avec respect

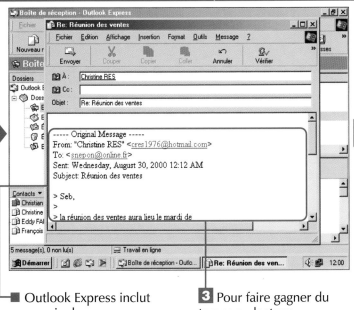

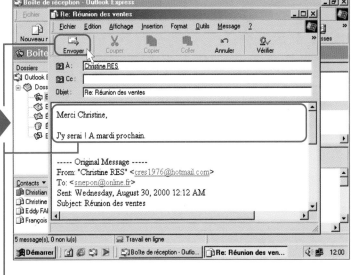

■ Outlook Express inclut une copie du message original pour aider le lecteur à identifier le courrier auquel vous répondez. Il s'agit là d'une citation.

3 Pour faire gagner du temps au lecteur, supprimez toutes les parties du message original qui ne se rapportent pas directement à votre réponse.

4 Cliquez cette zone, puis saisissez votre réponse.

5 Cliquez **Envoyer** pour expédier votre réponse.

■ Outlook Express stocke une copie du message expédié dans le dossier Éléments envoyés.

TRANSFÉRER UN MESSAGE

> Après avoir lu
> un message, vous pouvez y
> ajouter un commentaire,
> puis le transférer à un ami
> ou à un collègue.

TRANSFÉRER UN MESSAGE

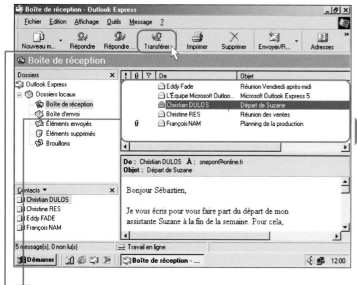

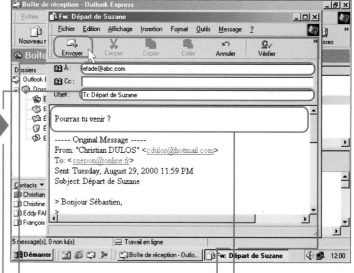

1 Cliquez le message
à transmettre.

2 Cliquez **Transférer**.

■ Une fenêtre
contenant le message à
transmettre apparaît.

3 Saisissez l'adresse
électronique de la personne à
qui vous souhaitez transférer le
message.

*Note. Pour sélectionner un nom dans le
carnet d'adresses, consultez la page 216.*

■ Outlook Express spécifie
l'objet à votre place, en le faisant
précéder de la mention **Tr:**.

4 Cliquez cette zone,
puis saisissez le
commentaire à ajouter
au message.

5 Cliquez **Envoyer** pour
transférer le message.

Vous pouvez sortir une version papier de tout message reçu.

Outlook Express imprime le numéro de la page et le nombre total de pages en haut de chaque page. Il fait figurer la date du jour au bas de chaque page.

IMPRIMER UN MESSAGE

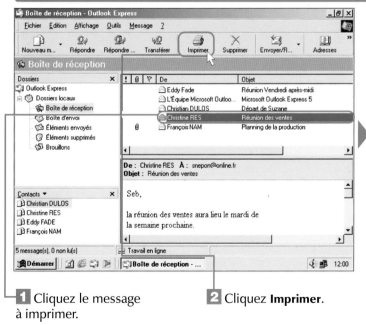

1 Cliquez le message à imprimer.

2 Cliquez **Imprimer**.

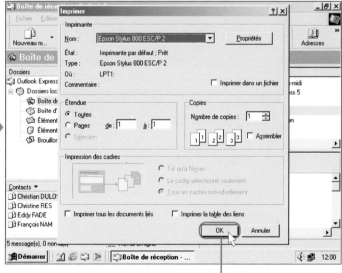

■ La boîte de dialogue Imprimer apparaît.

3 Cliquez **OK** pour imprimer le message.

JOINDRE UN FICHIER À UN MESSAGE

Vous pouvez joindre un fichier à un message que vous envoyez. Cela permet d'intégrer davantage d'informations dans un courrier.

De :
À :
Objet :
Cc:

Le meilleur golfeur !

Toutes nos félicitations ! Cette année encore, vous avez remporté le grand tournoi de golf des Pâquerettes. Vous êtes cordialement invité à assister à la remise des prix qui aura lieu mardi prochain. Une très jolie photo souvenir est jointe à ce message.

JOINDRE UN FICHIER À UN MESSAGE

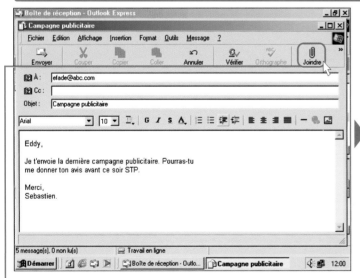

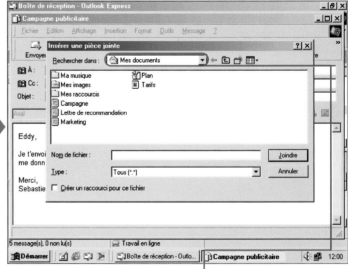

1 Pour composer un message, effectuez les étapes 1 à 5 qui commencent à la page 396.

2 Cliquez **Joindre**, afin de joindre un fichier au message.

Note. Si le bouton Joindre n'est pas visible dans la fenêtre, agrandissez cette dernière. Pour redimensionner une fenêtre, consultez la page 159.

■ La boîte de dialogue Insérer une pièce jointe apparaît.

■ Cette zone indique l'emplacement des fichiers affichés. Vous pouvez la cliquer pour changer de dossier.

Quels types de fichiers puis-je joindre à un message ?

Il est possible de joindre des fichiers tels que des documents, des images, des programmes et des bandes son et vidéo. Le destinataire du message devra simplement posséder les matériels et logiciels adéquats pour afficher ou lire la pièce jointe.

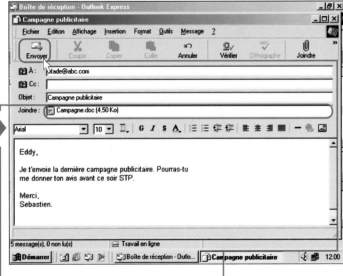

3 Cliquez le fichier à joindre au message.

4 Cliquez **Joindre**, afin de joindre le fichier au message.

■ Cette zone indique le nom et la taille du fichier joint.

■ Pour joindre d'autres fichiers, répétez les étapes 2 à 4 autant de fois que nécessaire.

5 Cliquez **Envoyer** pour expédier le message.

Consulter le fichier joint à un message est très facile.

Avant d'ouvrir un fichier joint, assurez-vous qu'il provient d'une source fiable. Certains peuvent contenir des virus, ce qui risquerait d'endommager votre ordinateur.

OUVRIR UN FICHIER JOINT À UN MESSAGE

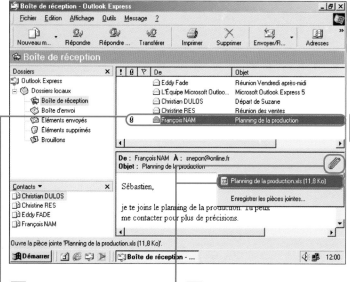

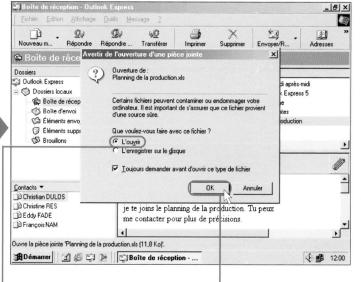

1 Cliquez le message comportant un fichier joint. Tout courrier contenant une pièce jointe est précédé d'un trombone (**0**).

2 Cliquez l'icône du trombone (🖉) dans cette zone, afin d'ouvrir le fichier joint.

3 Cliquez le nom du fichier à ouvrir.

■ Une boîte de dialogue peut apparaître, demandant si vous souhaitez ouvrir ou enregistrer le fichier.

4 Cliquez **L'ouvrir** pour ouvrir le fichier (○ devient ⊙).

5 Cliquez **OK**, afin d'ouvrir et de consulter le fichier à l'écran.

Quand vous n'avez plus besoin d'un message, vous pouvez le supprimer, afin de ne pas encombrer inutilement vos dossiers.

SUPPRIMER UN MESSAGE

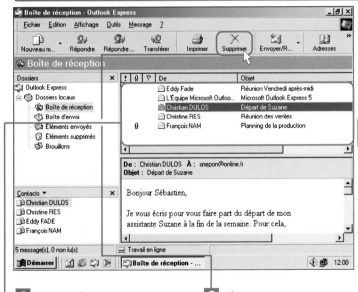

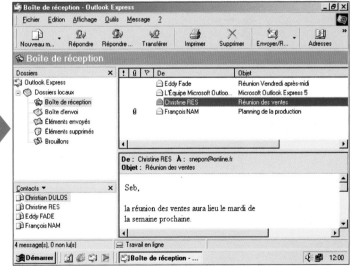

1 Cliquez le message à supprimer.

2 Cliquez **Supprimer**.

■ Outlook Express retire le message du dossier en cours et le place dans le dossier Éléments supprimés.

Note. Pour supprimer définitivement un message de l'ordinateur, vous devez le supprimer du dossier Éléments supprimés.

Vous pouvez utiliser le carnet d'adresses pour stocker les adresses électroniques des personnes auxquelles vous envoyez fréquemment des messages.

Sélectionner directement un nom dans le carnet d'adresses permet d'éviter toute faute de frappe dans la saisie de l'adresse électronique. En cas d'erreur de ce type, le message risquerait d'être expédié à un mauvais destinataire ou de vous revenir.

AJOUTER UN NOM AU CARNET D'ADRESSES

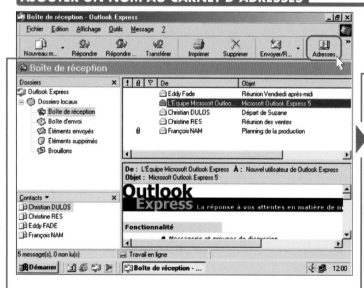

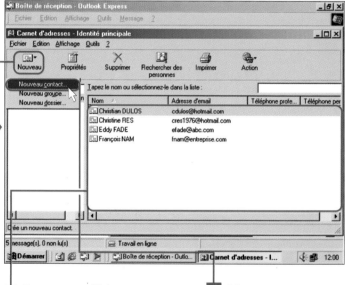

1 Cliquez **Adresses**, afin d'ouvrir le carnet d'adresses.

■ La fenêtre Carnet d'adresses apparaît.

■ Cette zone affiche les noms et adresses électroniques de toutes les personnes figurant dans votre carnet d'adresses.

2 Cliquez **Nouveau**, afin d'ajouter un nom au carnet d'adresses.

3 Cliquez **Nouveau contact**.

■ La boîte de dialogue Propriétés apparaît.

Outlook Express peut-il ajouter automatiquement un nom à mon carnet d'adresses ?

Oui. À chaque fois que vous répondez à un message, les nom et adresse électronique de l'auteur sont systématiquement intégrés à votre carnet d'adresses.

Dois-je ouvrir mon carnet d'adresses pour afficher les contacts qui s'y trouvent ?

Non. Dans la fenêtre Outlook Express, la liste Contacts répertorie les noms de toutes les personnes figurant dans votre carnet d'adresses. Vous pouvez ainsi envoyer rapidement un message à l'une d'entre elles.

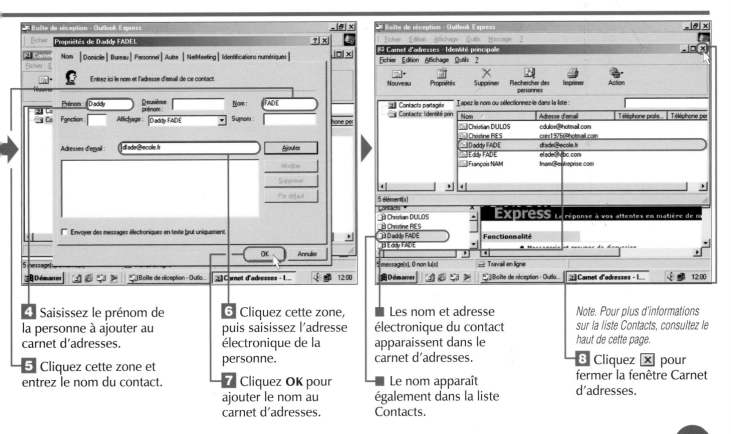

■ **4** Saisissez le prénom de la personne à ajouter au carnet d'adresses.

■ **5** Cliquez cette zone et entrez le nom du contact.

■ **6** Cliquez cette zone, puis saisissez l'adresse électronique de la personne.

■ **7** Cliquez **OK** pour ajouter le nom au carnet d'adresses.

■ Les nom et adresse électronique du contact apparaissent dans le carnet d'adresses.

■ Le nom apparaît également dans la liste Contacts.

Note. Pour plus d'informations sur la liste Contacts, consultez le haut de cette page.

■ **8** Cliquez ✕ pour fermer la fenêtre Carnet d'adresses.

Lorsque vous envoyez un message électronique, vous pouvez sélectionner le nom du destinataire dans le carnet d'adresses.

En recourant au carnet d'adresses, vous n'avez pas à mémoriser les adresses électroniques que vous utilisez souvent.

SÉLECTIONNER UN NOM DANS LE CARNET D'ADRESSES

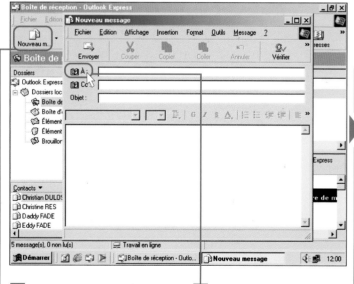

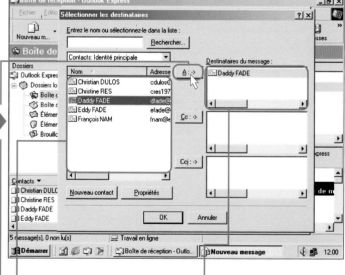

1 Cliquez **Nouveau message**, afin de composer un nouveau message.

■ La fenêtre Nouveau message apparaît.

2 Cliquez **À :**, afin de sélectionner un nom dans le carnet d'adresses.

■ La boîte de dialogue Sélectionner les destinataires apparaît.

3 Cliquez le nom de la personne à qui vous destinez le message.

4 Cliquez **A :**.

■ Cette zone affiche le nom du contact sélectionné.

■ Vous pouvez répéter les étapes **3** et **4** pour chaque destinataire du message.

C'EST SIMPLE

Comment adresser un
message ?

À
Envoie le message
à la personne
spécifiée.

Copie conforme (Cc)
Envoie une copie exacte
du message à une personne
qui, sans être directement
concernée, pourrait néanmoins
être intéressée par le courrier.

Copie conforme invisible (Cci)
Envoie une copie exacte du
message à une personne, à
l'insu de tous les autres
destinataires.

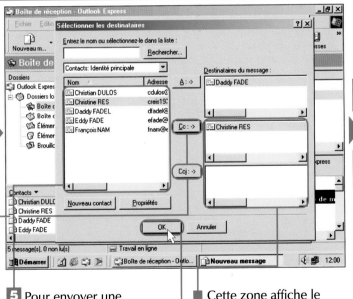

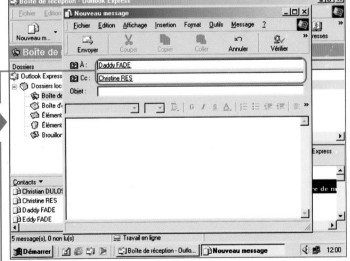

5 Pour envoyer une
copie du message à une
autre personne, cliquez le
nom de cette dernière.

6 Cliquez **Cc :** ou **Cci :**.

*Note. Pour plus d'informations,
consultez le haut de cette page.*

■ Cette zone affiche le
nom du contact
sélectionné.

■ Vous pouvez répéter les
étapes **5** et **6** pour chaque
destinataire d'une copie du
message.

7 Cliquez **OK**.

■ Ces zones affichent
le nom des personnes
sélectionnées dans le
carnet d'adresses.

■ Vous pouvez
maintenant finir de
composer le message.

INDEX

Débuter en Micro

C'est simple

2e édition

> Pour connaître les nouvelles parutions dans vos collections favorites, retournez votre Fiche Lecteur et recevez gratuitement le catalogue Livres d'informatique des Éditions First Interactive.

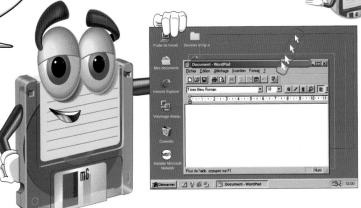

À MON AVIS, « DÉBUTER EN MICRO C'EST SIMPLE, ÉDITION GOLD » EST

- ❏ Excellent
- ❏ Satisfaisant
- ❏ Moyen
- ❏ Insuffisant

CE QUE JE PRÉFÈRE DANS CE LIVRE

_____
_____
_____
_____

MES SUGGESTIONS POUR L'AMÉLIORER

_____
_____
_____
_____

EN INFORMATIQUE, JE ME CONSIDÈRE COMME

- ❏ Débutant
- ❏ Initié
- ❏ Expérimenté
- ❏ Professionnel

J'UTILISE L'ORDINATEUR

- ❏ Au bureau
- ❏ À la maison
- ❏ À l'école
- ❏ Autre : _____

MES LOGICIELS FAVORIS

- ❏ Traitement de texte
- ❏ Tableur
- ❏ Base de données
- ❏ Création graphique
- ❏ Internet et Web
- ❏ Communications et réseaux
- ❏ Langages de programmation
- ❏ Autre : _____

J'UTILISE

- ❏ Windows 95/98
- ❏ Windows Me
- ❏ Windows NT 4
- ❏ Windows 2000
- ❏ Linux
- ❏ Mac OS
- ❏ Autre : _____

Nom _____

Prénom _____

Adresse _____

Rue _____

Code postal _____ Ville _____

Pays _____

J'AI VRAIMENT ADORÉ CE LIVRE !

Vous pouvez citer mon témoignage dans vos documents promotionnels. Voici mon numéro de téléphone en journée : _____

Fiche Lecteur à découper ou à photocopier.
Adresse au verso.

Éditions First Interactive
33, avenue de la République
75011 PARIS
France